21世纪中国纪实文学大系

2010卷

顾问：钱谷融
主编：桂国强

世界盛会

文匯出版社

编委会名单

总序

21世纪是一个非同寻常的世纪。尽管这个世纪至今仅仅走过了十多年的历程，但在与人类朝夕相处的地球上，却已经发生了诸多惊天地、泣鬼神的重大事件，令世界格局发生了错综复杂的变化，给全世界留下了难以泯灭的记忆。

对于正在不断崛起的中国而言，21世纪无疑是一个机遇与挑战并存、成就和困难共现的世纪——这已在中国社会的各个层面展现出来。

在刚刚过去的十多年里，中国正式加入WTO，成功举办2008年北京奥运会和2010年上海世博会，国际地位显著提高；中国全面实施西部大开发战略，青藏铁路顺利开通，“西气东输”工程全线推进，高速铁路亦成功运行，国家建设硕果累累；中国高度重视科学发展，包括航天科技、农业科技、石油勘探等在内的科学技术取得了举世瞩目的辉煌成就；中国的新农村建设卓有成效，农业税费制度改革进一步推进，农村义务教育经费保障机制有力推行，农民的生活不断改善；中国的两岸关系有所突破，厦门金门实现直航，两岸春节包机适时通航，大陆居民赴台旅游更加便捷，两岸“大三通”已然实现……勤劳而智慧的中国人准确把握机遇，用自己的行动赢得了世界的尊重。

当然，在新世纪已经过去的十数年里，中国也面临着诸多挑战，遭遇了不少困难。譬如：2003年的“非典”，2004年的“禽流感”，2008年的四川汶川大地震及这一年全球金融危机给中国带来的负面影响，2010年的青海玉树地震，2011年湖北、湖南、江西等地出现的大面积干旱……此外，还有环境污染、食品造假、海峡那边陈水扁的“台独”闹剧等等，凡此种种，都给中国的前进之路带来了挑战。

成就也好，挑战也罢，时至今日，都已在新世纪所发生的重要事件中显现出来。这些事件，有些已经成为历史，有些却还在延续。历史是一面镜子，对于后人，可以起到“以史为鉴”的作用；现实是当下的存在，研究它可以积累经验，帮助我们寻找到人类发展的正确路径——基于此，我们有必要将这些已经过去的或仍在延续的事件以及与这些事件有着密切关联的人物——用一种最为世人接受的文字形式记录下来，为今天和明天留下一份可供借鉴与启迪的珍贵资料。

我们之所以选择纪实文学作为承担“记录”重任的文字形式，是因为这种文体乃涉猎文学和新闻两大领域的一种独特的艺术样式，是兼具新闻真实和历史真实品格的艺术真实，它在很多方面弥补了现实新闻报道无法反映的空白，达到了相当的深度和广度——正是由于它能比一般的新闻报道更深地切入现实、切入人心、全景式地反映变革过程中某些本质的东西，因而，随着时间的推移，也就更能凸显其无可争辩的文献史料价值和文学欣赏价值。

新世纪以来，中国的纪实文学蓬勃发展。国家综合实力的提升，国际多边交往的频繁，国民生活水平的提高……都为纪实文学提供了丰富的创作素材，激发了纪实文学作家和各类媒体记者的创作热情，从而创作出一批又一批展示波澜壮阔历史画面、描绘跌宕起伏现实场景的精品力作，为反映中国的现实、记录中国的历史、繁荣中国的文学立下了不朽的功勋。

现在，呈现在读者面前的就是新世纪以来（自2000年开始）中国优秀纪实文学的精选、精编本。入选的文章中，有的获得中国报告文学奖，有的获得鲁迅文学奖，有的则荣获了各种类别的年度新闻奖……由于诸多事件的发生、发展都会经历一定的时间，有些还会延续几年甚至更长；从创作规律来说，一篇成功纪实文学作品的采访、创作和发表也需要相当的时间，很难保证当年的文章能与当年的事件完全同步。因此，在对文章的选择中，我们首先考虑的是能够反映该年度的重要事件及其相关人物，至于其具体的发表时间，则应当服从于事件和人物。

我们计划一年精编一本，每本都能比较客观、全面、及时地反映该年度中国所发生的重要事件及与之相关的重要人物，从而能凸显其独特的史料价值；我们同时又希望，书中所精选的纪实文学作品能给予读者朋友有益的启迪和思考，充分享受阅读的愉悦，从而真正领略纪实文学的艺术魅力。

迈着稳健而充满活力的步伐，向着明确而富有挑战的目标，中国依然在前进，中国的大地上依然在发生着历史性的深刻变化。因此，用文字记录中国、展示中国，依然是我们今后相当一段时期内义不容辞的重要任务。我们将不辱使命，勤奋工作，努力选编好一年一度的《21世纪中国纪实文学大系》，为广大读者奉献上兼具史料和文学双重价值的精神产品。

（主　编）

2010年纪实文学概述

2010年，对于中国人来说，应该称得上是五味杂陈、百感交集的一年。一方面，多难兴邦，民生多艰；但与此同时，中国以更加开放和自信的态度，迎接世界的目光。这些恰好也为文学创作，特别是为现实感很强的纪实文学创作，提供了异彩纷呈且多样化的写作资源。

一

深度报道是2010年纪实文学的一个显著特色。4月14日，青海玉树发生7.1级地震。面对巨大的天灾，纪实文学作家第一时间赶往地震现场。作家们不畏艰险，克服种种困难，通过纪实文学、诗歌等文学形式，全方位、多角度地记录和展现发生在震区一幕幕令人感动的事迹，抒写了当代中国爱的情怀。其中由中国作协李冰主编的报告文学集《玉树大营救》，收录了多篇地震亲历者和见证者的所感、所想，很多作品内容鲜活生动，细节栩栩如生，让读者感受到大灾面前普通中国人的精神状态。我们的作家几乎和事件同步，在玉树地震灾难的大营救现场，采写和记录了这些珍贵的文字。这些带着灾难的恐怖气氛，带着大营救的悲壮救援精神、行动，带着以复杂的情感面对生死对象的庆幸与遗憾情绪，带着真诚的感动和难忘的记忆的文字，是不到真实的现场很难发现和得到的。作品用一个个仿佛是特写镜头，将军民众志成城的壮观救援场景作了真实生动的描绘。这部《玉树大营救》是一部记述全国上下，军民同心，各族各界共力，英勇悲壮救灾的交响，是文学在灾难面前的特殊担当和出色表现。

《中国维和英雄》深度报道了中国公安干警，在国际维和活动中的英雄事迹。作者刘广雄是中国公安边防部队作家协会主席，与在海地牺牲的烈士李钦、钟荐勤、何志虹更是云南公安的战友。同为公安边防人的作者，对英雄们的内心世界有着更为真切和完整的理解和感受。作品以大量鲜为人知的第一手资料，准确生动的文字记录，为我们呈现出新世纪中国公安边防警察敢于担当、勇于献身的英雄精神。

二

城市生活是本年度纪实文学创作较为集中的主题。2010 年 5 ~ 10 月，上海世博会成功举办。《世博的故事》收录了一个个参与世博、服务世博、奉献世博、共享世博的真实故事，故事主人公包括世博展馆设计者、建设者，园区工作人员，志愿者等为世博作出贡献的普通人，让读者感受到平凡中的伟大。《世博的故事》不仅记录了世博一线人员的奋斗，也记录了世博会历程，正是有了这些普通人的故事，世博会才有了生命和灵魂。

2010 年，正值上海浦东开发 20 周年纪念。《中国新闻周刊》刊发的《浦东开发 20 年》专题报道，讲述了开发浦东战略实施的缘起、背景、进程，以及新世纪浦东新一轮的发展，为读者勾勒出这短短 20 年浦东发展的历史轮廓。

三

2010 年的纪实文学快速记录下了社会关注度极高的话题。

1 月，在浙江金华的婺城区箬阳乡琴坛村，由村民成立的罢免委员会，成功罢免了一位村主任的职务，因为他没有兑现上任时的承诺。这是一次村民自治的生动实践。然而，它的内幕却鲜为人知。朱晓军、李英的《让百姓做主——浙江省琴坛村罢免村主任纪事》向我们描述了这一事件错综复杂的全过程，反映了中国农村存在的一些腐败现象，塑造了一批随着中国现代化文明进程、随着农民大批进城改变自身命运而茁壮成长起来的、积极当家做主的新农民，揭示了这些勇于与腐败作抗争、敢于承担责任的新农民必将给中国基层民主政权建设和农村面貌带来历史性变革的事实。

3 月，山西王家岭煤矿发生特大透水事故，100 多名矿工被困井下，35 名矿工遇难。山西作家赵瑜、顺民、骏虎、黄风、玄武组成的写作小组，几乎是在第一时间，创作了《王家岭的诉说》。作品采用分组访谈的形式，主要记述矿难当事人的真实感受。作品对不断出现的矿难事故，从管理体制和利益博弈等方面进行深刻反思，可以说，这是本年度最具反思精神的一部报告文学作品。

百姓生活焦点，在2010年有一个词很流行，这就是“食疗”。为此江湖上有一批所谓的“食疗专家”靠介绍、推销所谓的营养食品，为自己谋取财物。王雯淼等撰写的《揭秘“食疗专家”张悟本蹿红背后的利益链》，揭露江湖骗子张悟本是怎样行骗，而一些企业和传媒为了利益，为其提供便利。

《曹操墓真相》则是一篇比较特殊的报告文学作品。这是由三位专业考古学家唐际根、张志清、潘伟斌合作完成的作品。该作品围绕曹操墓发现的前前后后诸多文物考古故事展开，由文物部门独家披露，对考古、三国时期历史感兴趣的读者，可谓是一顿丰富的精神盛宴。

（撰稿人：杨扬、崔鑫婷）

目录

世博的故事

中国2010年上海世界博览会（Expo 2010），于2010年5月1日至10月31日期间，在中国上海市举行。中共中央政治局委员、上海市委书记俞正声同志就世博成功举办接受上海媒体联合专访时说："世博办得成功、精彩、难忘，关键是第一线的同志，他们不辞辛苦，日夜操劳，他们付出了很多很多。……没有这些人的努力，我们世博办不到这样的程度。"

同吃同住：我们和世博工人的四天三夜

2010年1月11日，上海下了新年的第一场雪，上海世博园举行工程建设誓师大会。截至这一天，世博园工程建设已经完成了90%，预计将于3月底4月初全部完成。

这个成绩和目标由超过十万人次的建设者完成。2010年1月6日，我们走进世博工地，在之后的四天三夜里，与世博建设者在工地上同吃同住，用文字和影像记录了普通世博建设者的真实生活和工作。

数万位世博建设者的故事和肖像不能全部刊登在报纸上，他们的工作、性格、生活都有着不同，但他们对世博的贡献是一样的伟大。

两块钱的早餐

清晨5时30分，月亮还挂在灰白色的天空中，上海一片静谧。

浦西世博园区的工地内，越来越密的脚步声打破了宁静。成群的工人揉着睡眼，从一排排板房涌向工地南边的围栏。铁丝网的外头已经排列起了整齐的

陈金平（浦西世博园工地），54岁，山东枣庄人，土建工。
（王炬亮/摄，图片来源：《东方早报》）

早餐摊，小贩们大声朝工人吆喝："到这来，到这来！"

借着饭摊上昏黄的灯光，工人们瞅着售卖的早餐——煎饼、馄饨、包子、油条……选择各自想吃的食物。

这是2010年1月7日的早晨，这一天距上海世博会开幕还有114天。这也是世博工地上每天都在发生的一幕，吃罢早饭，工人们就要开始一天的劳作了。

老陈就拥挤在买早点的人群中。他瞅了一会儿，用一块钱买了两个肉包，又用一块钱买了一小碗八宝粥。

老陈掏出两张皱巴巴的钞票，从铁丝网的网孔中递给小贩。网孔不大，肉包塞不过去，小贩弯下腰，从铁丝网底下近五厘米的缝隙中，将肉包和粥递到老陈手里。

拣了个角落，老陈蹲在地上安静地享受着早餐，一只肉包只有他的半个拳头大。我也学老陈买了一样的早餐，但掰开肉包，才发现肉馅还没有鹌鹑蛋大。八宝粥也稀疏得很，只能捞出一点花生和红豆。老陈却吃得很香甜，有滋有味。

老陈全名陈金平，山东枣庄人，今年已经54岁了。他很爱笑，笑起来眼睛就眯成了一条线，尖尖的鼻子也更加立体。平日里，老陈总爱戴着一顶灰色的毛线帽。他来上海三年，之前在很多工地上做过，去年跟老板来到世博工地，成为了世博建设者中的一员。

工地里有食堂，但老陈还是喜欢跟小贩买早餐吃。他说早上去食堂打饭太麻烦，而且东西也不合他的胃口："味道太淡。"

吃过早餐，老陈径直走向工地。浦西世博园区工人的宿舍在卢浦大桥附近，老陈干活的地方则毗邻南浦大桥。近两公里的路程，老陈走得非常快，他的脚步还有些瘸。我后来才知道，他以前做过矿工，在山东和贵州挖过矿，一块石头突然砸中了他，当时他在医院里躺了两个月，后来就再也没下过矿。

下水道里的工作

走到航空馆附近，老陈停住了脚步。在世博工地，老陈属于土建工种，今天他的工作是清理下水道的渣土，方便安装管道。

工友汪有用来自安徽阜阳，老陈和他商量了两句后，就拿着铁铲跳进了下水道。下水道很窄，宽度不到半米，老陈像被塞进里面一样，连举手和转身都很难。他一点一点地将铁铲插入渣土中，然后转动小臂，小心地将土翻起来。

地面上，老汪将拴着绳子的小桶丢进下水道。老陈将渣土装满桶后，朝上面喊了一声，老汪就将桶拉上来。桶里除了湿土和碎石，还有白色饭盒、塑料袋和汽水瓶，这些垃圾长期埋在地下，散发出很浓的酸臭味。老汪似乎没闻到，他将渣土在地面上倒成一堆，然后再将桶丢给老陈。

老陈和老汪就不断地重复着这个动作，尽管两人的年纪加起来有110岁，但动作依旧利落。这一天从早到晚，他们一共清理了十个下水道，其中最难的一个用了两个小时。

上午10时许，代工来视察老陈的工作。所谓代工，就是工头找一个关系密切的工人，代理自己来管理其他工人。代工和老陈说了几句话，要求他们把手头的活再抓紧些。

世博会的举办日一天天临近，园区建设的压力也在增大。1月11日，“全体动员、全力拼搏、全面完成园区建设任务誓师大会”在世博轴举行。这一天，园区内90%的建设安装工作已经完成，到3月底前，园区内的道路景观将基本建成。

老陈理解这份压力，他第一次到世博园时，就明白这次工作很特别。当时，他先去临时办公室拍了照片，填写个人资料，拿到一张印有个人信息的出入许可证。每次出入世博园，保安都要求老陈出示证件。有一次他忘了带证件，保安怎么也不让他进来，他只能托工友把证取来。“我知道世博会是大事，国家很重视，能给世博干活挺好的。”老陈说，他还知道世博期间，很多国家和组织都会来作展会，“展示科技”。

冲不开的白糖水

下午5时30分，我看到爱笑的老陈皱着眉。当时，老陈干完活，踩着原路往宿舍走，因为推着推车，他没法走得很快。我问老陈家里还有谁？老陈说，还有三个儿子和一个女儿。停顿一下后，老陈继续用地道的山东口音说："我原先家里做饭的，和我不是一条心，走了。""家里做饭的"是他对老婆的称呼。

老陈和前妻生过两个儿子，后来前妻离开了他。他带着两个儿子续娶了一个女人，女人还带来两个儿子和一个女儿。老陈的老婆现在和小儿子在浦东打工，小儿子刚结婚。

说着说着，我们又走到摊贩集中的围栏处。这一天收工较晚，老陈担心食堂里没什么菜了，就合计着买点东西回去吃。在围栏边打量十多分钟后，他花一块钱买了四个小馒头，又买了七块钱的熟肉。

提着馒头和熟肉，老陈悠闲地走向宿舍，走得很慢，似乎在享受着一天工作之后的悠闲。

浦西世博园工地的宿舍是一排排整齐的活动板房。回到一楼的宿舍，老陈立刻洗了手，取出点白糖倒入水杯中。干完活喝上一杯白糖水，这是老陈生活的一大享受。

暖瓶里没有热水，老陈就跑出宿舍去打水，但他很快就回来了，表情很失望。老陈说打水的人太多，水没烧开，不能喝。于是他将暖瓶里仅存的一点温水倒入杯中冲白糖，水温不够，白糖沉在杯底化不开，老陈就不停地摇晃着杯子。

吃饭的间隙，老陈不说话，只是听宿舍工友聊天。这间板房里一共住着五个人，来自天南海北，每个人说话都夹杂着方言，我听起来有些吃力，老陈却似乎都能听懂，他边听边点头，然后呵呵地笑起来。

为拍照买镜子打扮

老陈是因为工友单金刚的话而笑。单金刚是安徽人，36岁，略微有些胖，看着比实际年纪要大。单金刚是那种能聊会说的人，他在宿舍里喜欢一边抽烟，一边点评各地的风俗，说些笑话。

对于我的来访，单金刚最想知道的就是单位会发多少报酬奖金。单金刚还说，今天收工后，汪有用没有赶着回来吃饭，而是买镜子打扮去了。就是这句话把工人们给逗乐了。

汪有用就是老陈白天清理下水道时的伙伴，他个子不高，门牙有些外露。平时收工，他都会在工地四处走走。单金刚说，因为看到我们带着相机拍照，老汪特意跑去买了镜子，打扮拾掇了一下。话音刚落，老汪就从外面走了进来，右手还真拿着一面新的圆形镜子。这一下，整个宿舍更是乐开了锅，大家笑个不停，摸不着头脑的老汪就跟着傻乐。

但更多的时候，工人们都在宿舍里沉默不语。老陈坐在床边，低着头吃馒头。旁边的工友喝着黄酒，不时发出点声音。另一个工友睡在床上，看着上铺的床板发呆，偶尔抬起两脚摇晃。

晚上8时许，老陈提着水桶去取热水。天已经很黑了，工棚的过道上没有灯，借着不远处高架桥的灯光，老陈向打水处走去。排队打水的人很多，老陈安静地排在队伍的末尾，缓缓地向前移动。

我问老陈，都五十好几了，怎么还在外头奔波。老陈笑了笑说："我父母78岁了，还在老家种地。"

"都不容易，等以后老人的事情要用钱，我拿不出来怎么办？小孩结婚还欠着钱呢。"老陈说。

冬天的夜很冷，一阵凉风袭来，老陈哆嗦了一下。他盼着前面的人快些打完热水，他好赶快洗漱睡觉。明早，他还要在5时许起床。

世博局的故事

上海世博会倒计时牌上跳动着的数字，从100天到50天，再到30天，飞速奔向世博会开幕的那一刻。现在，只有不到30天的时间，上海世博会的文明之花就将在黄浦江两岸璀璨绽放，中华民族的百年梦想也将在美丽的上海实现。

对于那些翘首期盼参观上海世博会的海内外游客来说，等待的时间总是显得太过漫长；而对于奋战在筹办世博第一线的工作人员来说，时间又显得太过短暂。

在世博各项筹备工作都已经进入最为紧张的冲刺阶段的时刻，我们走进上海世博会事务协调局（简称"上海世博局"），走近这个由2 000余名从全市各行各业精心挑选出来的精兵强将所组成的特殊的"战斗部队"，近距离感受他们"五加二""白加黑”的工作状态，体味他们“全力以赴、办好世博、不辱使命、为国争光”的豪情满怀。

故事一：大年初二就上班了

采访对象：吴振羽（世博局工程建设指挥部办公室综合处主任）
采访地点：世博工地
采访时间：2010年3月15日

“现在都没有什么休息不休息的了。”大年初二就开始上班，一直没有好好休息过的吴振羽看上去依然精神饱满。这已经是他来到世博局的第四个年头了，没有周末、没有假期早已成为常态了。

2007年10月，吴振羽从上海建工集团借调到世博会事务协调局，在此之后的两个星期，世博会工程建设指挥部正式成立。当时第三次全球参展方会议马上就要召开，刚进入工程建设指挥部的吴振羽被要求起草世博园区工程建设情况的汇报稿。吴振羽自己形容说，那时的感觉简直就是“被放在了火上”。才刚刚调入世博局，各方面的情况都还没能详细了解，这样大的任务就落在了他的肩上，巨大的压力逼着他迅速进入状态。吴振羽回忆着那时的情形，那晚他奋笔疾书，一直工作到凌晨四点半才得以在沙发上小憩一会儿。后来发现自己准备的是手写稿，不会打字的他顿时被难住了，无奈之下找了一个博士生来帮忙打字。会上，他准备的材料充分而翔实，得到了相关方面的好评，可不会打字的尴尬也让他记怀于心。于是，此后一有时间他就练习打字，不久就能较为熟练地运用电脑了。

攻克了一个又一个难题，吴振羽和许许多多的世博人一起迈着坚定的步伐朝前走。他不无感慨地告诉记者，进入世博局以来获得了诸多进步，在这样一个奋斗拼搏的环境里，个人思想也得到了净化提升。现在离世博会开幕只有一个多月的时间，虽然场馆建设已经基本完成，但是还有两大工程的问题亟待解决，一个是世博会开幕时演艺中心旁黄浦江上的音乐喷泉，另一个是园区出入口的停车场。这两个工程都是近期开工，工期被严重缩短，时间紧迫自不待言，但务必要保质保量按时完成。环顾工程建设指挥部办公室，基本上都是空荡荡的。吴振羽介绍说：“现在工程指挥部办公室的每个处室除了一两个人留守之外，其余所有人都下到了一线的工地上。”

世博的冲刺阶段，每一个人都在最大限度地发挥着自身的能量，每天除了工作别无他想，即使患病也依旧坚守在岗位上。世博局每年会给员工安排体检，患有鼻炎多年的吴振羽却一次都没有去过，他摇摇头说：“没时间，指挥部办公室大部分人都没有时间去。”采访中，他一边说话，一边不停地用纸擦拭着鼻子，嗡嗡的说话声和不顺畅的出气声都表明着他深受鼻炎的困扰。如今工作繁忙鼻炎加重，严重起来的时候一天甚至要用上两盒卫生纸，连衣服上都会被鼻涕浸湿，纵使如此，他都没有时间去动手术，只能用药治疗缓解鼻炎的发作。

在世博局工程部的300多人里像吴振羽这样的例子比比皆是。工程部部长、党总支部书记席群峰是一个工作狂，因劳累而病倒在医院还时刻牵挂着园区建设的每件事，他“生无所息”的态度和“朝受命而夕饮冰”的责任感带动着整个团队持续战斗。工程部党总支部专职副书记、工会主席胡健芳，一个60多岁的女干部，为了世博迟迟未退休，连家中90多岁的老母亲也无暇顾及，只得托付给已退休的丈夫。负责园区安全质量管理的石国祥，一个老同志、老党员，每天都奔波在园区现场的每一个项目工地，以高度的责任心督促各单位确保安全质量管理工作……

“进世博局后都有白头发了。”吴振羽笑着说道。54岁的他近来已经瘦了12斤，说起世博局的工作却神采奕奕，完全看不到眉间的疲惫。曾经有记者问他，觉得办世博自豪吗？他回答说，在办世博的过程中真的没有觉得什么自豪的，只知道干事，心里想得最多的就是世博会能圆满成功地举办。

故事二：他是个“拼命三郎”

采访对象：李卫平（安保部综合协调组工作人员）等

采访地点：世博局安保部

采访时间：2010年3月18日

成功的世博会，安全是基础。

从2007年上海世博局安全保障部组建成立至今，安保部的队伍不断扩大，从成立之初的5人增加到了300余人，他们分别来自公安、国安、部队、武警、保安公司等部门。安保部的同志或年过半百，或正值壮年，或刚刚走出大学校门，可年纪不分老少，职位不分大小，在安保部，个个顶得上、个个干得好，他们默默无闻地奋战在自己的岗位上。工作忙，他们几乎不着家，没有双休日，不分昼夜是常态，硬是把床铺搬到了办公室里。这一切，所有，都只是为了确保世博会的安全。

李卫平在2009年5月从上海市公安局闸北分局借调至上海世博局安保部。在安保部综合协调组，小李始终保持着高度的工作热情，八个多月来，他成了最受领导器重的爱将，编写、制作的文件、图稿等材料都深得好评、广受赞誉；在同事们眼里，他是“拼命三郎”，加班加点成了他的工作常态。他拟写安保部动态信息、情况简报、方案政策等各类文稿材料260多份，绘制园区出入口、围栏线、停车场等各类安保示意图70余份。谁也不曾想到，这么繁重的任务，竟然出自这个刚刚满28岁的小伙子之手。

李卫平的父亲一直身患重病住院治疗，工作忙起来的时候，小李连去医院瞅一眼父亲的时间都没有，每每都是以工作为重，直到完成了手上的工作后，他才拖着疲惫的身体去陪护病重的父亲。今年1月底，小李在看望完父亲后从上海市第七人民医院赶往安保部加班的途中，因疲惫过度而发生车祸住进了医院。可即使是躺在病床上，小李依然时刻惦记着安保部的工作，三番五次要说服医生让他出院，回单位完成自己手头上的工作。

28岁的陈怡，是世博村片区安保岗位的民警。

今年年初，小陈因不慎造成身体4%的面积烫伤，烫伤程度达到二度深度，同事们都让小陈回家休息，可小陈说现在世博村片的工作量大、警力紧缺，回去也是闲着，还是在单位踏实，所以她依然顶着寒风坚持到世博村工作。

过了几天，小陈好不容易被领导劝回家休息，可是没过多久，小陈拄着拐杖的瘦弱身影又在世博村安保办公室里忙碌起来。面对大家的担心，小陈总是笑着说：“没关系，没关系。”年轻的脸上找不到一丝病痛。不用豪言壮语，她用这份对世博安保的责任感，深深地感染了周围的人。

陆建军是崇明县人，家离园区很远，接到世博安保任务的时候，他没有丝毫的推脱，而是将家中的事务和年幼的孩子托付给了妻子，便立即投入到世博安保工作中。

上海公安高等专科学校应届毕业的20名新警被抽调到园区安保指挥中心，陆建军负责带教这批“新兵”，他白天熟悉适应新岗位，空余时间组织新警理论学习、分局实践、园区考察、分组上岗、阶段测试，还常常利用晚上进行政治思想、制度规范、业务操作的讲座。工作的繁忙、交通的不便，使他只能在每个周末才能与家人团聚，而有时甚至因为加班，两三周才能回家一次。

“顾了大家，舍了小家”“五加二、白加黑”的工作状态对于安保部的同志们而言，早就已经是家常便饭了，有的民警为了保证安检仪器设备的安全存放而自发通宵守护，有的民警在三九严寒的冬日穿着雪地靴、贴着暖宝宝坚守岗位。而那些刚刚跨入公安队伍的新同志在广大民警先锋模范作用的感召下，面对全新的工作内容，他们勤奋好学、朝气蓬勃，面对一个又一个挑战。

在世博园区5.28平方公里的土地上，这一支队伍警容整齐，默默地坚守在自己的岗位上。他们，信守着“一家难圆万家圆”的信念；他们，合唱着誓保世博园区平安的赞歌；他们，为举办一届“成功、精彩、难忘”的世博会，坚守在世博园区的第一线。

也许我们不能清晰地记住他们的脸庞，可我们应该努力去记住他们的名字。他们默默无闻地坚守在自己的岗位上，犹如一棵棵屹立不倒的松树，用身躯和信念守卫着世博园区的平安。

故事三：世博局里也有个“柏万青”

采访对象：童丽琴（世博局党群工作部副部长）

采访地点：世博局党群工作部

采访时间：2010年3月17日

看到记者进去，正在准备吃早餐的童丽琴立刻放下了手中的牛奶，她热情地招呼着记者坐下，亲切而和蔼。

从电信局组织处处长的岗位到负责全新的世博党建联建工作，已经50多岁的童丽琴都能从容应对：43个工程项目部，15个周边居民区，几万人的建设大军……一有磕磕碰碰，一有矛盾冲突，她总能以最快的速度赶到现场。

2008年5月，正值高考复习的紧张阶段，周边有居民打电话反映世博的施工建设影响了孩子的学习和休息。刚到世博局党群工作部上班的童丽琴立即赶往工地了解施工情况，下午便召集施工方与居民区书记前来开会，向居民解释情况并提出处理方案，晚上她还特地打电话到居民家中，提议为备考的孩子在宾馆安排住宿并提供良好的复习环境。就这一件小事，让大家知道了党群工作部有这样一位好同志，易接触、好沟通，亲切友善得就像邻家的阿姨。

党群工作部对外服务于周边的居民、单位，对内服务于世博局的全体成员，跑工地、项目部、居民区几乎成了童丽琴工作的主要内容。与世博工程建设相比，党群工作是处在背后的，但却必不可少，它攸关工程建设的顺利推进。从最初的六七个人到如今的30多个人，党群工作部上有60多岁的老干部，下有二十出头的年轻人，每一个人都是榜样，他们心往一处想，力往一处使，营造出了党群工作部良好的氛围。

李宏廷，从未办过报的他在《世博人》报里从头开始学，如今做得风生水起。裴颖，2009年研究生刚毕业就来到党群工作部，从未写过电教片脚本的她为了一部小短片多次修改易稿，在短短的时间内写了十多稿脚本。谷小娜，80后的年轻人，活泼开朗的她在办好《颂祖国办世博》的大型合唱活动后，因为辛苦不禁流泪哭泣……

"认认真真做事，踏踏实实做人。"童丽琴重复地说着，她总是把工作放在第一位。今年春节前夕，因园三世博工程与居民区发生矛盾，童丽琴连续三天下班时来到工地协调处理，寒冷的天气与持续的工作让她不得不住进了医院。想起那时身体透支无法支撑的情景，童丽琴的眼中泛起了雾气，"很难过，可我还是要去。"她拿下鼻梁上的眼镜，擦拭着眼角的泪花，语中带上了哽咽。她周五住进医院，下周一又按时出现在了党群部，病还没有好，饭都无法下咽，她却踉踉跄跄地去上班了。家里人让她休息，她认真的脾气一上来还是去了。女儿总是对她说不要做了，身体都已经做垮了，还做什么，但她依旧执著，手上的工作一样不少。提及远在国外求学的女儿，这位年过半百的女干部再次哽咽了。春节过后，她已经一个多月没有跟女儿好好地通过话了，以前常常会跟女儿打上一两个小时的电话，如今工作繁忙，体力不支，每次跟女儿随便说几句便要休息以备第二天的工

2010年10月31日，2010上海世博会落下帷幕。在世博园即将闭园的最后时刻，许多世博会的工作人员、游客来到中国馆前拍照留念，留下最美好的记忆。（李健/摄，图片来源：新华社）

作。女儿和丈夫看着心疼却依旧支持着她，让她在家里没有牵挂，把精力全部都用在工作上。

在这持续26个月工程建设期的党建联建工作中，童丽琴经历了酸的、苦的、辣的，自然也有甜，工作得到居民们的认可，生病时同事们的细心关怀，这些都温暖着童丽琴的心田。有些时候老百姓不理解世博建设工作，童丽琴苦口婆心地解释协商，常常是热面孔贴冷面孔，为世博工程建设的顺利推进不知受了多少委屈，但是每当化解一个矛盾，她心里都很欣慰。“侬老认真的。”许多人对童丽琴这样说。因为到世博局后几乎每天都在做着协调的工作，于是，世博局“柏万青”的雅称不胫而走。说到这，童丽琴一扫病中的疲倦，笑声朗朗:“我只是想把工作做好，无愧于一个老党员的称谓。”

如今，世博会开幕在即，242个参展国家和国际组织与全市18个区县的对接工作又落在了童丽琴的肩上，她一如既往地认真准备着。

故事四：再多的辛苦都值得

采访对象：龚惠斌（中国馆部副部长）等

采访地点：世博局中国馆部

采访时间：2010年3月10日

说起中国馆，你的脑海中或许立即会浮现出“东方之冠”的红色外形。是的，在所有的世博会场馆中，中国馆是最受关注和最具知名度的一个场馆，这是主办国展馆的地位。纵观历届世博会，主办国展馆向来是展现主办国创意和实力的最佳舞台，是万众瞩目的焦点。

焦点之下，你是否了解它背后的故事？特别是负责中国馆筹备布展任务的世博局中国馆部的工作状态？……

得知中国馆部就在中国馆内办公，记者不禁有几分羡慕。得众人之先，在备受关注之处办公，自然别有一番吸引力。当走进中国馆部办公场所时，记者接触到的却是另外一番景象：施工切割机的声音此起彼伏，长长的走廊过道里弥漫着建材切割散发的灰尘，办公室大多没有窗户，里面摆放了许多去除甲醛的绿色植物。迎面走来几位工作人员，都戴着口罩。

在中国馆部副部长龚惠斌的办公室刚刚落座，只见一位中年男士急匆匆地走进来，接连说不好意思，临时有个会走开了，他就是龚惠斌。说起中国馆部的工作，他脱口而出一个字：“忙！”

“不是我一个人，是大家都忙，大家都挺辛苦。”龚惠斌补充说。

这个近100人的馆部，承担着中国馆筹备、建设管理、布展等大量的工作。部长钱之广忙于各类事务的处理与协调，几乎每天晚上10点以后才下班。主管张洪涛说，钱部长很少在办公室，忙得很难见到他的身影。

龚惠斌的儿子今年高三，即将参加高考，但他没时间照顾处于人生重要时刻的儿子。都是早出晚归的父子俩约定开展一场竞赛，在各自的赛场上力求佳绩。

今年已经58岁的钱颖亨住在松江九亭，他每天早上6点多出门，赶两个多小时的路到浦东南路3588号上班。当初，他第一个报名到工程现场工作，负责现场施工管理。工程进展紧张之时，一个平台上，土建、安装、布展施工同时进行，如何既保障工程进度，又保证工程质量，还要安全施工，钱颖亨动足了脑筋。在那时，他得了一个“义务消防队队长”的称号。

“在中国馆部工作，我们体会到更多一份的荣誉和责任，再多的辛苦都值得！”龚惠斌颇有感触地说。

中国馆部省区市协调组组长王剑涛也有类似的感受，他说：“每个人都冲着世博事业而来，重在价值的实现，对其他方面的利益所求相对少了。‘五加二’‘白加黑’，我们早有准备！”

省区市协调组被称为中国馆部内的“第一接口”，他们负责协调布展之中的各相关施工部门。施工中出现的情况，他们要及时协助解决，并立即向中国馆部和世博局反映；世博局和中国馆部的相关要求，他们也要及时传达到相关的业务部门。上下之间，不容疏忽，因为每个工作环节都事关中国馆。

2004 年就进入世博局的王剑涛，自己也曾有过创业经历。说起在世博局工作的特别之处，他觉得自己对工作的认识、态度与理念都有了变化。“虽然现在很忙，但我感觉很纯粹，有激情。现在最大的一个心愿就是要把中国馆做好。”王剑涛说得很坚决。

“把中国馆做成精品。”这不仅是期盼，也是中国馆部员工的心声。使命重大的国家馆、考验服务的省区市馆、地位特殊的港澳馆，都镌刻在员工们的心中，他们都是以一腔热诚去奋力拼搏。从理念策划、展示设计，到布展施工、现场运营，他们的热忱洒落在中国馆部的每个角落，融入到每个工作细节之中。

采访结束离开时，见到一个边走边拿手机通话的男士，主管张洪涛提醒，那正是忙得难见身影的钱之广部长。见他通话完毕，我上前打了个招呼，他说了声抱歉，又匆匆走开，但步履矫健……

一眼能识“万国旗”

以下是一组机智快问快答：世界上有哪几个国家拥有一模一样的国歌或国旗？俄罗斯国旗上白、蓝、红三色的宽度是否相同？墨西哥国旗上的老鹰翅膀究竟由几

每一面旗帜都凝结着徐珏和同事们的心血。
（金昊 / 摄，图片来源：《文汇报》）

种色调组成？……

解答这些“稀奇古怪”的题目，现在已成了上海世博局礼宾部工作人员徐珏的一大“特殊专长”。从去年 3 月开始，她和礼宾部的同事们就开始和形形色色的国旗、国歌打起了交道。

初见徐珏是在世博局的办公室里，忙碌的她手机一直响个不停，说起话来的语速用“机关枪”来形容真是一点也不为过。她告诉记者，从世博会开幕起，她的主要工作场所就是举行各个国家馆日活动的世博中心，为现场的国旗升旗仪式、嘉宾演讲、文艺演出还有外宾活动提供后勤保障服务，而国旗、国歌正是其中的“重头戏”。

三个月内完成“不可能的任务”

作为一名经验丰富的“外事老兵”，在 2008 年北京奥运会的时候，她曾被派往北京工作过三个月。然而，这次在世博礼宾部的经历却让她体验了一番从未想象过的“惊心动魄”。

“馆日活动的升旗仪式需要大大小小的国旗，包括户外、室内升旗仪式用的十多面大旗，还有数百面手挥旗等，而各个国家都相当重视自己的国旗。”徐珏告诉记者，她和同事们很早就在为这些国旗的制作作准备，“按照事先安排的计划，我们要先让各个参展方提供国旗的矢量图，制作出样旗，给外方签字确认后再印制。”不过，看上去“万无一失”的工作流程真正操作起来却是困难重重。

“要了一圈后，参展方传来的旗帜矢量图总共才 30 多张。”眼见不能指望对方提供，徐珏和同事们只能先从网上搜索，还几乎跑遍了上海的各大书店、图书馆，想尽各种办法搜寻各国国旗的相关资料。可没想到的是，等好不容易找齐了 200 多面旗帜的图片，制作出来的第一批样旗却让人大失所望。

情况紧急，立马搬“救兵”。今年 2 月底，徐珏见到了为爱知世博会制作国旗的一家日本公司的负责人。“原以为事情可以有转机，结果那位负责人赶到上海一看这情况，立马就下了结论：‘三个月内要完成那么多国旗的制作肯定是不可能的。’”当初，这家日本公司足足花了两年的时间搜集资料、完成核对、印制国旗，而爱知世博会的参展方数量是 121 个国家、地区以及 4 个国际组织。“上海世博会有创纪录的 246 个参展方，这家日本公司也无法提供齐全的国旗矢量图资料。何况要是找他们制作，一面旗的报价就高达两万日元，成本实在太高了。”

“为什么不利用一下外交部的旗库呢？”几经周折，徐珏终于在北京找到了一家可以制作标准国旗的厂家。此时已经是 3 月底，距离上海世博会开幕仅剩下一个月。

通宵达旦地赶工之后，4 月 30 日上午，世博会旗林升旗仪式在世博园区旗林广场举行。看着旗林广场上空这片旗帜的海洋，徐珏和同事们真是感慨万千——“不可能完成的任务”终于完成了。

“这些国旗我们能带回去收藏吗？”

“每次举办国家馆活动日前，我们都会把国旗的样旗再次送到外方手里，让他们签字确认，确保不出任何差错。”徐珏说。这段确认的过程看上去很简单，却是“变数”最大的环节。

9 月 1 日，世博会迎来了素有“邮票王国”之称的列支敦士登国家馆日。列支敦士登国旗的左上角有一只金色的王冠，是 1937 年添加的图案，以便与海地的国旗区别开来，而 1982 年时皇冠的造型又作了些许更动，才形成如今见到的样子。

就是这只小小的皇冠，让徐珏惊出了一身冷汗。“还有两天就是馆日活动了，列支敦士登方面突然向我们提出，国旗上的皇冠颜色不对。”至今她想起这事还会忍不住心跳加快，“处理这种紧急的情况一定得当机立断，与外方确认完皇冠的色号后，我们立马通知北京的厂家连夜赶工，又派了一名同事火速直飞北京取旗。毫不夸张地说，这位同事拿到10面大旗加上500面手挥旗时，旗还是滚烫滚烫的！”

经历了几次“惊吓”后，徐珏渐渐就能“处变不惊”了。这不，墨西哥国家馆日前，外方的工作人员又突然告诉徐珏，国旗上的雄鹰图案应该是渐变色的，样旗的颜色有点深。然而，当她收到墨西哥方面提供的三张国旗图案后竟然发现，这三面国旗的颜色都不一样，“外方的说法却是‘让我们综合一下’。就是靠着这三张不同的国旗图案，我们硬是制作出了一面让外方非常满意的墨西哥国旗。”

徐珏说：“看到国旗那天，墨西哥方面的工作人员特别感动，还不停地问我们能不能把这一套国旗带回墨西哥收藏。”讲到这里，一股自豪的神情显现在她的眉宇之间，徐珏笑称自己现在都成了国旗制作的“准专家”，“只要看一眼，我就能知道这面国旗的颜色、比例大概对不对了。”

一段鼓乐博得五分钟掌声

让徐珏谈世博的“国旗故事”，一讲可就是一长串，而馆日活动背后还藏着不少有意思的“国歌故事”。

徐钰告诉记者，负责国家馆日活动国歌演奏的军乐团拥有大多数国家的国歌乐谱资料，但仍有一些国歌从未接触过。“有的国家国歌有不同版本，有的国家曾变更国歌，这些都需要参展方签字确认无误。如果只能找到简单的乐谱，军乐团就会重新编配成乐队能演奏的总谱，再把重新录制的音乐小样交给我们让参展方核实，不少国家还会要求现场审听。”

7月17日，加勒比共同体所属14个成员国在世博园里举行馆日活动。如果按照世博会之前的惯例，参展国际组织馆日的现场升旗仪式可以演奏世博会会歌。但就在馆日举行的前两天，加共体方面却临时提出：“希望中方能为他们创作一首能代表所有成员国特点，也适合在馆日活动演奏的曲子。”

此种状况实属突如其来，徐珏和同事们只能马上和军乐团联系：“当时我们唯一的头绪就是，这些南太平洋上的岛国音乐都以鼓乐见长。”军乐团创作室的作曲家连夜查找资料，寻找具有加勒比风格的音乐元素，最终谱写出了一曲时长一分钟、全部由打击乐器演奏的升旗鼓乐。

馆日当天，世博中心的东门外分外热闹，节奏明快的打击乐，充满着加勒比海的曼妙风情，又不失升旗乐曲的庄重。徐珏说，这段风格独特的音乐一结束，观众群中立刻爆发出长达五分钟的热烈掌声，加勒比方面连连表示“非常满意”。

金玉萍在检查“相约名人堂”项目的活动展板。
（金昊/摄，图片来源:《文汇报》）

相约院士看世博

对于一直在上海图书馆从事会展组织工作的金玉萍来说，请一位院士作一场报告并非难事。可在半年内连请54位院士，在相对固定的时间，以相对集中的主题来作报告，却是从未想过的事。当初接手负责公众参与馆“相约名人堂——与院士一起看世博”项目，她说，如果这样的任务也能坚持下来，那么今后在工作中遇到再大的困难，自己也能有条不紊地处理好。日前，最后一场讲座结束，她终于把这个任务“坚持到底”了——

184天，54位院士登台，其中4位外籍院士，几乎每个讲座都与世博主题相关。基本保持每周两次的频率，每次活动一个半小时，场内、场外，甚至网上的听众都可与院士互动交流。

“头脑风暴”诞生“魔鬼任务”

去年8月，金玉萍刚从上图抽调到市委宣传部，加入临时组建的团队——中国2010年上海世博会公众参与馆筹建工作领导小组办公室之时，“相约名人堂”还一点儿影子都没有。

小组开会，一次次的“头脑风暴”中，一个被同事们称为“疯狂”的点子诞生了：在举办世博会的184天里，每天邀请一位名人到公众参与馆与观众互动。相比一天一场，如今一周两场的频率，难度已经降低了不少；与邀请各界名人相比，如今集中在科技领域，难度又降低不少。可是，尽管中国的两院院士超过2 000位，在上海的院士也不少，可真要组织起连续不断的讲座，还是非常不容易的。

打个比方，这就像玩飞镖游戏，如果靶子够大，扔中靶子自然十分容易；但如果一定要求扔中靶心，即使技术好、飞镖多，难度也会一下提升不少；若是再要求哪类飞镖只能射中靶子的哪一小块区域，难度就更大了；如果再增加先后顺序的要求……这就与安排半年"院士看世博"讲座的活动难度差不多了。

在"城市，让生活更美好"的大主题下，围绕公众参与馆"我们的家园"主题体系，策划出每个月的分主题，再根据这些来邀请相关领域的院士。"院士都是大忙人，而我们必须至少提前一个月确定时间，因为活动排片表要提前一个月通过网站、媒体向公众公布。"金玉萍说，凡邀请名人，最难的就是确定时间，尤其是院士，还身负很多重要的学术任务，"有赖于上海市科协的同事尽责尽力，活动才顺利地进行下来。"

联系，基本靠手机和脚

听金玉萍说话，感觉好像炒到快熟的花生，噼噼啪啪地一串响。金玉萍说，在上图工作的时候，自己说话并没这么快，这都是在世博园里练就的。她抬起脚，捏捏自己的小腿肚，说这半年来结实了好多。以前，她并不那么爱穿旅游鞋，但这半年来，一双旅游鞋成了上班的标配："在世博园里干活儿，联系事情基本上靠手机和脚。"

的确，一边跟记者聊，一边她的手机以平均15分钟进一条短信或一个电话的频率"干扰"着采访。一会儿，下一场讲座的院士、嘉宾的证件送过来了；一会儿，又有同事来问接待的事儿。似乎这种语速、干脆利落的语调，已经成为一种范式。

出于安保、统筹安排等考虑，在世博园中办事，需要遵循更多的规范，一开始还真让金玉萍不那么习惯。讲座的第三场，碰到了第一位高龄院士——80多岁的叶叔华。为了尽快安排一辆电瓶车，金玉萍又打电话，又发传真，最后还和同事一起从B片区跑到了后滩附近的调度中心，几经周折，才落实了一辆VIP电瓶车。

一开始，手忙脚乱、电话找不到人的事情时有发生，于是金玉萍和同事在园区里练就了“神行”功夫。偶尔回一次上图，同事们都有点跟不上她走路的“世博速度”。不过，等摸熟了流程，“神行”功夫用得就相对少了。她说，这里的工作很琐碎，但每一步又不可或缺，每一场讲座只要按照既定的步骤，按照节点做好，基本上就有保障了。

金玉萍最担心的是一些突发事件。在公众参与馆，展示民间才艺的“秀·空间”和“与院士一起看世博”讲座用的是同一个舞台，而讲座需要相对安静的环境，所以必须在前一天闭馆后先把屏风、幕布都搭好，音响、PPT 演示设备都准备到位。但有一天早上，金玉萍到馆里一看，讲座舞台还没搭设，而此时离讲座开始只有一个多小时。惊出一身冷汗的她，立刻想尽办法找人来干活。“那次总算有惊无险，在观众进场之前搞定了。”她说，从此之后，大家都更加上心了，互相提醒着，不敢出一点漏子。

其他诸如馆内的电子屏卡住了，或者读卡器出了问题，金玉萍都轻轻地说一句：“那都是些小问题了！”就是这样的小问题，对于观众服务部来说，也要处理得十二分到位。一天傍晚，一位游客相机里的记忆卡，在馆内上传分享自己拍的照片时卡住，坏了，金玉萍的一位同事特地跑到东方商厦买了一张新卡赔给游客，而且第二天还帮游客去图片社，想办法倒出了坏卡中的照片。

感动，院士确有魅力

每天早上 8 点半上班，晚上 10 点半下班，原本顾家的金玉萍不得不暂时把家当旅馆。每天回去后，她先把女儿留在桌上等待家长签名的本子和作业给检查了，再给自己泡一下脚，舒缓一下疲劳，保证第二天有好的工作状态。尽管每天的琐琐碎碎令她身心俱疲，但一想起院士们，不知怎么就觉得非常值得。她说，院士们带给她的感动太多了。

院士向他们提出最多的问题是：演讲主题是什么？怎样的深度合适？甚至连观众的构成和知识背景也会问及，但对于他们自己的食宿交通、游园安排却几乎没人提出过什么要求。“除了一些外省市来的院士希望看一下所在省的展馆外，或有些院士希望看一下自己曾经留学的国家馆外，基本不提要求。”

来世博园，院士免不了会带上家属，尤其是外地来的院士。而正是与家人在一起，他们更表现出了科学家那种温柔细腻的情感。最让金玉萍震撼的是何积丰院士，他的太太双目失明多年，这次何院士也带她来参观世博会，让她感受一下气氛。在中国馆前，他太太戴着墨镜，举着相机，对着中国馆拍了又拍，还问何院士："我拍得怎样？"何院士每次都微笑着说："好！好！"这个细节一直为金玉萍和同事们津津乐道："真是从没想过，在科研领域叱咤风云的院士，会是如此一个照顾体贴妻子的好丈夫！"

上午的活动结束已是 11 点半，可何镜堂院士连午饭都来不及吃就直奔机场；汪品先院士为了准备讲座的 PPT，自己先二进世博园，排队参观相关展馆……尽管忙累而辛苦，但金玉萍说，院士们表现出的大度与认真令人难忘："这种人格魅力让我们觉得所做的一切都非常值得！"

与世界美食"对话"

土耳其馆的大叔们每天用铁铲挖着他们的特色硬冰淇淋，在卖给女顾客之前，还会故意将冰淇淋向上甩去，"当"一下敲在悬挂的木板上，以演示土耳其冰淇淋之

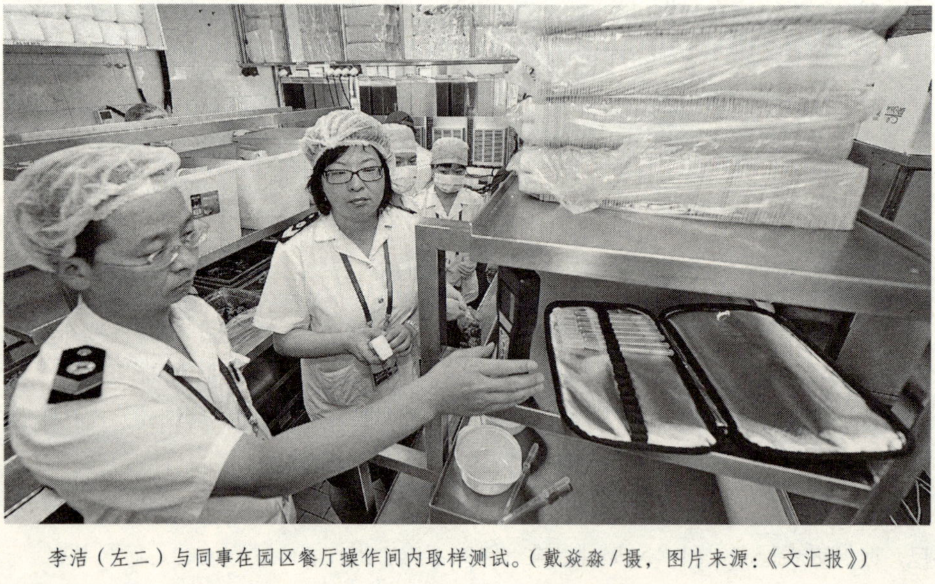

李洁（左二）与同事在园区餐厅操作间内取样测试。（戴焱淼/摄，图片来源：《文汇报》）

"硬"。如此有特色的美食让游人趋之若鹜，可又有谁知道，土耳其硬冰淇淋在世博园内的销售差点"夭折"。

原来，在销售前，硬冰淇淋在世博园的食品安全检测中被发现不合格。馆方找到了驻守在园区的上海食监人员，希望能帮他们找出原因。监管人员先后六次来到土耳其馆，从原料、制作到消毒，逐一查找原因。

硬冰淇淋制作的整个工艺都改善了。奶粉冲泡的原料先要烧热煮沸灭菌，制作的容器必须浸泡消毒充分后才能使用……当硬冰淇淋直面游客的时候，它终于连续通过了两次随机抽检，达到了安全销售的标准。

土耳其的硬冰淇淋在热卖中，而世博园的食监人员则继续着他们与世界美食的安全"对话"。在中国2010上海世博会上，食品安全管理第一次直面如此复杂的局面，必须真正地实践全过程监管的理想模式。

210个监管人员和大专院校的相关专业学生，每天拎着大大小小的仪器、装备，在各家餐厅厨房之间"折返跑"，紧盯着食品制作环节里的各种细节。不仅如此，在"折返跑"的背后，还有一张更全面、更系统的食品安全网络，保障并提升着世博食品的安全级别。

高明的监管，不在于一张罚单

李洁，世博园食品安全的负责人，她曾带着监督员第一个跑进外国展馆的餐厅，如今更是跑遍了园区大大小小所有餐厅的厨房和食品销售点。

希腊国家馆的餐厅负责人Kiki对李洁印象深刻："她是帮助我的厨房上轨道的人。"在餐厅开业之前，不懂中文的Kiki遇到了不小的麻烦：只想订5包面粉，却送来了50包，这让狭小的厨房更加局促。面积越小，操作区域的划分越困难，很可能增加交叉污染。不仅如此，希腊馆在设计厨房时，与外卖区域打通，很有可能让细菌找到"可乘之机"。

李洁不仅看到了厨房的问题，也发现了Kiki的困难。在警示风险的同时，她给了Kiki一个非常具体的改造方案：用板将厨房与外卖区分隔，使厨房相对密闭；搭建一些三层不锈钢的架子，立体式堆放食物原材；给直接入口的色拉留出专用的切配区；让服务员尽量在厨房门口接菜，等等。

每一条建议都是为了避免细菌大量繁殖、生熟食品交叉污染。很快，Kiki顺利改造完成，她告诉李洁："我现在供应的希腊色拉，都是客人点一份，厨师做一份。"不仅如此，得到众人帮助的Kiki已经决定将这家希腊风味的餐厅留在上海，她已经在世博园里找到了出色的员工。

高明的监管并不仅在于一张罚单，而是期望通过监管，全面提高食品安全的意识。世博园内的食监人员在餐厅厨房间"折返跑"正是期望达到这一目标。每一天，园区的食监人员都会覆盖60%左右的厨房或食品销售点。

跑厨房，绝对是一门"技术活"

"跑厨房"绝对是一门技术活。一进入厨房，监督员就会观察地面，如果到处积水，走路容易打滑，这间厨房的食品安全分数肯定不高。地面潮湿，意味着厨房通风不够，潮湿且高温的环境恰恰是细菌繁殖的"暖箱"；容易打滑则源于厨房清洁不够及时，环境消毒不充分。

看完地面看空间。进厨房的是原料，出厨房的是菜肴，这个过程里有清洗、切配、烹饪以及餐具的收、洗和储藏。生的菜和脏盆子是不干净的，烧好的菜和洗完的盆子是要直接供给客人的，它们之间不能接触。厨房据此就被分为粗加工污染区、半清洁区和清洁区，这些区域的连接必须符合做菜的顺序，这样才能保证细菌不会在区域之间"跑来跑去"。一个卫生的厨房，都有一个合理的循环流程，哪个厨房的布局不合理，就容易发生问题。

用眼看完后，还要用双手去感知。监督员会感觉冰箱内是否够冷，切熟食的专间环境温度是否在25℃之下，洗碗机表面是否烫手，如果感觉有异常，就会快速测定实际温度。细菌繁殖与温度有直接关系——在低温下，细菌不易繁殖；在高温中，细菌才可能被灭杀。

在世博园里，这些食品安全的经验还能转化为直接的证据，在30秒内告诉大厨们。

朱霄是C片区的食品监管员，每天跑厨房都必须拎着快速检测的"六件套"，其中有测温度的温度计；测手、桌面、砧板、道具表面细菌数的ATP测试仪；测餐具是否洗净的蛋白残留试纸；测油品是否放置过期的过氧化值试纸；测沸腾的油是否反复使用的酸价试纸；还有测消毒水、测紫外线是否有效的用具。

有一次，在某国家馆的餐厅里，朱霄用“餐具蛋白残留试纸”反复擦拭已消毒完的盘子，结果试纸变成蓝色——这证明餐具上的蛋白残留超标。有超量蛋白，就有超量的细菌，这个盘子很可能没洗干净。老外大厨听到朱霄的解释非常吃惊，他却找不出自己错在哪里。朱霄请他再洗一批盘子，结果发现，原本要求使用15分钟的洗碗机只洗了8分钟，这可能让细菌找到了“机会”。随后，大厨延长了洗涤时间，盘子的洁净度果然达标。

采样，尽一切可能保证准确

现场监督的经验和快速检测的“六件套”还不是最厉害的。世博园内，跑厨房的食监人员还有一支更神秘的“部队”——采样组，他们提供的检测结果让中外大厨们不得不服。

仅看采样组在厨房的工作方式就足够让人心服口服。他们随身拖着一个大号的“行李箱”——食品采样箱，里面装满了冰块，一到厨房首先将它接在电源上。检测员张道广说:“这其实是一个冰箱，可以确保食品样本在运送途中不发生改变。”

采集之前，张道广需要穿上手术医生穿的无纺布蓝色反穿衣，戴上帽子、口罩，甚至双手在戴上一次性手套后，还要用酒精棉擦上2～3分钟，确保无菌采样。“我们采集的都是容易被细菌污染的高风险食品，例如生菜色拉、奶油蛋糕、熟食等等。”张道广说。采集后的样本根据不同实验的要求，有的在园区实验室检测，有的需要送到园外。

大厨们最初看到采样组的认真模样，都非常吃惊。张道广说:“有的甚至会私下抱怨我们过于认真，但时间长了，看到我们这副打扮，就会增加对采样检测结果的信任程度。”

为了确保最准确的检验结果，采样组每采集一个厨房，就必须返回实验室，将样本存入冰箱内。在开园初期，组织者还来不及给食品采样组配上专车，采样员们只能拖着厚重的冰箱，在世博园内不断往返。结果，园区三个实验室的12个采样箱的轮子全部拖坏了。“它们坏在半路上，我们四个采样员就轮流抱着几十斤的箱子往回赶。”那段时间，张道广走在太阳下，心中都会默默念着指挥部给过的承诺:“车子肯定会有的。”

好在一个月后，频繁折返各家餐饮厨房的 24 名采样员们终于乘上园区内的电瓶车了。

过去，张道广除了在自家的厨房里打打下手外，很少进餐饮店厨房。这一次跑了个够，他说：“与家里的厨房相比，我最大的感受是，为公众服务的厨房是不允许有自由的，一切都必须跟着规则走。世博园里的厨房与家里的太不相同了，千万不要拿着家里的标准来看待职业场所的厨房。”

科技，实时全过程监管世博食品

还有比采样“部队”更强大的食监科技团队。本届世博会，上海全面升级食品安全监管系统，其中有一套叫温度实时监控系统。在世博园最重要的几个员工食堂里，监管人员在冷库里放置了测温仪，实时通过 3G 网络将温度信息送至食品安全指挥中心。

有一次，指挥中心的温度实时监控系统突然报警，3 号员工食堂的冷库温度超出设定区间，始终在 15℃～16℃左右。指挥部立即通知这一区域的现场监督员，监督员跑进厨房一看，冷库制冷坏了。随后，食监人员又帮着食堂负责人联系物业，尽快维修，防止食物变质。

另一套科技装备进一步确保了上海世博会食品安全的全程监管。凡是进入世博会园区的食品，哪怕是一棵青菜，也能溯源追踪到种植菜园。

根据世博食品的进园流程，这棵青菜会跟所有食品原材料一起进入设立在园区外的中心厨房。在那里，青菜等被食监人员验明供货渠道，随后抽检，并进行清洗等粗加工。离开中心厨房的时候，青菜会拥有一张 RFID 标签，拥有唯一的数字号码，随后乘专车抵达园区。在园区道口，又有食监人员核对 RFID 标签号码，全部准确无误后，青菜等原材料才能入园，抵达世博园区的厨房里。

有一次，采样员在某餐厅采到一款不合格的鸭肉卷。指挥部立即在溯源系统内搜索，结果发现当天世博园并未有鸭肉卷的进货记录。哪里来的？现场监管员找到了餐厅老板，老板这才承认，鸭肉卷是员工从工作人员通道内带进来的。

李洁说：“我们在电脑里能够第一时间看到各餐饮厨房的安全抽检数据，及时对园区食品安全的新情况作出反应。”

与世界美食的这场对话，是经验的对话，更是科学的对话。

如今，世博园内的餐饮负责人、食监人员、管理层每天都会接到一条短信，提示三天内的食品安全风险。这是上海食监部门与市气象局在两年前就启动的一项课题研究，研究将上海过去15年集体性食物中毒与15年的气象规律结合，梳理出气候原因造成的食品安全的预警机制。遇到红色预警的日子，指挥部就会重新调整监管人员厨房“折返跑”的频次和重点区域，使监管更有效力。截至9月7日，食监人员已经在园区采集、抽检食物样品9.39万件，合格率在不断提高。

食品安全，源于管与被管的共同进步

李洁非常心疼园区里的监管队员们，她牢牢地记得，有一天夜里12点多，手机那端突然响起了一个大男生的哭声，原来这个从城郊抽调来的监管人员错过了回家的末班车，他说:“李所，我该怎么回家?”

原来，210人的世博会食品安全监管队伍由本市18个区县的食监部门和大专院校的实习生抽调组建，即便是家在金山、松江、嘉定，他们也必须每天往返。他们不仅在世博园内的厨房之间“折返跑”，更在上海城乡之间“折返跑”。

科技、努力和智慧搭建起的监管队伍赢得了越来越多大厨们的认可。园区里，远远地看到，老外们就会对监管人员说Hi；半夜里，朱霄会接到老外主厨求助的电话，请他想办法经正规渠道临时入货。园区内的餐饮厨房根据评价，分为“良好”“一般”和“差”三个等级，当各家厨房接到“良好”的结果时，激动、兴奋的神情会让监管员有一种成就感。

一家中式快餐连锁店进世博会的收获可谓最大。由于世博园分店的厨房偏小，朱霄帮着他们反复找问题，连续三次重新布置厨房，每一次新的布局都会带来服务能力大增。这家店已经从最初的日接待2 000人次，升到了如今每天可负荷8 000 ~ 10 000人次的营业量，75平方米的厨房间就这样在食监人员的专业保障下，创造了销售奇迹。世博会开幕以来，这家连锁店有过三任店长，每一任均为升职离开，店员们戏称这家店是他们的“黄埔军校”。

对于食品监管而言，世博会是什么?市食药监管局党委书记王龙兴说:“世博会

是我们这支食监队伍的大学校，在保障安全的同时，我们的监管人员也不断地从中学习、提高。”

世博会不仅是监管人员的学校，也许更是所有食品经营者、餐厅经营者的学校。在澳大利亚馆，主厨爱迪对食品安全头头是道，极为专业。在他的厨房里，记者第一次看到工作人员自己拿着手持温度计测量蛋挞的中心温度，他们说："65℃以上才能卖。”

在他的厨房里，切蔬菜的工作人员用的是绿色的砧板，而黑色的切熟食，红色的切红肉，白色的切水果和芝士，黄色的切家禽，蓝色的切海鲜；在他的厨房里，周一做的食物贴蓝色标签，周二贴黄色的，周三贴红色的……在他的厨房里，消毒液也分为地面的、桌面的、中性的。

他说："我们学厨师的第一课，是安全第一，质量和口味其次。”

听到这话，李洁非常感慨，她说："食品安全工作的基础必须依靠食品生产经营企业自身管理水平的提高，澳大利亚对于厨师的培训模式和理念真的值得我们推广。”

如果有一天，更多的世博会厨房保障措施和理念能够在更大范围内推广，食监人员也许就不再需要如此忙碌地在厨房之间“折返跑”了，而且每个市民也能吃得更加安心。

这个活儿“有点晕”

晴朗，又有微风的日子里，一只巨大的气球会从世博园区的东侧升起。每当它“站上”海拔300米的岗位，身上的六只“眼睛”就密切地注视着世博园中发生的一切：从行走在世博大道上的游客，到穿梭于卢浦大桥上的汽车，甚至每个展馆的屋顶，都尽收眼底。这就是上海世博会的一名特殊“保安”——车载系留气球监测系统。

从“气球保安”来到世博园的第一天起，一支专业团队也跟随它进驻世博园，24小时照料着这位“拥有世博园区唯一高空视角”的“特殊人物”。吴有恒，一位来自中国电科第三十八研究所的80后小伙子，和他的十位同事，一起承担起了这个日晒雨淋又令人晕眩的任务。

放飞实录

1 600 立方米的巨大个头，搭载六个高清摄像头，稳定停留在 300 米高空——在一系列特殊要求下，“气球保安”的收放完全不同于一般的放风筝、放气球，需要一批专业人员为它打理一切。

正巧，采访当天，记者目睹了放飞的团队协作。与飞机类似，气球一旦升上高空，风的影响就十分显著。每天他们要做的第一件事，就是向世博园中的气象台确认天气是否适合气球放飞。一般天气晴好，风速不超过四级，“气球保安”就可以准备“上岗”了。

“气球保安”通过几根拉索和一根特殊的缆绳系泊在一辆锚泊车上，锚泊车上有一间控制室，技术员通过操纵其中的开关来完成升降，同时通过控制面板的显示器监测气球的各种数据。放飞这个身长十几米、形似飞艇的大型氦气球，至少需要七八个人：一人总指挥，一人爬上塔架顶部，一人在锚泊车的控制室里操控，两人负责控制主缆绳，另有两人分别在左右两侧控制放飞，还有一人要在总控中心监测摄像头的图像。

一声令下后，气球缓缓地、平稳地离开地面，向高空升去。在这个过程中，气球要经过离地 60 米的“乱风”区，这大多是从周边高楼间刮出的“弄堂风”，会在不经意间让气球猛晃一阵；接下来是离地 150 米的对流区，最后到达气流相对稳定的 300 米“岗哨”。

把气球送上了岗，紧张的一天就正式开始了。吴有恒的任务是在锚泊车的控制室里值班。

如坐舟中

值班看起来很轻松，只要每隔一个小时把一些数值记录下来就行了，当然还需要随时注意气球的姿态是否稳定、仪器运行是否正常。可当记者进了这间控制室，才发现即使不做任何事情，单在车里坐那么几个小时，也够考验人的——太晕了。

为了使气球在天上随时能保持迎风的姿态（这个姿态最稳定），又为了让缆绳少吃点力（缆绳里面有电缆、光纤等），38 所的科研人员设计了这种能够原地打转的锚泊车，只要几千克的推力，就能转起来。从控制室的前窗望出去，就感觉像坐在船上，随着气球的飘动，控制室一会儿向左转半圈，一会儿又向右转，时而停住不动，又突然间来个大回旋。

在里面待了不到五分钟，记者就不得不闭上眼睛，晕车的感觉一阵阵涌向脑际。吴有恒让记者别看窗外，说："在这儿值班，需要适应的！如果风大一些，我们到现在还有点不适应。"他的同事更是开玩笑地说："在这里面待半年，估计考航天员都没问题了。"

轮到白天值班的日子，吴有恒就要在这个不足两平方米的控制室里，"被旋转"14 个小时。头晕还比较容易适应，"说实话，在里面待时间长了，感觉很压抑。"他每次值班都会带一本书，有时拉一个同事来说说话。

其实，白天值班虽有些晕，却还好过。吴有恒说，晚上值班才是比较难熬的。他们的夜班从晚上 10 点到次日早晨 8 点，尽管此时气球已经收到地面，但依旧会带着车子转，只是转得相对缓慢。由于要时刻监控气球的状态，同时需要每隔一个小时记录一次数据，所以他们整个晚上连打个盹儿都难。"这半年倒班，把我的生物钟都弄乱了。"他告诉记者，前一阵他的一位同事由于年纪较大，倒班吃不消生病累倒了，不得不回家休养调整。"尽管上完夜班，脑袋常会昏昏沉沉的，不过想想这辈子这样的经历能有几次？"这个憨厚的湖北小伙子还是感觉"挺值的"。

气球惊梦

"从 3 月底到现在，我一回都没梦见过家里人，倒是好几回梦到气球。"说起对气球的维护，吴有恒更是滔滔不绝。

这次进驻现场的这支气球维护队的成员，都是早在两年前项目立项时，就参与项目的技术人员。对他们而言，这个大气球就像自己的孩子一样："那是看着它长大的！"设计、投产、安装、调试、试飞，每一步都浸润着他们的心血。

"我有好几回梦到气球破了，或者飞走了，真是吓出一身冷汗。"吴有恒在给记者介绍了气球上先进的阀门安全设计后接着说，"醒来之后，发现自己睡在床上，才算松了一口气。”不过，第二天他还是会一大清早跑到场地上，亲眼看到气球才感觉踏实。他说，其他同事也会做到同样的梦，于是，“不好的梦”就成了这一特殊梦境的代名词。

这种担心，并非源自对技术和产品的不自信，而是源自上海夏天炎热而多变的极端天气事件。

上海的夏日，午后多雷阵雨。气球升空后，一旦发现雷雨前兆，就必须马上收下，断不能等到狂风大作再收。因此，每次气球升空后，技术人员都会变得高度紧张。8 月底的一个晚上，暴雨夹杂着小冰雹突然来袭，雨点打在大气球上，把气球压得几乎要碰到地面。气球一旦和地面碰擦，极易破损，而且气球下搭载的摄像头也可能损坏。雨实在太大了，连雨披都挡不住，吴有恒和几个同事匆匆从住处赶到现场，光着膀子就冲到了气球下，用双手撑起气球。雨足足下了两三个小时，他们就这样撑了两三个小时。

“还有 50 多天，世博会就结束了。到那时，我就能睡个安稳觉了！”在世博会结束之前，吴有恒就盼着雷雨、台风的天气少些、再少些。

思女心切

可能高空出现风切变，大气球开始转得厉害起来。吴有恒的对讲机响起，他开始一边和同事交流，一边调整气球姿态。过了一会儿，气球恢复了平稳。放下对讲机，他轻轻地叹了一口气。

“你家里人来看过世博会了吗？”记者一问，吴有恒马上说：“没！还太小呢！”记者一愣，立刻意识到他应该在说自己的孩子。一说起女儿，吴有恒的眼光就变得柔和而丰富起来：“她现在只爱跟我在视频里聊天，不喜欢和我打电话了；我给她买了一个海宝公仔，可她在视频里看到后嫌太小了，要我买个更大的；等世博会的任务结束之后，我得回去给她挑一家合适的幼儿园……”

从 3 月底算起，到世博会结束，吴有恒一共要出差七个月，这是他出差时间最长的一次，而且每天要坚持在现场，连抽一天空逛世博园的工夫都没有，更别提抽时间回家探亲了。“旁人看来，我们的工作似乎挺清闲、挺容易——不就是看着一个气球吗？”吴有恒说，可这“不怕一万，就怕万一”的责任与细致，又有多少人能够体会呢？

寻翅膀的“小天使”

我是想回去看看张扬的。

5月初，世博会刚开幕没几天，我在《城市之窗》主题秀的后台采访主创人员时瞧见过这孩子。当时他演完小天使刚下场，啃着一根冰棒窜上窜下，将奶油滴得满身都是。“喂，张扬，注意点形象啊！”有人开玩笑。

听说孩子要参加世博演出，妈妈连夜领着张扬去理发，结果不知是有心还是无意，竟然理了个近似于光头的板寸头。于是工作人员打趣道：“怎么来了个光头小天使？妈妈不知道你是来演小天使的吧？”

这一连串的逗人画面时常在我的脑海中浮现。可惜，四个月后重返《城市之窗》节目组采访，我被告知张扬走了。他是6月份离开的，听说连学校的退学手续都办好了，跟着妈妈回重庆老家念书去了。当初就听张扬说过喜欢上海，却又留不下来，要升学就得回老家。只是没想到，他这“小天使”还没当多久，怎么就飞回现实了呢？

六个男孩和一个小天使

不过这一次，我见到了大眼睛、像极了动画片里的比卡丘的郭海川，身手敏捷的“猴子”褚海盛，个头最小却被大伙儿唤作“大龙”的冉龙成。

原来，小天使从来都不是一个人，而是一个由六人组成的群体。他们都来自北京少林武术学校上海松江分校，实际年龄十二三岁，脸上却挂着八九岁孩子的稚嫩，块头也比同龄人小上一截。他们都是外来务工人员的孩子，因为练武，一身黝黑的皮肤，显得与众不同。

《城市之窗》讲述的是一个没有翅膀的小天使在妈妈的鼓励下，帮助一位孤单的小女孩发现身边的美好，也用爱心找回自己隐形翅膀的故事。剧中总共几十位演员，大部分来自艺术团队，小女孩以及天使妈妈的扮演者还是专业的艺人。唯独核心角色小天使，导演决定启用没有什么表演经验的平凡男孩，唯一的要求是有一定的武术功底，因为小天使得吊着威亚（钢丝）飞上飞下，有一幕甚至需要在高空中连翻几个筋斗。去年冬天，节目组到学校挑选小演员，当时各个年级的老师总共推荐了50多个孩子。其中九个孩子参加了为期一个月的集训，最终西班牙总导演挑中了张扬、郭海川、褚海盛、冉龙成、钟杰、杨宝山。

戏里戏外，小天使没有翅膀

《城市之窗》每天演出三场，每场需要两位小天使分别面向南北两面舞台表演。按照节目组规定，每天必须到场三人，剩下的孩子则留在武校补习这段时间落下的文化课。大家轮流回家，每隔18天可以在家里待上4天。

这一天，轮到郭海川、褚海盛、冉龙成参加演出。尽管第一场表演定在下午2点，可是上午11点不到，带队老师就领着三个孩子来了。一进休息间，每个人都是汗流浃背、满脸通红。孩子们说自已8点20分就出门了，脸上的表情很无辜。不知是为了省钱还是为了锻炼孩子的意志，“小天使”们每天都没有班车接送，得乘坐公共交通工具往返于学校与世博园之间。这是一段直线距离大约40公里的路程，两头的步行距离都在20分钟左右，中间是数趟公交、地铁转了又转，往往单程就得花两个半小时。每天晚上结束最后一场表演是8点半，而他们回到宿舍已是晚上11点多了。我突然意识到，在戏外，这些孩子也是没有翅膀的“小天使”。

午餐时间，演员们一人一个便当，聚在宽敞的休息间用餐。褚海盛端着便当盒到处转，位子挪了好几趟，不时打量谁那边有什么好玩的。“大龙，你要吓死我呀！”走廊外，从休息间突然窜出来的冉龙成似乎和一个女舞蹈演员撞个了正着。我留意到只有郭海川最安静，一个人趴在桌子边埋头吃饭。吃完一盒，只见他拽了拽身旁带队老师的衣角，怯生生地问:“我能不能再吃一盒?”看着他吃第二盒时我才知道，原来郭海川的“超水平发挥”是冲着鸡腿的。不经意间，冉龙成竟然给我递上了一杯冲泡好的紫菜蛋花汤，一转眼工夫他又跑开了。

吊威亚不哭，想家想得流泪

据带队老师透露，郭海川是“小天使”中最为腼腆的一个。别人在睡觉、玩游戏时，郭海川时常一个人蹲在角落里画画。郭海川是家里唯一的孩子，出生于上海。出生没多久，他就被送回了在四川江安的老家，跟着外婆在农村长大。8 岁那年，郭海川终于回到他出生的地方，被爸爸妈妈接来了上海。近两年，家里赚了些小钱，开了一间十来人规模的小型服装加工厂，他也从原来的锦华外来子女学校转到了松江武校。

尽管接受过武校的严苛训练，但第一次被威亚吊上十来米的高空，许多“小天使”都哭了。看上去腼腆的郭海川却坚持说自己没哭。不过他告诉我，刚到武校的第一天他哭了，因为想家，因为不愿寄宿。现在他还在算着，“还有八天我就能回家了。”

飞过的痕迹，长了的身高

当了四个多月的“小天使”，郭海川号称世博会带给自己的改变就是从一米三长到了一米四。休息间里，一面墙上有着高高低低的刻度，记下了每个孩子每段时间的身高。当郭海川被同伴拉到身高墙前一站，不管他仰头还是挺肚子，测量结果都是只长高了三厘米，但也的的确确是长高了。

郭海川并不清楚演小天使能给自己带来什么，也许是进城的次数多了，也许是饭菜的选择余地大了……有时候，他觉得当“小天使”当得久了，新鲜也变成了无聊，自己可能更愿意像班里的普通同学一样，每天练武、学文化课，还能拥有一整个暑假。而现在，他刚刚参加完上学期的期末补考。还好，回想起过去的四个多月，郭海川可以肯定地说自己“不遗憾”，不是说有那么多的人看到了自己的表演，而是自己有机会见识那么多新鲜事物，跟着伴舞的哥哥姐姐知道了 iPod、iPad 长什么样。另一桩高兴事儿则是他参观了那么多的世博展馆，“南非、埃及、巴西、智利、古巴……”他如数家珍，虽然大多就在《城市之窗》表演场馆附近，中间竟还蹦出个“哥伦布”。我没急着纠正他，大概是这孩子把“哥伦比亚”给记混了吧！

晚餐过后，正是夕阳西下，三个“小天使”一手一个“火炬”冰激凌，一手一瓶果粒橙，伏在中南美洲联合馆三楼食堂外面的栏杆上隔江远眺。“那是卢浦大桥。”“那是南浦大桥。”“那是环球金融中心。”“那是金茂大厦。”……孩子们竞相辨认着浦江两岸的建筑。当看到打浦桥附近那幢以中空玻璃幕墙为标志的金玉兰广场时，谁也说不上来了。“肯定是还没有建好!”“它的玻璃好像碎了呀!”“不对，是楼顶中间放了一个大篮球!”……顿时，种种奇思异想炸开了无限可能。不知怎的，这样的画面让我想起了《城市之窗》的最后一幕，小天使拿起妈妈给的羽毛奋力地掷向远方。

姜黛茜在问询点为游客提供帮助。
(傅国林/摄，图片来源:《文汇报》)

中轴线“微笑天使”

作为上海世博园的中轴线，从主入口一直绵延到黄浦江边的世博轴不仅要负载巨大的客流，也承担了游人观光、留影、遮阳、避雨、休憩等多项实用功能。而在这条一公里长的主干道上，有这样一群人相信你一定注意过——他们身着嫩绿色和白色相间的套装，却并非“小白菜”，他们大多出现在通道口、自动扶梯旁、人流密集处以及大小问询点，只要你走向他们，迎接你的必定是温暖的微笑和帮助。

姜黛茜就是他们中的一员。

“补地图”如同打仗

初见姜黛茜，是上周六。早上8点，姜黛茜和她的同事们便在世博轴10米平台上的016综合问询点忙活开了。这个问询点的功能极其“强大”，除了日常问询以外，帮助走失人群找寻亲属是姜黛茜们的主业，分发导览图和节目单、失物招领、受理投诉、提供热水也在他们的职责范围之内。

打扫卫生、搬运桶装水、摆放地图、更新记录本……时间过得飞快，伴着一阵突如其来的喧哗声，9点到了。在宽达百米的世博轴上，有数不清的人奔涌而来。手捧着上百份地图的姜黛茜笑了笑："这是我们每天工作的第一个高潮——补地图。"原来，在问询点门口有一个专供游人取阅的资料架，旁边还站了一个专门发放地图的导览员，但在每天的入园高峰时，导览员的双手往往不够用，因此往架子上补充资料便成了当务之急。

站在近两米高的资料架前，姜黛茜的手飞快地把一叠叠地图往一格格的架子上塞，可速度却依然跟不上四处伸来的手。眼看着架子又将见底，姜黛茜只能蹲下身从"包围圈"中脱身，再拆包，再"补货"。

这场"补货战"来来回回了十多次，问询点门前终于开始慢慢"消停"了。姜黛茜抬了抬右手："好像有点酸嘛。"

"哄小孩"独有一套

此时时钟已指向10点，人员报失的柜台前"人气"逐渐高了起来。10点15分，一个"小白菜"领着一个小男孩走了进来："这个孩子一个人在主题馆门前的国展线车站上哭，问他什么也不说，只能带他到这来了。"

"小朋友，你叫什么名字呀？"

"能不能告诉姐姐，你跟谁一起来的呀？"

小男孩只顾着掉眼泪，丝毫不理会"姜姐姐"的好意。

姜黛茜从口袋里掏出纸巾，擦掉了小男孩鼻头上的鼻涕，然后变戏法般地摸出一粒糖，顺势塞进他的嘴巴："弟弟不哭，快告诉姐姐你的名字，说完姐姐带你去旁边玩。"

"余秀鹏。"小男孩声音很轻。

"余秀鹏，你是哪里人啊？谁带你来世博的？"

"是姥爷带我来的，我们是云南大理的。"

"你姥爷叫什么名字啊？"

"叫姥爷。"

"他的手机号码你有吗？"

"没有。"

……

眼看问不出什么，姜黛茜抱起9岁的余秀鹏来到了房间另一侧的“儿童乐园”。这个近十平方米的“儿童乐园”专为走失儿童设立，四周挂满了毛绒玩具，就连桌椅也都是五颜六色的。脱掉鞋子踏上地毯的余秀鹏好像放松了不少，姜黛茜便开始发挥她哄孩子的特长：“余秀鹏乖，姐姐陪你玩一会儿，玩好姥爷就会来接你了哦。”

此时此刻，余秀鹏的个人信息、穿着打扮等特征已被迅速发送到园区信息平台上，并通过广播在世博园上空回响。半小时后，一位白发苍苍的老人冲进问询点，余秀鹏上去一把抱住了他的腿：“姥爷！”

老人告诉记者，之前他带着余秀鹏在主题馆门前排队坐国展线，谁料人实在太多，自己上了车，却把小秀鹏给落下了：“我们要走了，快谢谢姐姐，和姐姐说再见。”

姜黛茜拿出一张便笺纸，记录下老人的名字和手机号，然后塞进余秀鹏的口袋：“如果再走丢了，可以让身边的志愿者照着这号码打电话找姥爷哦。”

挥起小手和姐姐说再见的余秀鹏，脸上带着一丝眷恋。

“找亲朋”圆满收场

在记者的想象中，走失的应该大多是孩童，但在问询点“蹲点”之后才发现，登记的“老中青”走失人员比孩子要多得多。其中有相当一部分是在安检排队时失散的，或刚过了安检口便兴奋地飞奔、拍照，以致转眼便不见了亲朋。短短一个半小时里，记录在案的走失人员已达38人之多，而姜黛茜和她的同事就在了解记录信息、电话通知广播、安抚走失人员之间进行不间断的角色切换。

姜黛茜告诉记者，园区的寻人广播一般优先为12岁以下的儿童和60岁以上的老人服务。园区共有四套广播系统，分为AB片区、C片区、浦西片区、世博轴区域。普通的寻人启事广播只有在游客提交信息的问讯处所在片区才能听得到：“像之前迷路的余秀鹏，他在国展线的车站走丢，我们分析他的姥爷很有可能坐着国展线到了后滩，所以我们就特地为他申请了全园广播。”

对于一般成年人的走失，姜黛茜首先会通过园区信息平台作查找和比对，因为所有问讯处的信息都是联网的，“如果他的家人已在其他问讯处找他的话，我们马上就会知道。”然后要从走失人员身上寻找尽可能多的蛛丝马迹，“比如印有旅行社标识的帽子、背包或者房卡，能联系导游的就联系导游，能知道酒店的就问酒店，实在没有线索的再通过广播来找。否则广播里的寻人启事根本停不下来，那样的话对游客的正常游园也会有影响。”

记者根据统计单据大致算了一下，在这半年里，仅016问询点受理的寻人启事就达几千次。让姜黛茜感到庆幸的是，这些情况最终都得以圆满解决：“最长的一次，有位阿婆在这里坐了九个小时还没有人来领，最后我下班打车把她送回了家。原来她家里人都以为她自己会回来，所以游览完就直接出园了。但是身上没钱又没手机的阿婆在园区里乱走，没法自己回家。”

“泡面军”兵来将挡

话语间，又一个“高潮”来临。

从11点半开始，越来越多的游客拿着桶装方便面进来泡水，由于当天的客流巨大，问询点早就作好了准备，将原来每天四桶的18升纯净水增加到了10桶，所有电热水壶也全部上岗工作。可即便如此，十来分钟的烧水时间里，整个房间里还是被挤得水泄不通。若非亲眼所见，恐怕难以想象眼前的场景——满屋子的人，满桌子的面。数了数桌上的泡面和茶杯，一共57个。而烧一次水，只“解决”了22个。放下水壶，还饿着肚子的姜黛茜抱起近10公斤重的水桶就往里面灌。这样的力气活，对姜黛茜和她的姐妹们而言，早已成了家常便饭。

不算宽敞的空间，此刻充斥着泡面的香味。先到的游客开始泡面，后进来的人则手脚麻利地拆开一个个调味包，眼看着就要往地上扔，姜黛茜扯着嗓子维持起秩序，一遍又一遍，重复着差不多的劝告。

……

下午两点，“泡面军”终于偃旗息鼓。

016问询点的主管林云鹤很心疼手下的姑娘们。看到姜黛茜终于停了下来，“老林”便忙不迭和她开起了玩笑，“八卦”一下今天又有几个帅小伙对她“暗送秋波”：“其实她们平时受的委屈挺多的，所以我一有机会就要和她们说说笑笑，让她们把不愉快都忘记。举个最简单的例子，我们这里只供应开水不供应冷水，有的游客就会借机发飙骂人，甚至直接把开水泼上来的都有。更不用说那些长时间没找到人着急的、因为各种各样的理由来投诉的。不过姑娘们是好样的，无论什么情况，总是以微笑待人。”

姜黛茜告诉记者，刚刚大学毕业的她今年2月被上实物业公司录用后，公司便把她们拉到了世博轴上进行了一个月的军训:“这一个月基本都是用部队的要求来训练我们，这对我的改变真的很大。”最热的8月，姜黛茜被安排在世博轴上做导览员。当时，40℃的天，姜黛茜穿着套装，还不能去擦脸上的汗，生怕汗水沾到游客。眼下，秋风四起，身着同样的套装站在世博轴上，姜黛茜已禁不住打起冷战。不过，脸上的微笑依旧甜美动人。

（选自上海人民出版社《世博的故事》，2010年12月出版，
作者：李伟、钱晨祎、刘功润、蔡富军、廖菲、
唐玮婕、许琦敏、施嘉奇、范昕、王星）

中国维和英雄

北京时间 2010 年 1 月 13 日下午 5 时 53 分，一场造成数以万计伤亡的强烈地震，让世界、让人类蒙上了悲哀的厚重阴霾。海地遭遇了 200 年来最强的地震，首都太子港沦为一片废墟，8 名中国维和官兵在地震中被埋，约 200 名联合国雇员失踪。中国人民情系震灾中的海地人民，情系被埋的 8 名中国维和官兵。1 月 16 日，噩耗无情地传来：海地地震时正在执行国际维和任务的 8 名中国队员全部遇难！青山无语垂泪，大海呜咽凝噎！8 位英雄走了，他们为了拯救他国同胞，倒在了异国他乡。

1

2010 年 1 月 12 日晚，徐宏像往常一样接到了丈夫钟荐勤从海地首都太子港打来的电话。钟荐勤通常都选择这个时段给妻子打电话，这个时候，是海地的早晨。钟荐勤在电话里告诉妻子，他正准备和政委、刘大队长等人一起去机场迎接公安部工作组。

第二天，联海团将在中国防暴队营地举行授勋仪式，第八支防暴队 125 名队员将被授予联合国“和平勋章”。钟荐勤在电话里和妻子淡淡地说笑着。他说，为第六支防暴队授勋的时候，联合国秘书长海地问题特别代表安纳比先生因为不在太子港，没有出席中国防暴队的授勋仪式。公安部工作组到达太子港后，将会去拜会安纳比先生。他想，公安部工作组应该会邀请安纳比先生参加中国防暴队的授勋仪式。他说，公安部这个工作组的级别很高，局级领导就有三位，国合局的郭副局长是老朋友，他在电话里对妻子说，你应该看过我跟郭局长的合影，朱晓平局长年轻有为，王树林调研员是专家，李晓明就更是好朋友了，我跟他的合影很多……有些遗憾的是，这个工作组里没有云南总队的首长，上一次，那顺巴雅尔总队长还有和向东副政委参加了授勋仪式。不过，他告诉妻子："周政委到海地来看过我们了。"

钟荐勤所说的周政委，是云南省公安边防总队政委周书奎。他说着看了看表，笑了起来，对妻子说："对了，我们的周政委已经升任公安部边防局的副局长了，再过几个小时，我们这儿就是今天下午，国内是明天上午，听说公安部边防局就要召开干部大会，宣布周副局长的任职命令了！"

中国驻海地维和警察防暴队宣传官钟荐勤。（图片来源：新华社）

钟荐勤又说，明天要授勋，工作组来了以后，还要到各个执勤点上看望执勤的队员，要召集大家开会、座谈。这些事情，他都得跟着，照相摄像，这几天会很忙，有可能会顾不上往家里打电话。

在电话里，他问得最多的当然是女儿的情况。

女儿是6月17日出生的，再过五天——他问徐宏："现在国内是什么时间？"

徐宏告诉丈夫："是1月12号，哦，不，再过几分钟就是1月13号了。"

钟荐勤"噢"了一声："那我们还是同一天。再过五天，熊宝宝就满七个月了。"

他总是把自己还没有见过面的女儿叫作"熊宝宝"。

钟荐勤的QQ头像是一个大大的熊，名称是"钟Sir"，下面的签名是"Miss Bear"，意思是"熊丫头"。

这个时候，徐宏听到电话里隐约传来有人呼喊"钟Sir"的声音，她想：钟荐勤该出发去接人了。

果然，钟荐勤匆匆说了一句："出发了。好，再见。"

电话断了。

北京时间2010年1月13日零时25分，李钦家里的电话响了。

已经躺到了床上的女儿一把抓起了电话。

她知道，这个时候电话响起，一定是老爸从海地打回来的。

果然，电话一接通，她就听到了老爸熟悉的声音："丫头，睡了吗？"

女儿故意装出不高兴的样子："早睡了，你也不早点打电话回来。"

这时，是海地时间2010年1月12上午11时25分。

李钦在电话那头"嘿嘿"地笑。

李钦问："你妈睡了吗？"

女儿说："睡了。要不要叫我妈接电话？"

李钦说："那就算了吧，不要影响老尹同志的正常休息。"

他在电话里告诉女儿，明天联海团要给中国防暴队授勋，作为中国防暴队的最高指挥官，在授勋仪式上，他将有一个发言。这个发言需要用中文念一段，再用英文念一遍。他告诉女儿，自己正在练习。

"要不，我用英文念一遍给你听听，你听听老爸的英文发音怎么样？标不标准？"

女儿所有的功课中，最棒的就是英语，她将来想当外交官嘛。

"长不长，太长就算了。"女儿说。

"不长不长，就三五分钟，你就听老爸念一下嘛。"李钦在电话里央求女儿。

"那你快一点。"女儿说。

李钦开始对着电话朗诵他将在第二天的授勋仪式上发言的英文稿。

念了一会儿，停了。

李钦问："怎么样？"

女儿说："还行。"

李钦在电话那头"嘿嘿"地笑。

女儿问："完了？"

李钦说："还有两段，我还没有练熟。"

就在这个时候，电话断了。

女儿拿着电话，有些纳闷儿，也有些生气，以往老爸不会这样不说声"再见"就挂掉电话呀！

老爸不喜欢说"再见"，也不喜欢说"Bye-Bye"，他喜欢说"See you"。

可这次，他真的没有说"See you"。

已经没有人知道李钦为什么突然挂断了电话，也没有人知道他为什么没有跟女儿说“See you”了。按时间推测，这个时候，他乘坐的汽车正驶向太子港机场。

李钦牺牲以后，驾驶员字宏军在一篇回忆文章中提到了这样一件事：地震那天，他是第一次给李钦政委开车，因为紧张，去机场的路上竟然走错了一个路口。

李钦发现走错了路，伸手拍了拍他的肩膀，笑着用云南话对他说：

“伙子，紧张哪样？”

没想到，字宏军是第一次给李钦开车，也成了最后一次给李钦开车。

“伙子，紧张哪样？”成了李钦留给他的最后一句话。

这段日子，和志虹所在的昆明边防检查站正忙着提服。提服是“提高边检服务水平，争创模范边检站”的简称。和志虹任教导员的执勤业务二科，是站里重点培养的先进集体。过两天，将有一个中央媒体采访团到昆明站采访，昆明站负责对外宣传的尹文静正在准备材料。

中国驻海地维和警察防暴队联络官和志虹。（图片来源：新华社）

和志虹当然是“宣传重点”之一。

因为海地与国内时差 13 个小时，这边是白天，那边是夜里，尹文静只能通过 QQ 聊天的方式与和志虹联系。

地震前一天的晚上，尹文静通过 QQ 跟和志虹“连线”，请和志虹提供一些个人照片和相关的文字资料。

收到资料后，尹文静习惯地打了两个字：“再见。”然后关掉电脑，离开了办公室。

没想到，第二天当尹文静登录 QQ 时，发现会话界面上有一句和志虹的回复，那是一个笑脸和一句话：“我还不想和你们说再见！”

当时，尹文静只是笑了笑。

第二天，海地强震，“我还不想和你们说再见”成了和志虹留给祖国、亲人和战友的最后一句话。

海地时间 2010 年 1 月 12 日 13 时 25 分，公安部工作组乘坐的航班降落在太子港机场。

13时40分，公安部工作组一行到达中国防暴队营地。

15时，公安部工作组在营地与防暴队领导简短交谈，吃完简单的午餐并参观了防暴队营区之后，从营区出发前往联海团总部大楼。

16时，公安部工作组一行到达联海团总部。

16时02分，公安部工作组一行四人、李钦政委及民事警队队长赵化宇、防暴队和志虹、钟荐勤共八人进入联海团大楼，其余人员在随行车辆旁警戒等待。

16时03分，公安部工作组一行到达联海团总警监道格拉斯办公室进行会谈。

16时29分，公安部工作组一行到达联海团特别代表安纳比办公室进行会谈。

16时53分，海地强震!

联海团大楼在地震开始十秒钟后倒塌，两分钟后灰尘开始散开，可以清晰地看到地面七层、地下三层的大楼变成了两层。

2

北京时间2010年1月13日6时30分，李钦的妻子尹莉像往常一样，准时起床，一边给女儿准备早点，一边听收音机。

一条消息让她吃了一惊，广播里说：北京时间1月13日5时53分，当地时间1月12日16时53分，海地发生里氏7.3级地震。

尹莉马上拨打李钦的手机。

“嘟嘟嘟嘟……”电话里传来一串忙音，李钦的电话打不通了。

她连忙把电话打到了云南省公安边防总队的指挥中心。

值班参谋告诉她，总队指挥中心已经知道了海地地震的消息，总队首长指示速与防暴队联系。现海地通讯全部中断，正试图用卫星电话与防暴队取得联系，一有消息会立即告诉她。

很快，总队司令部的一位领导给她打来电话，防暴队已紧急启用卫星电话，与公安部指挥中心以及总队指挥中心取得了联系。他告诉她，李钦到联海团开会去了。

尹莉松了一口气，她以为是地震发生后，李钦紧急赶往联海团参加研究抗震抢险的会议去了。坐在上班的公交车上，她拿出电话，分头给平时比较熟悉的一些防暴队员家属打电话，安慰其他忧心忡忡的家属：总队已经和防暴队联系上了，营地没事。

尹莉不知道，此时，形势异常严峻。

虽然公安部和云南边防总队已经通过卫星电话与防暴队大本营建立了联系，获知了防暴队营地安全、所有留守营地的官兵都很安全的消息。但防暴队营地与地震时正在执行外勤任务的三个战斗小组，以及前往联海团总部拜会联海团高级官员的公安部工作组，包括担负公安部工作组安全警卫的刘建宏大队长都已失去联系。

很快，刘建宏用对讲机呼叫营地，确证了在联海团大楼外担任警戒任务的13名防暴队员全部安全；随后，在海地选举委员会执行定点驻守任务的队员用对讲机报告营地，人员装备安全；紧接着，在国家城堡附近执行巡逻任务的四小队一个战斗小组也与营地取得联系，并确认人员装备安全；稍后，在太子港佩森威尔地区执行武装巡逻任务的三小队第一战斗小组与营地取得联系，确认人员装备安全。

所有人的目光都汇集到了坍塌的联海团大楼，所有人都不愿面对，但又不得不面对一个事实：公安部工作组朱晓平、郭宝山、王树林、李晓明一行四人，以及李钦、赵化宇、钟荐勤、和志虹四名中国维和警察，他们和联合国秘书长海地问题特别代表安纳比等人一起被埋进了废墟。

3

海地强震后，党中央、国务院高度重视，胡锦涛总书记、温家宝总理立即作出重要指示，要求迅速查明情况，想方设法营救被埋人员，保证中方人员、港澳台同胞、华侨华人的安全，并向海地提供人道主义援助。

由专业搜救队员、医疗救护人员和地震专家组成的中国国际救援队一行60余人，携带生命探测仪等抢险救护装备和大量物资、药品，于北京时间1月13日20时30分乘专机飞赴海地，支援当地抢险救灾。

中国红十字会总会决定向海地提供100万美元的国际人道主义紧急援款。

外交部部长杨洁篪向海地外交和综合事务部部长发去慰问电，外交部领事保护中心开通24小时咨询热线，及时为包括港澳台同胞、海外华侨在内的中方人员提供各项援助。

国务委员、公安部部长孟建柱获悉震情后，立即召集有关人员研究部署，指示有关部门要全力救援、多方设法，尽一切力量开展搜救工作。

公安部迅速成立应急工作小组，全面协调、紧急部署相关工作。一方面，迅速与我驻海地维和警察防暴队取得联系，了解受灾及伤亡情况，指示尽最大可能组织力量赶往现场实施救援；另一方面，立即派出由国际合作局、边防局、消防局负责同志共七人组成的救援工作组，参加中国国际救援队，赶赴海地参与抢险救援工作。

海地时间1月14日3时，北京时间1月14日16时，中国救援队出现在联海团大楼的废墟上。他们经历了20个小时的长途飞行之后，一下飞机就直接赶到了救援现场。

北京时间1月15日，公安部通报了八名被埋人员名单。

所有的人都在为八位英雄祈福，所有的人都在心里默念着两个字："奇迹！"

在公安部通报被埋人员名单之前，云南公安边防总队已经第一时间向李钦、钟荐勤、和志虹的亲人通报了最新的情况。

此刻，和志虹的丈夫郑涛与父亲正坐在沙发上，目不转睛地盯着电视机，关注新闻频道滚动播报的海地地震最新情况，亲朋好友也齐聚郑涛家中等待消息。

"我相信奇迹会出现的！"郑涛喃喃自语，"她能坚持住的，我相信有奇迹！"

尽管极力保持着镇定，他的眼眶还是忍不住红了。

徐宏静静地看着电视，电视机的声音开得很小，还差两天就满七个月的女儿依偎在母亲的怀里，一双水汪汪的大眼睛同样盯着电视机。

徐宏没有掉泪，她说："越到最后，我们越相信他会好好的，他们肯定是有希望的。没有消息就是好消息，现在救援队伍已经接近他们所在的楼层了，我相信他会平安回来。他心里只要想到娃娃，想到我，他就一定会坚强地撑下去，他一定会回来！"

李钦家里，同样聚满了焦急等待消息的亲人和战友。女儿紧紧握着妈妈的手。尹莉说："我现在还是有信心从废墟中等待他们的生还……即使……"尹莉的话还没说完，就被女儿摇着头打断了："不会，不会有事的，妈妈也相信不会的。"

女儿一直在笑着，努力地笑着，她说："爸爸很坚强，勇敢！我相信他会平安回来！"

北京时间1月15日22时30分，国务委员、公安部部长孟建柱在公安部指挥中心通过海事卫星电话，指导公安部赴海地救援工作组的搜救工作：

“要不惜一切代价，继续全力开展搜救工作！”

“党中央、国务院和全国人民十分关心你们，请把这份关心带给每一位救援队员。”

救援工作进展到哪一步，还有什么困难……电话中，孟建柱向身处搜救现场的公安部赴海地救援工作组组长、国际合作局局长刘志强，详细询问了解最新的搜救进展情况。

刘志强在电话中报告：“中国国际救援队在当地时间13日凌晨到达现场后，立即展开搜救工作，目前已基本确定被埋人员的位置。救援队正与其他国家的救援力量合作，采取多种搜救手段加紧施救。”

孟建柱说：“虽然远隔重洋，但是你们的救援工作却牵动着全国公安民警的心，也牵动着全国人民的心。现在距离地震发生时间已经65个小时，搜救工作进入最紧张的关键时刻，只要有百分之一的希望，就要做出百分之百的努力。希望你们发扬中国维和警察的优良作风，珍惜每一分每一秒，不畏艰险、连续作战、全力搜救。同时，要加强与其他国家在海地救援力量的合作，齐心协力开展施救工作。”

“我们将牢记公安部党委的嘱托，千方百计开展施救工作！”刘志强代表中国国际救援队的所有队员表示，将不辜负党中央、国务院和全国人民的期待，不辱使命、不负重托，竭尽全力完成搜救工作。

百般努力和万千祈福并没有换来奇迹。海地时间1月16日3时30分，中国国际救援队总领队黄建发宣布：“经过长达80多个小时的全力搜救，中国国际救援队已经找到了第一具中方失踪人员的遗体。”

4

海地时间2010年1月12日17时30分，中国防暴队太子港营地的电台里传来刘建宏大队长嘶哑的呼喊声：“联海团总部大楼楼房倒塌，伤亡情况不明！”

刹那间，所有人都惊呆了。

片刻之后，队员们涌进营地指挥中心，要求立即赶往联海团总部，营救被埋在废墟里的战友。

还有一些队员已经默默地穿好了装备，全副武装，只等一声令下就立即出发。

然而此时太子港市内道路阻断，从现场传回的消息表明，联海团大楼已经完全坍塌，仅凭人力完全无法展开救援，防暴队领导命令队员留守营地作好救援准备。

海地时间13日1时50分，防暴队接到公安部应急指挥部命令，中国防暴队组成第一批救援分队分乘四辆吉普车赶赴现场。队员们除了携带铁钎、铁锤、十字镐等工具，还携带了大量的饮用水和食品，考虑到太子港震后的治安可能会进一步恶化，队员们还携带了足够的武器弹药。

此时的太子港一片漆黑，四处都是倒塌的房屋，道路上、空地上挤满了惊恐万分的灾民。路上散落着石块和碎屑，大量尸体堆在街头，有的被蒙上了一块破布，更多的则是暴尸街头。

救援分队乘坐的汽车一步一挪，进入联海团总部所在的约翰·布朗大道之后，就再也走不动了。闻讯赶来的巴西、玻利维亚、巴基斯坦、约旦、尼泊尔等各国维和人员，以及装载有大型挖掘机、推土机等工程机械的拖车，加上由于地震导致的山体滑坡道路受损，还有地震中损坏无法行驶的车辆，把原本就狭窄的约翰·布朗大道堵得水泄不通。

带队的分队领导当即决定，徒步赶往事发现场！救援分队的队员们除了携带自己的武器装备，每人还身背肩扛着两箱野战食品和两件饮用水，拼命朝联海团大楼奔去。

快点，快点，再快点！时间就是生命，快一点，战友就多一分生的希望。

2时40分，中国防暴队救援分队终于抵达了联海团总部。当救援队员第一眼看到倒塌的联海团总部大楼时，他们心里的最后一点希望几乎破灭了。

原本地上七层、地下三层的楼房现在只有原来的两层楼那么高。地上的楼层就像是被推倒的多米诺骨牌一样层层叠摞在一起，上面的楼层整个往后倾斜着，仅仅是因为钢筋拉扯在一起才没有整个垮塌到山体下去。

队员们仍然不停地安慰着自己：汶川地震震得那么厉害也有生还者，政委他们一定会有奇迹出现的。

地震发生后，一直坚守在现场的刘建宏召集大家简单地介绍了一下情况。随后，多次与现场指挥官协调要求马上进行施救。但考虑到余震不断，没有专业的救援工具，而且缺乏必备的技术力量，如果贸然施救，很有可能造成二次坍塌和无谓的伤亡，联海团现场指挥官拒绝了中国防暴队员徒手实施救援的请求。

中国防暴队员只能眼巴巴地望着废墟，焦急无奈地等待着、祈祷着……

3时32分，中国防暴队第二批救援队员到达现场。在联海团现场指挥员的统一协调下，中国防暴队员与其他国家维和部队协同配合，开始实施搜救工作。他们趴在废墟上，一声声大喊："政委、政委！"他们一遍遍拨打政委的手机，他们用工具挖、用手扒，先后营救出9名联海团工作人员，挖出3具尸体，转移21名伤员。

但他们没有听到回应，没有见到亲爱的战友。

海地时间1月14日凌晨，专业救援人员终于来到了现场，最先到达的是多米尼加救援队，但他们仅仅来了五个人，携带着两条搜救犬。

2时30分，美国救援队抵达现场。

半个小时后，远涉重洋的中国国际救援队抵达现场。从北京到太子港，跨越半个地球，从地震发生到中国国际救援队抵达联海团大楼废墟，他们用了34个小时，这就是后来让世界震惊的"中国速度"。

中国防暴队员们后来才知道，中国国际救援队乘坐的飞机是在没有塔台指挥，仅凭跑道灯光指引的条件下，"盲降"到太子港机场的。

一个熟悉的身影出现在中国防暴队员眼前，他就是原云南公安边防总队政委、海地强震时刚刚升任公安部边防管理局副局长的周书奎同志。2009年10月12日至14日，时任云南边防总队政委的周书奎和云南省公安厅政治部主任李刚等同志，率领中国高级警察代表团，前往海地慰问看望了第八支中国防暴队。地震发生后，周书奎参加了公安部救援工作组，与中国国际救援队同机飞赴海地，配合公安部国际合作局局长刘志强指挥现场救援工作。

两个月后，亲人再次相见，却是在掩埋着战友的废墟之上，老政委和队员们禁不住热泪纵横。

没有时间让防暴队员向他们的老政委倾诉，他们只是简单地向老政委问一声好，老政委简单地回应一声："你们辛苦了！"

时间，时间！

中国国际救援队的队员立即着手对现场进行勘查，并利用救援工具全力投入搜救工作。

中国防暴队的队员们强忍着心中巨大的悲痛，他们都忘记了已经20多个小时没合过眼，全力配合中国救援队展开工作。大家手磨破了、被划伤了也感觉不到疼，他们用铁铲、用铁镐、用双手移走一块块沉重的碎石，只盼望能尽快找到亲爱的战友。

此时，巴西维和部队工兵的大型挖掘机和铲车、吊车也来到了现场，但由于现场情况复杂，救援的进展仍然十分缓慢。

一根根钢筋被切断，一块块巨石被切碎。机器在飞速地运转着，大家都在拼了命地施救。快一点，再快一点！没有一个人放弃最后一丝希望：就在上午，特别代表的保镖不就是活着被救出来的吗？他当时所处的位置与安纳比的办公室只隔着两个房间，也许战友们只是被困在了一个小屋子里，或者是一个可以生存的空间。

或许再往下挖一点，就可以找到他们了！

海地时间1月15日，所有在一线救援的队员全都被派上了废墟，协助中国国际救援队进行搜救，没有工具的队员就用手搬石头。一个人搬不动，就几个人一起搬。地震已经过去近三天了，海地的烈日下，废墟中不断散发出一阵阵异味。余震不断，蝇虫飞舞，烈日暴晒，气味熏人，大家早已顾不上这些了——哪里气味最重，大家就往那里全力挖掘，也许战友就在这下面！被砸碎的桌子、椅子、电话……渐渐暴露在瓦砾之中。

近了，不会太远了，战友很快就会被找到了！

16日凌晨，中国救援队员和防暴队员最不愿意看到的事情还是发生了。

1时许，现场发现照相机和摄像机，经防暴队员确证，为钟荐勤同志使用的器材。

3时30分，第一位遇难战友王树林的遗体被找到。

公安部救援指挥部的领导开始着手准备现场简短的遗体默哀仪式，中国防暴队和中国救援队的战士们把王树林的遗体搬运下来，列队向遗体三鞠躬。

7时16分，挖出第二具遗体，疑似钟荐勤。

10时40分，中国救援队和防暴队员在废墟中发现了一只脚，脚上穿着防暴队的“老兵”牌皮靴，腿上还戴着中国防暴队特有的护膝，防暴队员们当即判断：“这一定是我们防暴队的战友。”

继续往下挖，一条腿也浮现出来。

但一根巨大的横梁狠狠地压在他的身上，救援人员只好用吊车将横梁的一端吊起，悬在半空中，队员们钻到横梁下继续挖掘。随着队员们将他身上的石块清理开，从体型上，防暴队员们一眼就认出，那就是他们敬爱的李钦政委！

中国驻海地维和警察防暴队政委李钦。（图片来源：新华社）

发现政委的遗体时，过分悲痛疲累的队员蔡德智几近眩晕。担任护卫任务、刚刚赶到现场的防暴队员李卫红冲上前，和小蔡一起抱住了政委的遗体。这个从不轻易落泪的汉子痛哭失声，不禁大叫了一声："政委！"

刹那间，废墟上响起了一片哭喊"政委"的声音。

当防暴队员们把李钦政委的遗体抱出来之后，这才发现，他身下还保护着一位战友的身体。

数日以后，一位在现场参加救援的中国防暴队员动情地写道：

> 我们的李钦政委，他仿佛是一尊匍匐前进的雕像，静静地伏在地上，从容镇定而充满着力量。他的双腿用力地蹬扣着大地，而他的双臂却紧紧地掩护着一位同志。

可以想象，当强震袭来，天崩地裂，大厦倾倒之际，李钦一定是跃起身来，张开双臂，扑向身边的战友，将战友紧紧地护卫在身下。

他以为自己的肩膀足够宽阔，自己的双臂足够有力，就算他死了，被自己压在身下的战友也一定能够活下去。

他说过："如果有伤亡，第一个肯定是我！"

5

在前方救援队发现第一名同志的遗体后，国务委员、公安部部长孟建柱立即再次召开部党委会议，贯彻落实中央领导同志的指示精神，并就前方救援工作作出进一步部署。

孟建柱强调："公安部应急工作组和海地前方救援工作组的全体同志要坚决贯彻落实中央领导同志的指示精神，把党中央、国务院的关怀和全国人民的关心化作强大的工作动力，坚决排除各种困难，继续加强搜救工作，不辜负中央领导同志的殷切期望。"

孟建柱饱含深情地说，中国赴海地维和工作组的八位同志是我们派出的优秀干部，也是 200 万公安民警的杰出代表。他们是肩负国家使命，在执行国际维和任务的过程中身陷险境的。他反复强调，要始终把抢救他们的生命放在第一位，只要有

2010 年 1 月 28 日在海地太子港拍摄的照片，显示的是在地震中遇难的部分联合国工作人员的姓名。（吴晓凌 / 摄，图片来源：新华社）

百分之一的希望，就要作百分之百的努力，继续施救，决不放弃，直到发现和救出每一位同志。

北京时间 1 月 17 日，在海地地震中被埋的朱晓平等公安部工作组四名同志、李钦等四名中国维和警察的遗体全部找到。

中共中央总书记、国家主席、中央军委主席胡锦涛向中国在海地地震中不幸遇难的人员表示沉痛哀悼，向遇难人员亲属表示深切慰问，并要求有关方面全力做好善后工作。

18 日凌晨，听到中国在海地地震中八名被埋人员的遗体已全部找到并启运回国的消息后，中共中央政治局常委、国务院总理温家宝打电话给公安部，对不幸遇难的维和人员表示深切哀悼，向遇难同志家属表示亲切慰问。他说，这八位民警是为了维护世界和平而牺牲的，他们都是祖国的优秀儿女。他嘱托公安部的同志认真做好相关善后工作，一定要照顾好遇难同志家属的生活。

中共中央政治局常委、国家副主席习近平，中共中央政治局常委、中央政法委书记周永康也就做好善后工作作出指示。

海地时间 1 月 17 日 9 时 36 分，搭载遇难人员灵柩的南航包机从海地太子港机场起飞。

17 日晨，中国驻海地维和警察防暴队的营地内举行了遗体告别仪式。防暴队员和中国国际救援队队员分列两旁，为遇难者默哀三分钟。随后，运送灵柩的车队前往太子港机场。抵达机场后，中国驻海地维和警察防暴队队员在八位遇难者的灵柩上分别盖上了五星红旗和联合国会旗，并致以三鞠躬。

2010 年 1 月 19 日，联合国秘书长潘基文就中国八名维和人员在海地地震中遇难发来唁电，全文如下：

> 我对八位中国警官在 1 月 12 日海地特大地震中不幸遇难深感悲痛。他们为海地的和平献出了生命，为联合国的维和事业作出了宝贵的贡献。我向遭受这一巨大损失的遇难者全体家属、朋友、同事以及中国政府和人民表示深切的慰问和哀悼。联合国将铭记并继续推进他们的崇高事业。

八位英雄全部罹难的噩耗传到云南，八千里边防青山低头，长河呜咽。

云南省公安边防总队各基层单位官兵及社会各界纷纷表示沉痛哀悼，并捐款慰问烈士家属。

“英雄，我们等你回家！”1 月 19 日 10 时 30 分，昆明市万能出租车公司驾驶员陈立松听到遇难中国维和警察灵柩回到北京的消息后，驾驶出租车来到云南边防总队灵堂吊唁。

“我们为有你这样的朋友而骄傲自豪，朋友，回家了！”前来吊唁的缅甸籍男子杨民佑一边用衣袖擦拭眼角的泪水，一边在思念簿上这样写道。

“孩子，一定要记住这些英雄，希望你长大后也向这些英雄一样做对国家、对人民有用的栋梁之才！”70 岁的廖大爹带着一岁零四个月的孙女来到灵堂，吊唁维和英雄。

昆明边检站，官兵们在篮球场上用数百支白蜡烛拼出“告别战友”四个大字，并在烛光前站成一排，沉痛缅怀在海地地震中遇难的战友，哀悼他们最亲爱的战友——和志虹！

澜沧江边，边防官兵每人手捧着一盏水灯在江边站成一排，默默祈祷，点燃水灯有序地一一放入江水。他们用当地傣族特有的放水灯的方式，寄托对遇难战友的哀思。

尹立青是众多捐款者中的一位，他的儿子尹加燕是第六、第八支中国赴海地维和警察防暴队队员，此刻，正在震后的海地继续奋战。

得知儿子的战友在海地大地震中光荣牺牲后，老人老泪纵横，左思右想，决定将家里存栏的三头年猪变卖，加上自己积攒下来打算用于儿子结婚的钱，凑足了 6 000 元，叫儿子尹加勇专程送到烈士家属手中，表达自己对烈士家属的慰问和悼念。

6

长空肃穆，大地悲泣。

北京时间 2010 年 1 月 19 日上午，在海地地震灾害中遇难的八位中国维和警察的灵柩由专机接运回国。中共中央政治局常委、中央政法委书记周永康代表党中央、

2010 年 1 月 23 日，江西公安边防官兵在南昌昌北机场迎接钟荐勤烈士回家。
（周科 / 摄，图片来源：新华社）

国务院和胡锦涛总书记前往北京首都国际机场迎接。

19 日上午，首都国际机场笼罩在悲痛之中。参加迎接海地地震遇难中国维和警察灵柩回国仪式的人们胸佩白花，袖戴黑纱，早早来到这里，在寒风中伫立迎候。专机停机坪一侧，烈士的战友们手举“沉痛悼念海地地震遇难中国维和警察”、“向维和英雄致敬”的白底黑字横幅，八位烈士的亲属含悲等待亲人归来。

10 时 40 分许，载着八位烈士灵柩的专机徐徐滑到停机坪上。覆盖着中华人民共和国国旗的烈士灵柩由 80 名礼兵缓缓地抬下专机，迎接的人群中不时发出难以抑制的抽泣声。

10 时 57 分，迎接海地地震遇难的中国维和警察灵柩回国仪式正式开始，全场肃立，周永康等神情凝重地向八位烈士灵柩三鞠躬。

仪式上，周永康发表重要讲话，他充满深情地说："八位同志肩负祖国的重托，远赴海地执行维和任务，把自己宝贵的生命献给了世界和平事业。他们是全国公安民警的优秀代表，是中华民族的优秀儿女。对于他们的奉献和牺牲，祖国人民永远不会忘记，海地人民永远不会忘记，世界人民永远不会忘记。"

周永康指出，我国是一个爱好和平的社会主义国家，维护世界和平是我们的神圣使命，构建和谐世界是我们的不懈追求。派遣维和警察是我国履行国际义务、发挥我国作为联合国安理会常任理事国作用、展示我国负责任大国形象的重要体现。2000 年以来，我国先后向七个国家和地区派出维和警察 1 500 多人次。同志们不怕牺牲、恪尽职守、纪律严明、作风过硬，展现了威武之师、文明之师、和平之师的良好形象，受到了联合国和驻在国民众的高度赞扬，为祖国赢得了荣誉。你们是中华民族的骄傲，祖国和人民感谢你们。

周永康说，八位烈士的家属多年来为支持亲人的工作，默默奉献，这次又承受了巨大的痛苦。让我们和你们一起分担失去亲人的痛苦，希望你们坚强起来，保重好身体，照顾好老人，抚养好孩子。党和政府一定会给予你们最大的支持和帮助！

周永康最后表示，让我们更加紧密地团结在以胡锦涛同志为总书记的党中央周围，化悲痛为力量，继承英烈未竟的事业，为维护社会和谐稳定、维护世界和平安宁不懈奋斗。

国务委员、公安部党委书记、部长孟建柱主持仪式时说，八位烈士为维护世界和平事业献出了最宝贵的生命，他们是中国警察的骄傲，也是中国人民的优秀儿女，是全国民警学习的榜样，他们永远活在我们心中。我们要化悲痛为力量，继承英雄遗志，踏着英雄的足迹为建设中国特色社会主义而努力奋斗。

伴随着哀婉的乐声，八位烈士的灵柩在怀抱亲人遗像的亲属护送下，由礼兵缓缓抬放上灵车。周永康等领导同志目送灵车离去。

2010 年 1 月 19 日，公安部下半旗志哀。灵车途经公安部门前，烈士的战友们涌到路边，满含热泪向烈士致敬；灵车驶过长安街沿线时，各界群众自发驻足在街道两侧，悲痛地望着灵车驶向八宝山革命公墓。

7

丹心献使命，素菊寄哀思。

2010年1月20日上午，胡锦涛等党和国家领导人来到八宝山革命公墓礼堂，同首都各界群众一道，深情送别在海地地震中不幸遇难的朱晓平、郭宝山、王树林、李晓明、赵化宇、李钦、钟荐勤、和志虹等八位中国维和警察。

20日一早，各界群众冒着严寒自发前往八宝山革命公墓，在礼堂外排起了长长的队伍，怀着悲痛的心情送烈士最后一程。

八宝山革命公墓礼堂里，素花环绕，哀乐低回，气氛庄重肃穆。正厅上方，悬挂着黑底白字的横幅“沉痛悼念海地地震遇难中国维和警察”；横幅下方，鲜花翠柏簇拥着八位烈士的遗像，两名礼兵护卫在两旁。八位烈士的遗体安卧在缀满白菊的灵柩中，灵柩上覆盖着神圣的中华人民共和国国旗。大厅两侧，摆满了人们敬献的花圈，寄托着对烈士的无限哀思。

9时许，胡锦涛、吴邦国、温家宝、贾庆林、李长春、习近平、李克强、贺国强、周永康等党和国家领导人胸佩白花，臂戴黑纱，在如泣如诉的哀乐声中慢步来到八位烈士的灵柩前，肃立默哀，向烈士灵柩三鞠躬。

接着，胡锦涛等围着烈士灵柩缓缓绕行一周，向八位烈士作最后的送别，然后走到八位烈士的亲属面前，同他们一一握手，向他们表示深切的慰问。

胡锦涛心情沉重地对烈士亲属说：“听到朱晓平等八位同志不幸遇难，我同你们一样感到非常悲痛。八位烈士为执行海地维和任务献出了宝贵生命，他们不愧是祖国人民的优秀儿女，不愧是世界和平的忠诚卫士。烈士的英灵将永远活在全国人民心中，我们会永远怀念他们。”胡锦涛嘱咐烈士亲属节哀保重，烈士亲属向胡锦涛表示感谢。

哀婉的乐声在礼堂里回响。各界群众手持素菊步入礼堂，向八位烈士表达悼念之情。他们当中，有中央机关干部，也有来自基层的工人、农民；有军容严整的部队官兵，也有曾经到海外执行维和任务的公安民警；有白发苍苍的老人，也有风华正茂的青年；有烈士的生前友好，更多的是素不相识的人们……大家来到八位烈士的灵柩前，向他们表示崇高的敬意和深切的缅怀。

8

云岭含悲送英烈，高原垂泪诉忠魂。

2010年1月21日，在海地大地震中不幸遇难的中国第八支赴海地维和警察防暴队政委、云南边防总队司令部参谋长李钦，宣传官、总队政治部宣传处干事钟荐勤，联络官、昆明边防检查站执勤业务二科教导员和志虹三位烈士的骨灰由专机从北京运抵昆明。

云南省委副书记李纪恒，云南省委常委、政法委书记、省公安厅厅长孟苏铁等领导到机场迎接烈士骨灰。

灵车从机场到云南边防总队机关沿线的春城路、南二环路和滇池路时，各界群众自发驻足在街道两侧，悲痛地迎接烈士归来。

当天下午，云南省委、省政府举行隆重的追悼大会，深情缅怀三位云南人民的好儿女，追授他们“和平卫士”荣誉称号。云南边防总队礼堂素花环绕，庄严肃穆，哀乐低回。礼堂正厅上方悬挂着白底黑字的横幅“李钦钟荐勤和志虹同志永垂不朽”，横幅下方是三位烈士的遗像。三位烈士的骨灰盒安放于鲜花翠柏丛中，两侧的挽联写着“报效国家尽忠边防事业功垂千古，献身使命维护世界和平浩气长存”。

云南省委书记、省人大常委会主任白恩培，省委副书记、省长秦光荣，省委副书记李纪恒，省政协主席王学仁，省纪委书记李汉柏，常务副省长罗正富，省委秘书长杨应楠等全体省委常委以及公安部边防局政委傅宏裕、副政委朱启明等领导胸佩白花、袖戴黑纱参加追悼大会，在哀乐声中缓步来到三位烈士的灵柩前，肃立默哀，向烈士灵柩三鞠躬。

追悼大会前，云南党政领导看望了烈士亲属代表。白恩培代表省委、省人大、省政府、省政协和全省4 500多万各族人民，向三位烈士表示深切哀悼，向烈士家属表示亲切慰问。他说，李钦、钟荐勤、和志虹三位烈士肩负祖国重托，远赴海地执行维和任务，把自己宝贵的生命献给了世界和平事业。三位烈士既是保卫世界和平的战士，也是祖国的优秀儿女，更是云南人民的骄傲。他们在执行维和任务中不幸殉职，让我们感到无比悲痛，是云南人民的巨大损失。他们为了祖国的嘱托，为了世界和平作出的奉献和牺牲，云南人民永远也不会忘记。

白恩培表示，三位烈士的亲属多年来默默支持亲人的工作，作出了巨大的牺牲，这次又承受了巨大的痛苦，希望你们节哀顺变，保重好身体，照顾好老人，抚养好孩子，我们一定会把烈士的后事安排好，把烈士家属的生活照顾好，让烈士们放心。全省人民一定会化悲痛为力量，继承烈士未竟的事业，为了祖国的现代化建设和中华民族的伟大复兴而不懈努力，以优异的业绩来告慰烈士的英灵。

追悼会由云南省委常委、政法委书记、省公安厅厅长孟苏铁主持，云南边防总队总队长那顺巴雅尔介绍了三位烈士的生平。公安部边防局政委傅宏裕、云南省委副书记李纪恒分别致辞。

傅宏裕在讲话中说，我们应该铭记，得知烈士不幸罹难的消息，中央领导和公安部、省委、省政府、省公安厅领导通过各种途径表达哀悼和慰问。在举行烈士遗体告别仪式时，中央政治局全体常委与烈士们依依惜别，看望并慰问烈士亲属。作为战友，我们对各级领导的亲切关怀要永远铭记。我们应该铭记，在党和国家需要的时候，一声令下，我们的勇士义无反顾，两度出征海地，忠实履行使命，树立了文明使者、和平使者、外交使者的形象。他们是听党指挥、报效祖国的典范，是维护和平、献身使命的英雄，是全国公安边防官兵学习的楷模，是维和防暴队光荣群体的代表，我们为拥有这样优秀的战友备感骄傲和自豪！我们应该铭记，李钦、钟荐勤、和志虹三位烈士一贯忠诚边防事业，工作勤奋敬业，表现特别优异，在各自岗位上创造了骄人业绩，他们身上表现出的锐意进取、爱岗敬业、勇争一流的优秀品质，值得我们大力弘扬、忠实践行！我们应该铭记，是烈士们的家属深明大义，克服重重困难，全力支持亲人安心工作，特别是他们在失去亲人后表现出的顾全大局、无比坚强，令我们深深敬佩！

傅宏裕深情地说，忠魂常在，浩气长存！我们坚信，李钦、钟荐勤、和志虹三位英烈用鲜血和生命诠释的维和精神，一定会感动共和国，感动全世界，将在世界人民心中打下中国人民热爱和平、维护正义的深深烙印；我们坚信，英雄的战友们一定能够化悲痛为力量，牢记党中央和全国人民的巨大关怀，继承烈士遗志，完成他们未竟的事业，为维护边境安全和社会稳定作出新的贡献；我们坚信，烈士的亲人们一定能够从悲痛中振奋起来，把失去亲人的巨大悲痛转化为做好工作的动力，以幸福的生活告慰烈士生前的眷顾!

李纪恒在追悼大会上说，李钦、钟荐勤、和志虹三位烈士来自云南公安边防部队，他们身上充分体现了人民军队的优良传统和当代革命军人的精神风貌，充分体现了中国警察、公安边防部队的崇高精神和优秀品质，充分体现了共产党员的献身精神和高贵品格。他指出，由云南边防总队组建的中国第八支赴海地维和警察防暴队是一个英雄的战斗集体。当前，海地局势非常严峻，希望全体队员继承烈士遗志，继续发扬不怕疲劳、连续作战的战斗作风，继续圆满完成维和任务。多年来，云南公安边防部队为促进云南经济社会发展作出了巨大贡献，希望全体官兵学习三位烈士的精神，忠实履行职责，为维护云南边境的安宁稳定、促进经济平稳较快发展再立新功。同时希望全省各族人民大力弘扬“忠诚、拼搏、团结、奉献”的海地维和精神，学习烈士精神，为建设富裕民主文明开放和谐的云南而努力奋斗。

哀婉的乐声在礼堂里回响，数万名各界群众胸佩白花步入礼堂，向八位烈士表达悼念之情，向他们表示崇高的敬意和深切的怀念。

2010年3月31日，由诺仕达集团无偿建设的“维和英烈纪念雕像”暨“忠诚卫士广场”在昆明市金宝山艺术园林生命文化园隆重揭幕。

广场占地面积约1 000平方米，由主景雕塑、英烈墙、维和烈士雕塑和纪念广场共同组成。主景雕塑呈弧形，高3.5米、宽20米，浮雕“剿匪除霸”“缉毒缉枪”“抢险救灾”“爱民固边”“国际维和”等主题，展现了云南公安边防部队60年的风雨历程。居中高4.6米的方型纪念碑上，镌刻“忠诚卫士”四个金色大字。两侧的英烈墙各宽9米、高2.15米，上面镌刻着自云南公安边防总队1950年8月成立以来牺牲的60多位革命烈士的姓名和简历。左前方是高2.5米的维和烈士雕塑，以写实的方式呈现维和英烈李钦、钟荐勤、和志虹烈士的生前英姿，前面是卧碑形式的三个维和烈士墓。

烈士女儿的声音回荡在洁净的蓝天下，明媚的春光里：

> 爸爸、叔叔、阿姨，我已经长大，弟弟、妹妹也终将长大，请你们相信，有部队的亲切关怀，有好心人的鼓励，我们一定会坚强地面对生活，照顾好亲人，我们还会像你们一样，做祖国的栋梁，并继承你们的遗志，完成你们未竟的事业。

我要感谢各级首长和部队的亲人们，是你们无微不至的关怀，让我们拥有了勇敢面对生活的力量。

我要感谢所有的好心人，在送别爸爸和叔叔阿姨时，他们洒着热泪深深鞠躬献上一支素菊，还给我们捐款寄信，我不知道他们的姓名，但我们已深深感受到了人间真爱的光亮。

我要感谢诺仕达集团和金宝山陵园以及为维和英烈广场倾注心血的所有工作人员，你们用辛勤的汗水为爸爸、叔叔、阿姨营造了如此美丽的家园，这里永远是我们所有烈士家属寄托哀思的地方。

亲爱的爸爸、钟叔叔、和阿姨，此时此刻，我的耳畔又响起《接你回家》的歌声："接你回家，我不能没有你，尽管你留在那里却铭刻在我心里；接你回家，温暖你的土地，永远守候你一生对全世界的情义……"回来吧，爸爸、叔叔、阿姨，在美丽的西山脚下、在波光粼粼的滇池湖畔、在你们永远的家！

爸爸、叔叔、阿姨，我仿佛又听到你们在唱蓝盔之歌，是不是又准备奔赴维和的战场；我又看到你们威武的模样，请接收所有人给予你们无限的荣光。

安息吧，亲爱的爸爸！安息吧，叔叔阿姨！我们永远想念你们！永远、永远！

（选自2010年第5期《中国作家·纪实》，有删节，作者：刘广雄）

让百姓做主

——浙江省琴坛村罢免村主任纪事

2010年1月，在浙江金华的婺城区箬阳乡琴坛村，由村民成立的罢免委员会，成功罢免了一位村主任的职务，因为他没有兑现上任时的承诺。这是一次村民自治的生动实践，引起国内媒体的高度关注。然而，它的内幕却鲜为人知。本文将向您描述这一事件错综复杂的全过程，帮助您了解正在走向民主法治过程中的中国乡村。

琴坛村是浙西偏僻贫穷的小山村，海拔1 000多米，地势较高，山势险峻，在金华市素有“小西藏”之称。这个村是箬阳乡最偏远的村，村到乡还不通公路，村民去乡里如果不想走4公里山上小道的话，就要兜一大圈，多跑20多公里的冤枉路。

琴坛村像名字一样美，依山傍水，风景秀丽。可是，它犹如分糖果时溜出去的孩子，被时代遗忘了，被财富遗忘了。在经济发达的浙江，像别墅区似的村庄随处可见，琴坛村却像上世纪80年代似的都是一片破旧的土屋。村民靠茶叶和高山蔬菜维生，日子像扎在腰上的裤带一样勒得很紧。贫穷像根鞭子，把村民往城市赶，村里三分之一的人在金华或经商，或打工。

2009年10月下旬，村主任邓士明将像一条飘逸的哈达一样穿村而过的龙潭溪承包出去，在城里讨生活的年轻人不干了。农村自治不等于村主任自治，龙潭溪是村里仅有的集体资源，他凭啥擅自承包出去，而且承包价还不到其他地方的十分之一？

年轻人“杀”回了村，他们要邓士明收回龙潭溪，要罢免邓士明，要选出自己放心的村主任……

这座被时代遗忘的山村犹如落进龙门山地震带，频频发生“地震”，震波不仅传到金华市、浙江省，还传遍了全国。

在“地震”中，村民掂量出了自己手中选票的分量，懂得了选村委会就是选择自己的未来；在城市里讨生活的年轻人明白了，不论在城里赚多少钱，都不能丢下自己的家园，要关心琴坛，热爱琴坛，要为它多付出点儿。这些年轻人在村里树起了威信和号召力，也找到了自己的价值，他们是新版的“我们村里的年轻人”。

一、村里出事了！

2009 年 10 月 27 日傍晚，一阵秋风扫过之后下起了牛毛细雨。

廖祥海赶往东关超市，他没撑伞，让街灯柔和的灯光和蒙蒙细雨尽情洒落在脸和身上。他刚 30 岁，那张娃娃脸上还挂着掩饰不住的稚气，尤其笑起来就像孩子似的无拘无束，天真无邪。此时，他却笑不出来了，愤懑像一把草塞在心里。他想借酒浇愁，半瓶白酒下去了，那把草不仅没被冲走，反而像给愤懑注射了一针兴奋剂，让它在血液里奔突起来。

下午，荣海打电话说，村里出事了，邓士明把龙潭溪给包了出去，一年才 16 000 元。

荣海姓张，比祥海大 12 岁，不仅是祥海的亲娘舅，还是无话不谈的好友。

琴坛村不大，历史却比美利坚合众国还长，至今已有 400 多年。全村里有五大姓，廖、张、邓、邹、罗。最先来琴坛的是姓邓的和姓廖的，随后才迁来其他三姓。他们都是福建移民，说着福建版金华话，或者说是金华版福建话。后来居上，现在村里最大的是张姓，最小的是罗姓。村里到金华市区 45 公里，2000 年前要走五六个小时的山路才能到安地镇。当时的村主任申小妹说，金华市的一位副市长来村里视察，从安地走到村里就把鞋子走破了。他见这里的村民闭塞，生活太苦了，拨了 15 万元让琴坛村修公路，琴坛到安地的公路通了，但到乡里的公路还没通。

偏僻闭塞，村民的婚姻只得“自力更生”“就地取材”。这么一来，村里亲戚套亲戚，可谓“亲网恢恢，疏而不漏”，一竿子打不到，两竿子准搭上。廖祥海跟荣海是亲戚，跟邓士明也是亲戚。祥海的父亲是邓士明爷爷的养子，这样算来士明还是他的堂兄嘞。士明跟现任村支书邓士根也是堂兄弟，在琴坛是“我家的堂兄表弟数不清”嘞。

廖祥海19岁就离开了村，在外面当了几年油漆工，现在跟妹夫合伙在模具城开了一家模具公司。生意忙，他一年到头也回不了几次琴坛。别看祥海年纪不大，都已是两届村支委。琴坛村134户农家，374人，只有三分之二在村里。琴坛跟其他经济欠发达的村子一样，留守的是“386199特种部队”，除了女人孩子就是老人，年轻力壮的没几人。

“两委”成员也分为两地，以邓士明为首的村委会有三位村委，驻守村里；以邓士根为首的支委会有五位支委，三位在金华市区，两位六七十岁的在村里。邓士根也在模具城做生意，另一位支委在金丽温高速公路出口处打工。

荣海还说，承包龙潭溪的Y老板在邻镇茶山那边也承包了一条溪，一年166 600元。

荣海属于“两栖”人，一脚在城里，一脚在村里。他有一辆柳州五菱小货车，在金华的市场门口拉脚。一是有车方便，二是老婆孩子还在村里，回村频繁。他老婆是三位村委之一，村里的消息自然灵通。

“他们的溪比我们的短，河道也没我们的宽，凭什么我们的承包费还不到他们的十分之一？再说，这么大的事邓士明怎么能一个人做主？”廖祥海一听就火了。

“合同签了28年。”荣海说。

“开什么国际玩笑？”廖祥海吼叫一声。

荣海的话像星星之火，转瞬就在廖祥海的心里燎原了。一年亏15万多，28年亏420多万元！ 420万对于富村算不了什么，对于琴坛来说那就是天文数字！再说，这不仅仅是钱的问题，村界内的龙潭溪长近五公里，是溪的源头，清澈见底。它是村里的母亲河，村民是吃着溪里的水长大的，小时候还在溪里游泳嬉戏，捕鱼捞虾，他们对这条溪有着不同寻常的感情。邓士明将它以十分之一的价格承包出去，这是对龙潭溪的亵渎，是对琴坛父老乡亲的污辱和出卖！

琴坛村没有集体经济，山都包给了村民，这条溪是村里唯一的公共资源。这事要不要管，该不该趟这浑水，有没有必要操这份心？近几年，他的生意不错，赚了些钱，刚刚花六七百万元购进三台数控设备，忙得焦头烂额。他连问自己几遍，没有答案。

琴坛村虽然不大，可是关系复杂，哪个人身后没有一个家，哪家没有三亲六故？有时得罪一人就等于得罪了大半个村子，常常有些事明知不对，也没人站出来反对。他是在金华了，可是他母亲还在村里。再说，得罪他邓士明没什么好处。邓士明的一个弟弟在金华最大一家百货公司当副总经理，另一个在监狱任执法大队的大队长，况且廖邓两家毕竟还是亲戚，逢年过节两家人还要聚聚餐，吃顿饭。

荣海似乎想到了这一点，在电话里说:“这种情况要是没人站出来的话，以后全村的利益就更没保障了。”

是啊，留在村里的除了老人就是女人和孩子，他们哪个敢得罪村主任？村里的“能人”都在城里“发展经济”，没有时间和精力管，也不想管村里的事。这不就等于村里唱了“空城计”，村主任想干啥就干啥了？不行，我得召集大家伙商量一下。

“溪滩？他连溪滩都敢包掉，这么大胆啊？刚当一年多村主任，别的没干，先卖东西了。”张林军气愤地说。

张林军 27 岁，在城里闯荡五六年了，现在金华一家投资公司当会计和跑业务。

“有意见就碰碰面，听听大家的。”张明华不快不慢地说。

张明华是个能人，他 38 岁，不仅脑袋灵光，而且很有能力，20 多岁就当上了村主任，十年前跑到金华经商，现在是红双喜婚庆广场的老板。能人大抵都有这个特点——消息灵通，是信息的集散地。溪滩承包的事，他两天前就听说了，他不相信，打电话问在村里的老爸，老爸和表哥都是村民代表。老爸说，这事情是有的，他也跟着在承包合同上签了字。“这么大个事情，你也不问一下？”张明华忍不住埋怨了老爸一句，也就将它放下了。做生意就是要钻进钱眼里，眼睛一睁一闭想的都是钱，哪有精力操闲心？廖祥海一提醒，他也觉得是件大事，想商量商量，看看有没有挽回的余地。

金华市区不大，不论是对事儿关心，还是对聚会有兴趣，大家丢下饭碗就跑了过来。

7 点半，13 位琴坛村的年轻人就聚集在东关的超市。这个超市是村民余金炉开的，租的是邓士勇的房子。

邓士勇是老村主任申小妹的儿子。四岁时，他的户口就迁到了市里，在市里读书，又从市里参军。转业后，在中国银行金华分行工作。邓士勇是村子里的城市人，不仅文化水平高、有头脑、有能力，而且还拥有人脉资源。他在这座城市生活了几十年，有同学、战友和同事，还有以各种各样方式结交的朋友。邓士勇就住在超市楼上，廖祥海之所以选择在这里，就是想请邓士勇参加，让他这个城里人给出出主意，策划策划。

“龙潭溪被承包出去了，我们怎么不知道呢?”关心此事的村民一见面就抱怨，不是对这事不满，而是感到自己被村里忽略了，有点儿恼火。

“这么大个事儿，没经过‘两委’讨论，没召开村民代表大会，也没经过乡招标办公开招标，他邓士明就把合同给签了，承包费还这么低，是不是有什么猫腻?”廖祥海说出自己的猜测。

“溪滩是全村人的，要卖也得卖个好价钱，也不能贱卖呀。”张明辉说。

张明辉在金华开了家电器商店，生意不错，一年能赚二三十万，在村里人眼里算得上大老板了。

说是“贱卖”显然用词不当，夸大其词，琴坛村人讲话不讲究准确，讲究的是如何表达自己的感受和情绪，没人会纠正这种概念错误的。

超市太小，除了货架货物之外，空间有限，十几个人挤在里边有点压抑，好像这人呼气时，那人才能吸气，影响思维。外边的雨善解人意地戛然而止，他们把凳子搬到外边，围成一圈，一边喝茶，一边嗑瓜子儿，一边聊天，一边商量事儿。

“溪滩这东西不是个人说了算的，那是村里的资源，是祖宗留下来的，不是随便就能拿出去包给别人28年的。”张明华说。

在政府机关，说话的分量往往不在于说者聪明还是愚蠢，而在于其级别的高低；在民间，说话的分量有时不在于对错，而在于说话者的威望。张明华说话的声音不大，却很有鼓动性。

“我们要想办法把这龙潭溪收回来，不能这样就算了!”廖祥海建议。

“让邓士明把钱退回去，把溪滩收回来。要承包也要经过公开、公正、公平的招标投标才行，他们的合同无效，废掉废掉。”

这些年轻人不同于村里的老人，在城市闯荡多年，不仅见过世面，而且接受了现代文明。

"邓士明上来之后什么事都没做起来，还乱讲话，搞得村里不得安宁，我看趁早把他免掉算了。"张林军说。

张林军说话直言不讳，从不转弯抹角。

聚会的主题可能是一个，动机和想法往往是N个，有的想把承包合同废掉，将龙潭溪收回来；有的想发发牢骚；有的想凑凑热闹。他们都称得上是村里的精英，哪怕知道自己算不得精英，也希望被看作精英。不过，有一点是肯定的，多数人没想罢免村主任，要知道有这一动议的话，也许就不来了。聚会不同于开会，开会犹如龙潭溪，只要不发洪水就会顺着河道流淌下去，聚会是每个人的想法都是一条溪流，流到了一起，说不定在哪儿就掀起巨澜，甚至于决口。大凡政权不大稳定，统治者最怕的就是群众聚会，国民党统治时期许多茶馆酒楼都贴着"莫谈国事"，怕的就是这个。

张林军的话有人称赞，有人沉默，有人开心，有人胆怯。张林军根本就不管他人是怎么想的，索性像竹筒倒豆子似地把自己的想法统统倒了出来："我们再也不能这样了，不能再对村里的事不管不问了，应该为村里做点什么了……"

"是啊，等我们老了，还得回村呢，那里还是我们的家呢！"张明华悠然地说。

邓士勇提议成立个组织，就叫同乡会好了。什么叫有头脑？这就是有头脑，让别人的想法顺着自己的河床流淌！在座的人不禁拍案叫好，让邓士勇负责起草同乡会章程。他们已不同于传统意义上的"村民"，他们除出身农家，户口不在城市之外，已同城里人没什么区别，知道与了解的东西不比城市人少多少。

"我们要把村里那些有志向的、正派的年轻人都吸引进来，每人每年出点儿钱，为村里办点实事！"廖祥海兴奋地说。

大家兴奋地聊到半夜12点才散去。

次日晚上，大家在世贸大厦张林军的办公室里再次聚会，参会人数陡增至17人，其中有村支委余根基。这一天，余根基休班，回村看望父母，搭张荣海的车返市里时听说了此事，饭都没吃就跑来了。

人无头不走，鸟无头不飞，这次聚会的头一件事就是选举同乡会会长。大家过去就佩服邓士勇，昨晚之后就更佩服他了，一致推举他为会长，张明辉为副会长。邓士勇是有心人，早已起草好同乡会章程，章程的主要内容是：以主持正义、扶贫、扶弱、团结同乡、共同为村里的发展尽力为宗旨，共同帮助同乡村民致富；会员将尽自己所能上缴会费，每年不得低于500元，所交费用用于主持正义、扶贫、扶弱及本会的正常运转；会员做的所有事都是义务。章程在表决后通过。

对做生意的人来说，500元会费算不了什么，可是对余根基、廖枣红等打工的来说，这可不是小数。余根基的月工资只有1 200元，加上补贴才2 000来元，他40岁结婚，孩子才一周岁，开销很大。另外每月要还六七百元的房贷，还要补贴父母一点儿，一下拿不出500元。他提出分期交付，先交300元，等缓缓劲再交200元。其他人见余根基都交了会费，没带钱的借钱交了，连平时一毛不拔的人也都痛快地掏出了钱。

不想从她那得到什么，却愿意为她而付出的地方叫家乡。他们相互感染着、激励着、感动着……

接下来的议题是罢免村主任。邓士勇说，这好办，回去把他的公章收回来就行了。

“不妥，村长是行政官，我们得给乡政府打报告，让乡里把他撤掉。”有人不同意地说。

在中国，村主任可以说是最小的官，小到连国家干部都不算。除村民之外，几乎所有人都不拿村主任当干部。2002年，湖北省某乡镇干部随便给村主任写了个便条，该乡镇的一位姓谭的村主任就乖乖地辞职了；2003年，山东省枣庄市泥沟镇政府居然撤销了合法当选的村主任秦实华的职务。所以说，琴坛人不知道怎么罢免村主任并不稀奇。

廖祥海和张林军上网查过，没查到罢免村主任的办法，只查到几则报道，了解到罢免远比选举复杂，要成立罢免委员会，要村民投票表决，许多村子折腾了一番还没成功。这俩人可不是“杀猪不吹——蔫退”的主儿，敢想敢为，所以不论成败都要走一遭。

邓士勇起草罢免申请书，众人纷纷提供罢免理由。

“他的村长当得不称职。事情呢不做，村庄整治到现在都没有搞上去，在乡里都倒数了……”

“他领人查了一年多的账，误工费就花了好几万……”

“他把村里的礼堂无偿让给邹旺根的小姨夫搞来料加工……”

邹旺根是村委，是邓士明的得力助手，也是张林军的亲娘舅。他们舅甥关系本来不错，自从邓士明当选村主任，邹旺根当选村委之后，他们之间的分歧就越来越大，关系也越来越僵。

“他阻挠修筑琴南公路，叫几个无知的妇女躺在挖掘机下边，还煽动几个年纪大的人睡到挖掘机上，想获得高额赔偿，搞得至今村里到乡的公路还没有通。”

写这种材料对邓士勇来说是小菜一碟，刷刷刷，很快就写完了。他将大家的意见归纳整理，高度概括为：

琴坛村两委罢免申请

箬阳乡人民政府：

我村村主任邓士明因不顾村集体利益、未经正常程序出让村集体资源，极大地损害了村民的利益，有出卖集体利益的可能。加上上任后不做实事，只停留在无根据的事上乱翻，管理杂乱，使全村处于不断的争吵当中……现村民按序联名特提请上级部门批准罢免村主任及部分村委并同时提前进行改选。

特此申请

琴坛村民　联名：

廖祥海和张林军率先签字画押。

有人傻眼了，这白纸黑字、鲜红的手印，将来想反悔都来不及。邓士明和邹旺根等人要是知道自己背着他们参与和策划了罢免，在村里的家人还有好果子吃吗？内幕，什么内幕，内幕只是媒体吸引眼球的字眼，中国还有多少内幕可言？有人扎牢过口袋，没人扎牢过嘴巴。今晚的聚会，谁说了什么，说不定明天邓士明他们就知道了，也许今晚散会不一会儿就知道呢，指不定谁要倒霉，倒大霉！

当非洲的野牛群与狮群相遇时，公牛会犄角朝外地守着牛群。这时，即便饥肠辘辘的狮子也不敢轻举妄动。一旦哪头公牛恐惧了，掉头就跑，牛群就会轰然而散，哪怕剽悍的公牛也会成为狮子腹中的食物和丢弃荒野上的白花花的骨头。怎么样才能不散群，牛没办法，人有办法。邓士勇提议起草一份承诺书，承诺同心协力，共进共退。为防止有人违约，承诺书上加了一条："为树立个人信用，特此承诺，如有违反，即通过媒体向社会公布。"最后，每个人都在自己的承诺书上签了字，画了押。

邓士勇举着承诺书对大家说，有了承诺就谁也不能退出，共同坚持到底。谁要是退出，谁要是出卖我们，或做了对不起我们的事情，我们就把这张承诺书贴到村里去，叫他没法做人！

二、村主任邓士明

琴坛村依山傍溪，土坯的农舍从溪北的水泥路旁错落有致地叠到半山腰，远远看去居然有点儿布达拉宫的味道。溪滩里的水不舍昼夜地流淌着，溪面点缀着的一块块被水打磨光滑的巨型鹅卵石是一道迷人的风景。琴坛村两侧的山峰上耸立着一对石人，一个头上盘发髻，像一孕妇；一个挺胸直背，遥望苍天，不失真人风度。它们面面相对，长相厮守。有人说，"茶圣"陆羽带着妻子寻访天下名茶，途经琴坛时口干舌燥，向一老妇人讨水喝。老妇人用自己刚采的茶叶泡了一碗给陆羽，他端茶一闻一品，顿觉眼前一亮，心想：这不就是我要找的好茶嘛！为此，陆羽夫妻就在琴坛村住下了，以种茶砍柴为生，再也没有离去，于是后来就变成了两尊石人。

邓士明的房子建在溪南，背山朝北，几乎照不进阳光，显得格外清冷。门前有座石桥，通往溪北。山外是深秋，山里已初冬。温和的风刮到山里就像一把刀被磨得锋利，脾气也暴躁了起来，呼啸着掠过山坡，像老鹰爪子似地将树叶一把把扯下来。山上的阔叶树一夜之间变衰老了，无精打采地垂着。

一大清早，邓士明就坐在门口，望着那条汩汩流淌的溪水，地上扔满烟头。可能是失眠，他那张饱经风霜的脸看上去比平时憔悴。当下意识地将手指探向烟盒时，他却发现烟盒已空，将空烟盒揉了一团，起身回屋时，突然看见村委邹旺根。

邹旺根看出他没烟了，递过一支说："士明，城里的年轻人开会要罢免你，我外甥林军也跟着乱搅和。”

邓士明看了一眼邹旺根，满不在乎地说：“我早知道了，他们没那个能耐，瞎起哄而已。”

邹旺根见他没在意，又补充一句说：“他们还要收回龙潭溪。”

邓士明说：“收回去？没那么容易。我就不信，他们还能翻了天。”

邹旺根说：“你老爸当支书那会儿，穷是穷，可从来就没有这么多烂鸡巴事儿。”

邓士明说：“是啊，是啊。”

他老爸邓作炤先是当村长，那时不叫村长，叫生产大队大队长，后来又当支书。那时村里就穷，他老爸为改变琴坛的面貌，早晨天刚亮就出了门，天黑才走出深山。他先后去绍兴等地参观学习，然后又把专家请进来，经过土质化验之后，选种200多亩的茶树。他老爸为琴坛鞠躬尽瘁，49岁就病逝了，引进的茶树至今还在造福琴坛。父亲去世时，公社的干部和大队的社员都来参加追悼会，许多人流着眼泪说，邓支书是一个难得的好支书！

世道变了，他老爸那个年代的村干部多么有威信，大事小情都说了算，哪像他这个村主任当得憋气加窝火。这一年到头苦没少受，累没少挨，亏没少吃，那帮在外边捞钱的年轻人还不满意，还要罢免他。

邓士明是在2008年4月换届选举时当选为村主任的，这既出乎意料，又在情理之中。

最初海选出来的候选人有两位：张新德和张清福。这两个人的能力和威望都不差，张新德土改时当过儿童团长，后来又担任公社团委副书记、琴坛大队大队长，改革开放后当过一届村主任，遗憾的是他已68岁，年近古稀；张清福当过将近30年的生产队长，无论魄力、能力还是口碑都不错，可惜的是他已66岁。乡政府规定，60岁以上的村民不能再当选村主任。于是，邓士明被增补为候选人。

邓士明在兄弟中排行老二，大哥邓士品在乡小学教书。琴坛村穷是穷，可是特别注重知识，看重读书人，再加上年轻人都曾经是邓老师的学生，年老的亦曾经是邓老师的学生家长，所以他在村上特别受敬重；二弟是狱警，在监狱任执法大队的大队长；三弟阿贵是金华一家大公司的副总经理。邓家兄弟四人，只有邓士明书读得少，仍在村里当农民。

选举哪能不拉选票？美国总统大选还要像海鸟筑巢似的奔波演讲。可是，邓士明既没有口才，又没有威望，村里有些人根本就瞧不起他，所以他只好让德高望重的邓老师和受人敬重的三弟阿贵出面了。

邓老师挨家挨户地为邓士明做工作，诚恳地对乡亲们说，让士明当当村主任吧，我们兄弟都在外面，就他一人还在村里。

有人认为，邓士明单纯实在，想啥说啥，没有弯弯绕，人也不坏，做事较真。再说，反正琴坛村也是贫困村，想发展连门儿都没有，这么个村主任谁当还不都一样，士明要当就给他当当吧！也有人认为，他根本就不适合当村干部，一是能力比较低，二是做事没头脑，三是爱乱讲话。有一个单位到村扶贫，他愣是在村口把人家拦住说："你们以后不要再来了，你们的扶贫款都进了村干部的口袋。"

有人直言不讳地说："邓老师，你大弟是不好当这个村主任的，如果你要来当，我们百分之百同意。你大弟没文化，人又粗鲁，再说连个组长都没当过，怎好当村主任呢？"

廖祥海说得更是干脆："他这个人根本就不是当村主任的料，什么能力都没有，不要说当村主任了，能把自己的家管好就不错了。"

多数人都给邓老师面子，张明华、余根基不仅答应投邓士明的票，还帮忙做工作。张明华对关系不错的村民说："让邓士明当当吧，我都支持他了，你们还不支持？"余根基劝大家："我们就相信邓士明他们哥儿几个一次吧！"

邓士明在竞选中说，村里每年都有扶贫款进账，上届村长干了三年，村里却一点儿变化都没有，那些村干部肯定有经济问题。如果自己当选，先把账查个水落石出，然后再一心一意把村子弄上去。他的竞选承诺更是出手不凡，深得人心。他表示当选后要"以'公开协商'的原则处理财务，做到村务公开、财务公开，村中大事征求广大村民意见，由村干部集体研究决定"。承诺为村民办两件实事：一是每人每年 20 元的合作医疗款由村财政支付，若村经济有困难，由本人向外界讨，若仍得不到扶助，由本人为村民支付；二是树立敬老扶贫的村风，每年年终对年满 60 周岁以上的村民进行慰问，对受天灾人祸、生活困难的村民作力所能及的帮扶。为了表示自己的诚意，在选举之前，他把竞选承诺打印出来分发给村民。

他的竞选承诺出自邓老师之手，集中了两代人的智慧。"公开协商"原则是邓士明的堂叔提出的。堂叔退休前是乡干部，认为村民比较看重公平、公开、公正的原则。替村民交合作医疗款是邓老师的主意。琴坛村三分之一的村民在外地，每年村里这笔合作医疗款就要支付六七千元的差旅费和误工费，全部收上来的话也就八千来元钱，还不如村里直接支付。村里的账面上有20多万的扶贫款，足以支付这笔钱，所以承诺的“村经济有困难，由本人向外界讨，若仍得不到扶助，由本人为村民支付”，不过是个姿态。

琴坛村的村民文化水平较低，忽略了前提条件，理解为邓士明当了村主任，每人每年的20元合作医疗费就不交了，村里交不上，他邓士明交，他邓士明没钱交，那么就用邓老师的工资交。邓老师每年的工资怎么也超过八千块钱吧？在经济发达地区，20元钱算不了什么，对于琴坛村民来说，这20元钱是绝对不能不当回事的，一人20元，一家六七口人那就一百多元呢，三年下来就是半千呢。

在村主任选举中，谁出钱多就选谁的现象特别普遍，许多村民最关心的不是谁能当选，而是如何把选票“卖”上价。有的村民在投票前用手机拍下自己的选票，然后到被选人那儿去索取好处。有的村子村民公开讲，谁给我烟，我就选他。对这些村民来说，村里如何发展，怎样发展，统统不管，发展那是明天的支票，他们要的是眼前的实惠，是现钞。2003年，山西省河津市老窑头村发生过230万元竞选村官的事，当选的村主任兑现了自己的承诺——给每位选民发放1 800元的红包；两位副主任按每户1 000元发放了红包，平均每户获8 000元，许多农民捧着钱哭了。

老人是绝对不可忽略的选票，村里的中青年都在城市，未必回来投票，选票会委托给父母，父母想投谁就投谁，所以把老人打点明白，基本上就没问题了。每年慰问老人的钱自然要三弟来出，阿贵也愿意出这笔钱。

竞选村长不但是邓士明的事，也是邓氏兄弟的事，是邓家男女老少的头等大事！邓士明要是当选为村主任，往大说，邓家的父子都当过村主任，对琴坛村作出了应有的贡献；往小说，子承父业，邓士明给老爸争了光，邓家在村里的地位也得到了提升。对在琴坛村的老妈来说，其他三个儿子再风光也是村外边的事儿，邓士明当了村主任那才是村里的风光，真正的风光！选举的前一天，74岁的老妈去村口的庙上烧了三炷香，祈求观音菩萨保佑她的士明当选村主任。

选举的那天，邓老师和阿贵都回了村，站在投票的礼堂门口，对村民一一地说：“支持一下士明吧，我们是不会让大家吃亏的。”

邓士明大获成功，全村339位选民，他获得了298票，高票当选！

张明华和余根基把家里人的选票都投给了邓士明。廖祥海和张林军没有回村，委托父母投的票，至于父母投给了谁，他们也不清楚。听说邓士明当选后，张林军嘲讽地说："傻瓜一样的也能当村主任了，这回村里要有苦头，想发展就更难了。"村民都清楚，他们的票不是投给邓士明的，而是投给邓氏兄弟的，确切点说是投给邓老师和邓副总经理的。他们并不指望村主任带领大家致富，他们寄希望新选出来的当家人能够从外边多讨点扶贫款，让大家都跟着沾沾光。他们相信邓老师和邓副总有这个能力。

新官上任三把火，邓士明首先是查账，想彻底清查，任何蛛丝马迹都不放过。没想到花去数千元差旅费和误工费，却没有个结果。张明华生气了："他动不动就查这账，查那账，他又不是反贪局。村上过去给前来扶贫的单位送几斤茶叶，几斤牛肉，他也要去问一问，查一查。搞得我们村形象很差很差的，谁还来扶贫？他这个村长是傻子，农民讲就是二百五，脑子不大清楚，这种人还能做事情？跟他都没法交流了。"

张林军说："他们拿着审计报告对我外公外婆说，上届村委会多收了他们1 450元的修路费。我外公气得要跟上届书记和主任拼命，外婆天天去骂他们，跟他们要钱。我对外公说，村里欠不欠你的，你自己还不清楚？那个审计报告前三页有公章，后边的十五六页没有章，一看就知道是邓士明他们自己订上去的，我在公司当会计还看不出来？人往往就是这样，说少收了你的钱，你肯定不相信；说多收了你的钱，你一定会找他算账。我外公外婆总认为是多收了他们的钱，我怕他们气坏了，就掏出1 450元钱，对他们说，村里多收的钱呢，让我给要回来了。我外婆高兴得一个劲儿说：'我的外孙事情办得好！'你说，他那个村主任当的，不干正事，尽制造矛盾。"

乡里搞村庄整治工程，要求村里先垫款施工，然后乡里再拨款，因种种原因也没有启动，村民们不满意；乡里修琴南公路，解决琴坛村与箬阳乡不通公路的问题，因征地赔偿，邓士明领部分村民阻挠而搁浅；收合作医疗款时，村里没替村民交，邓士明也没付，最终还是向村民收的，村民怨声载道。

邓士明没想到几把火没烧好，反而燎了自己。山里人是看重承诺的，合作医疗款是他的一块心病。一天，阿贵和Y老板聊天说起了龙潭溪，Y老板很有兴趣，想承包下来搞漂流。老板到琴坛村考察后，表示愿意每年出1.6万元承包费，承包28年。他准备投资3 000万，在琴坛村搞旅游开发。邓氏三兄弟喜出望外，这笔钱支付医疗合作款绰绰有余了。邓士明上任后，村里人想承包龙潭溪养鱼，每年交给村里800元钱，他没同意；村外有人想搞漂流，每年交2 000元，他嫌承包费太低，也没同意。Y老板出1.6万，这是800元的20倍！

2009年10月16日晚上，邓士明、邹旺根和Y老板来到礼堂，通知村民代表来开会。邓士明拿出溪滩承包合同说："这个合同你们看一下，满意了，对老百姓有利了，你就'盖章'，觉得没利就不要'盖章'。"

村里人管摁手印叫"盖章"。村民代表看过合同后，没有异议，于是就摁了手印。

老板掏出中华烟说："我就不一支支地递给你们了，每人一包拿去自己抽吧！"说罢，给了每位代表一包烟。邓士明追问一句："你们没意见了，我的章就盖出去了！"

他说的章指的是村委会的公章。见大家没意见，他就在合同上盖上了公章，交给Y老板一份。接着Y老板交付了第一年的承包费1.6万元。不知邓士明他们是疏漏，还是有意遗漏，村民代表没有全通知到，20位村民代表来了17位，还有三个代表没通知到，其中之一就是邓士勇的母亲申小妹。在村里，申小妹算得上既有政策水平又有头脑的人物，担任过村支书兼村主任。她要到场的话，琴坛的这段历史也许就要改写了。申小妹说，我要是去的话，肯定会反对的。邓士明他们知道我会反对，所以就不让我参加。承包龙潭溪必须经村两委讨论通过，要请示乡政府的；另外，一万元以上的项目要由乡政府组织招标。我当支书和村主任时，村里建两个水坝，那都是乡政府组织招标的。邓士明这人没有知识，没有能力，嘴巴乱讲话。他的话很多，没做的先讲出去，又不实事求是，可是河道承包，这应该讲的呢，他又不讲了。

邓士明做梦也没有想到，这纸合同居然成为村民要罢免他的导火索。

三、村里村外的冲突

2009年10月29日，四辆车浩浩荡荡地开进琴坛村，廖祥海、张林军、张明华、余根基、张荣海等16人出现在村口。这些年来在外边的年轻人平时很少回来，更没有这样成群结队回来过，哪怕过年都没有，琴坛震动了。他们的父母闻讯来了，乡亲也围了过来。

没有不透风的墙，尤其是农村的土墙。廖祥海他们成立同乡会，要罢免村主任的消息早已像深秋的落叶刮得满村都是。落叶是没有生命的，从树上飘落时多大就多大了；传闻生长在舌头上，是活的。传闻在村东头是松针的话，哗啦哗啦地到村西头就可能变为了巴掌大小的梧桐叶。村民的想象力和创造力是丰富的，他们不追求准确，但追求生动，追求如何充分甚至有点夸张地表达自己的思想和情绪。村民说邓士明查账花掉旅差费和误工费好几万，那绝不是说花掉了一万元、两万元，或者三万元，那是相当于说花掉老鼻子钱了，可能是三五千元，也可能是六七千元；说邓士明把龙潭溪给卖了，那也不是真认为他就是卖了，而是表明对他的做法的反对。可以想象“同乡会”“罢免村长”这两个关键词从村头刮到村尾会是什么样子。

廖祥海他们回村是征求所有村民意见的，他们认为罢免申请最起码要有一半以上的村民支持才能有效。要取得半数以上村民的支持可不是一件容易的事。百姓百姓，就是百人有百个想法，是难以统一的。尽管许多村民对邓士明不满意，怨怼不已，可是未必想罢免他；即使有意罢免他，也未必会在罢免申请上签字画押，而是希望别人来罢免他，自己坐享其成，也就是说他们只同意而不支持。廖祥海他们商量来商量去，认为应先争取在市区的三分之一村民的同意和支持，再通过他们向村里的亲朋好友渗透，最后再回村争取其他村民的支持。

廖祥海、张林军早晨起来就坐着张荣海的车在市区转悠起来，他们先拜访了在农贸市场卖炒货的老余。老余50多岁，是村里最早来金华经商的人，如今不仅买卖做得大，而且朋友很多，在村里是位举足轻重的人物。老余和邓士明兄弟关系不错，跟承包溪滩的Y老板也是几十年的朋友，Y老板去琴坛签承包合同就是他陪着去的。廖祥海开门见山地跟老余讲明来意，然后虚心讨教：“您作为前辈，对这事有什么看法？”老余也是爽快人：“起草合同时，我提醒过邓士明，这样做是不是太草率了？至于罢免村长的事，我不参与，既不支持你们，也不支持他。”

廖祥海等人如释重负地舒口气，幸好老余保持中立，他若反对的话，恐怕真就没戏了。

听说同乡会小邹的父亲和叔叔进城来帮助他装修房子，廖祥海他们以为小邹都签字了，老邹肯定会签字的。没想到老邹看了罢免申请后，冷若冰霜地说："我不签。"

"为什么呢？"廖祥海不解地问道。

"还为什么？"老邹恼怒地看了看这三个年轻人，说，"要知道我们在琴坛走路都要低着头。在琴坛，谁能斗过他邓士明？他跟书记打架那天，村里有30多人聚集在他家，商量怎么对付书记，让书记赔钱，让书记坐牢。你不想想，在琴坛哪个人能召集那么多人，而且事后又不走漏风声？你们也不想想，你们几个哪个吃得消他邓士明？"

廖祥海、张林军、张荣海被说得一愣一愣的。他们长年在外，对村里的情况知之不多，没想到自己从来都没瞧起的邓士明会出息成这样，在村里会如此有势力。可是事到如今，哪怕是鱼死网破也要做下去了。他们从小邹家出来，强鼓勇气一家家跑下去。还好，在市区的村民绝大多数支持罢免，少数认为溪滩包得不合理，把合同收回废掉就好了，没必要罢免邓士明。个别村民表示，我不想对此发表意见。廖祥海他们明白，他们是反对罢免的。

下午三四点钟，廖祥海他们就把市区跑完了。同乡会立即开会，研究下一步怎么办。大家看着罢免申请书上的一百来个红手印，不禁信心满怀。他们算了一下，再加上同乡会在村的亲朋好友，差不多够半数了。

"我们立即回村，今天就把字签完。"有人十分乐观地说。

"在市区的这些人素质比较高，也不像村里的人那么怕邓士明。村里的人就是签了字也会变卦，他们天天都在邓士明的眼皮底下，只要邓士明说几句好话，许个什么愿，或者送点儿什么东西，他们就会反悔，就会不认账，甚至说是我们逼他签的。"廖祥海不放心地说。

有传闻，邓士明三件东西不离身——手机、村委会公章和数码相机。村里的大事，打电话问哥哥和弟弟。公章用塑料纸包着，需要村委会和支部盖章时，支部不盖章他不盖；支部盖章时，他掏出相机立照为证。

"邓士明有照相机，明华有摄像机，我们把签字过程拍摄下来，还怕他们不认账？"张林军说。

这位80后圆圆的脸，戴着一副黑框眼镜，有时像孩子似的有几分顽皮，做起事来有板有眼，稳稳当当。

于是，他们16个人带上张明华公司的婚礼摄像师，回到琴坛村。廖祥海觉得这是一个难得的机会，对乡亲们说："各位乡亲，我们这次回来是想征求大家对罢免村主任邓士明的意见。邓士明当选村主任之后，不仅没有兑现自己的承诺，又不经过全村村民同意，把龙潭溪承包出去了……"

"他竞选村长时说替我们交医保，结果赖掉了。"有人不满地说。

"过河拆桥，没诚信就该下台！"有人迎合道。

"把龙潭溪包出去了，谁晓得他从中得了多少好处！"

村民们是大路边上打草鞋——有的说长，有的说短。有的村民担忧的是溪滩包出去了，溪那边山上的烧柴、毛竹和茶叶怎么弄过来，总不能对人家说："你的漂流停一停，让我把毛竹拿过去。"

有人对廖祥海他们说："你们这帮人在城里发财了，房子车子都有了，还来管村里的闲事，是不是刮燥了？"

刮燥是当地的土话，意为吃饱了撑的。

"乡里乡亲的，谁当皇帝都一样，弄点事端出来干啥？这样折腾对谁都没好处。"

"是嘛，手捧苞谷棒，除了皇上就是我。七主意八主意，吃饱饭就是好主意。"

反对者是少数。不过，这些话让年轻人感到很不舒服。你以为我们爱管闲事咋的？我们每人出500元钱，用来帮助村里；我们或丢下自己的生意，或请了假跑回来，不就是为你们这些村里人的切身利益吗？否则，我们折腾个啥，邓士明当不当村长，跟我们又有多大干系？真是皇帝不急太监急！

村支书邓士根匆匆赶过来。廖祥海他们找过老余之后，邓士根就接到Y老板的电话："邓书记，你在村里有威信，叫那帮年轻人不要搞了，不要罢免邓士明了。我承包龙潭溪，承包费虽说少了点，但我不会让你们村吃亏，我要投几千万发展旅游业，游客多了，你们就富起来啦。"

邓士根扬扬手，围聚的村民散去了。他不是来制止廖祥海他们的，是怕他们与邓士明等人发生争执，导致肢体冲突。他把廖祥海等人拉到一边，问清情况，忧虑地说："这可是大事，有没有把握啊？"他像问廖祥海，又像在问自己。

"现在看来，应该没问题。"廖祥海挺有信心地说。

"事情恐怕不会这么简单吧？这件事你们可要慎重啊！"邓士根还是不放心。

廖祥海他们开始走访，征求意见。有的村民用那像树根似的手分别在三份罢免申请书上签了自己和家人的名字，又在每个名字上摁下鲜红的手印；不认字的村民请别人代笔，然后认真地摁上手印。有的村民恐惧不安地叮嘱道："你们做了就要做到底，否则你们在市里的没事了，我们在他的眼皮底下倒霉了。"

若不是信任，这些平日胆小怕事的村民怎么会签字摁手印？廖祥海他们感动了，无论如何也不能对不起这些父老乡亲！他们让这些年轻人看到了琴坛的希望，年轻人让他们看到了琴坛的未来。

"请放心，我们要是搞不好的话，过年也没脸回来了。"张林军说。

摄像师忠实地将村民签字的情景完整地拍摄下来。

没走几家，张明华的手机响了，又是Y老板："明华，听说你们回村了？想把溪滩收回去，把邓士明罢免掉？不要那么不上（让）路，大家都是熟人，你帮我，我帮你，多好。"

"不是我要搞的，是我们村大多数村民对合同有意见。"张明华争辩道。

张明华跟Y老板认识20多年了，过去Y老板做木头生意，有时到琴坛采购木头。如今人家已是大老板了，相形见绌，张明华和他的联系也就少了。

"他们能兴多大的浪？只要你不领头，他们什么事儿也做不成。"

"这次不是我领头的。我们也不是为你承包溪滩的事，主要是这个村长不做事情，村庄整治也不搞，不干实事……"

Y老板恼怒地告诫道："你再干下去绝没有好果子吃！"

Y老板见张明华不买账，又拨通了邓士根的电话。

"这是他们自发的行动，跟我没关系。"邓士根推脱着。

"谁不知道你跟邓士明有矛盾？你们好歹也是堂兄弟，都是一家人嘛。你就不要在背后策划这事啦，搞倒邓士明，你也没什么好处……"

"我邓士根不是这么卑鄙的人。我最后说一遍，这事跟我无关。不过，我认为这些年轻人做得对！"邓士根打断了Y老板的话。

他与邓士明有过节，所以是"黄泥落裤裆不是屎也是屎了"，这嫌是避不了啦。

"你们要不停止罢免行动，别怪我不客气，别说我让你在金华待不下去，在模具城混不下去！"Y老板气恼地说罢，挂了电话。

廖祥海等人没理会Y老板的威胁与恐吓，继续一家一户地争取村民的支持。太阳快下山时，他们走到位于村中心的礼堂附近，这意味着他们已走访了一半。突然，邓士明领着邹旺根、邹福根等几个人冲了过来。邹福根一把就要将摄像机夺过去，摄像师吓得急忙将摄像机抓住，两人都不撒手，僵持在那里。邓士明他们不仅要抢摄像机，还想抢廖祥海他们手里的罢免申请。

“你凭什么抢我们的摄像机？”廖祥海质问道。

同乡会不敢上前抢夺摄像机，怕把摄像机给损坏了。

“你们假冒记者，没经许可私自拍摄！”邓士明厉声喝道。

“把他们的摄像机砸了！”邓士明那边的一位村民喊道。

“我们不是记者……”摄像师更不敢撒手了，死死地抱着摄像机解释道。

“不要以为有一点蛮力就好，这东西不是说砸就能砸的，砸了是要赔钱的。”余根基警告道。

他嘴上是这么说，但心里很害怕。这几个村民除了邓士明的家里富裕点，其他的都是贫困户，真要把摄像机砸了，他赔不起你也没办法。

“你们没经过我们同意就拍摄到了我们和我们的房子，这是违法的。你们必须把拍摄的东西毁掉，否则就不给你们摄像机。”邓士明强硬地说。

“我们没拍你们，也没拍你们的房子，拍的是证据……”摄像师说。

“那你就放给我们看看，我们看过就还给你们。”

许多村民的心一下子提到了嗓子眼，尤其是那些上了年纪的老人吓得不知如何是好了。他们签字、摁手印的情景要是让邓士明看到了，那还得了？

“如果你把承包溪滩的合同收回，把钱退还Y老板，我们就把摄像机拍的内容删除，把罢免申请撕毁，你还当你的村主任。”廖祥海见状，只得让步。

“这个合同我是不会废掉的，又不是我一个人做的主，有村民代表盖章的，有本事你们就把我这个村主任罢免掉，让我去坐牢好了！”邓士明寸步不让地说。

瞬时剑拔弩张，火药味很浓，随时都可能打起来。邓士明见自己这边仅三五人，对方有二十来人，可能想到真要是打起来未必能占到便宜，于是掏出手机拨110报警。

当警察从30公里外的派出所赶到时，夜色像浓墨泼染了天空，摄像师、邹福根的手和胳膊早已麻掉了。警察从他们手里拿过摄像机，让双方各派一个代表去派出所，如果检查发现有违法内容则删除，然后将摄像机还给那个倒霉的摄像师。双方都没派人去，警察只好将摄像机带回派出所。

邓士明等人走时，威胁道:“你们这些人到不了金华，半路就会被拦住打死!”

半夜，廖祥海他们在回金华的途中绕到派出所，将摄像机取了回来。警察没发现有违法内容，拍摄的内容也没有删除。同乡会的行动虽然受挫，可是战果丰硕，罢免申请上已有183枚鲜红的手印！支持罢免的村民已经过半，估计邓士明的村长已是兔子尾巴——长不了了。同乡会不禁欣喜不已。

次日一早，廖祥海、张林军、余根基又坐着张荣海的车赶到箬阳乡政府，把盖有183枚手印的罢免申请书递交上去。乡党委对这事很重视，立即安排党委副书记陶顺法接待了他们。陶顺法看一眼罢免申请就皱起了眉头，半晌没有言语，墙上的挂钟不紧不慢地走着，秒针那“咔咔咔”的声音像是踩在廖祥海等人的心里。

“这个东西没用，抬头就错了。”陶书记说，“不应写‘琴坛村两委罢免申请’，应写‘村主任罢免申请’。”廖祥海猛一拍前额，罢免村两委指的是罢免村委会和村支部委员会!

“罢免村主任不要说我们乡，就是婺城区，甚至金华市都还没有先例。”陶书记说完，上网搜了一下，找到了《中华人民共和国村民委员会组织法》，对他们说，“你们看第十六条规定:‘本村五分之一以上有选举权的村民联名，可以要求罢免村民委员会成员。罢免要求应当提出罢免理由。被提出罢免的村民委员会成员有权提出申辩意见。村民委员会应当及时召开村民会议，投票表决罢免要求。罢免村民委员会成员须经有选举权的村民过半数通过。’”

廖祥海、张林军等人这才明白当初完全没必要回琴坛找村民签字，市区签字的村民就已超过了五分之一。同时，他们也清楚了，罢免不是自己想的那么简单，他们现在只是万里长征走完了第一步，以后的路还很长。陶顺法说，《中华人民共和国村民委员会组织法》讲得比较笼统，让他们去咨询一下婺城区民政局。

他们在区民政局了解到罢免申请不是交给乡政府，而是交给村委会，也就是交给邓士明。邓士明接到申请后，在一个月内依法启动罢免程序。他们在区政府又查到《关于资金资产资源的管理规定》和有关法律法规，得知河道溪滩为国有矿产资源，开发承包利用需经国土、水利等有关部门审查批准，并且农村所有处置变现资源必须召开村两委会、村民代表大会或全体村民大会通过。如果标的在1万元至20万元以内的，必须进入乡招投标平台，20万元以上标的必须进入区招投标平台进行招投标。

四、被邓士明吓得屁滚尿流

2009年11月8日，廖祥海、张林军、余根基等八人回村递交罢免申请。

按理，递交申请实在没必要这么兴师动众，随便一个人回来就行了。可是，自摄像机事件后，提起邓士明来谁都有点儿打憷，不肯回村递交。他们商量来商量去决定集体行动，凭着人多，相互壮胆。另外，有人已放出了风，说同乡会肯定会有人倒霉的。言外之意，邓士明不全部收拾，要从中选择一两个来收拾。收拾又不是摇奖，谁愿意成为这一目标？要想不被收拾，那就不能出头，就得猫在人群里，不显山不露水。递交罢免申请，这无疑是出头露面的事，弄不好被邓士明当成领头的，岂不就被收拾了？

这段时间还发生了两件令人震惊的事，一是同乡会内部出现了“奸细”，这边刚开完会，对方就知道了内容，搞得他们特别被动；二是当初说“如果谁退出或出卖我们的，或做了对不起我们的事情，我们就把这张承诺书贴到村里去，让他没法做人”的会长——邓士勇退出了。

在廖祥海的心目中，不论谁退出，会长邓士勇也不会退出，同乡会是在他的倡议下成立的，同乡会的章程是他起草的，承诺书上的许多条款也是他提出来的。没想到，廖祥海等人去乡里递交罢免申请的那天，他发现邓士勇在电话里有点儿不对头，于是让张荣海去中国银行金华分行找邓士勇，问他同乡会下一步怎么办，让他再想想办法。邓士勇对张荣海说：“你们不要罢免邓士明了，不会成功的，也不可能成功的。”他还说，“这个事情我不参加了，你们也各自想好自己的后路吧！”

同乡会开会，邓士勇说参加。结果，他们十几个人从晚上7点等到10点，邓士勇都没到。打电话，他不接，最后发来一个短信：“你们不要搞这个事情了，都想想自己的后路吧。”这犹如晴天霹雳，同乡会所有成员都蒙了，邓士勇的退出肯定是有原因的，这原因是什么，接下来将出现什么？他们不知道，知道的只是他的退出意味着成功的希望渺茫，危险随时都有可能出现。

有些人也动摇了，想打退堂鼓了。邓士勇是同乡会里最有实力的一位，他都不敢干了，别人干那不是拿鸡蛋往石头上撞吗？邓士勇只有老妈和姐姐在琴坛，他的户口和组织关系都在市里，琴坛村是不能把他怎么样的。他的老妈申小妹当过支书兼村主任，在村里很有威望，没人能把她怎么样。即使如此，邓士勇都吓得不敢再参加同乡会的活动，可见遭受的威胁有多么大。邓士勇的态度对同乡会是一次重创，犹如在每个人的头上泼了一瓢冷水，把那股热情浇得七零八落。

怎么办？廖祥海、张林军等几个人商量。张林军态度决绝，不管谁退出，他都要干下去，干到底。廖祥海表示，不能辜负那些签字画押村民的希望，不论多么艰难都要走下去。可是，出头露面的人越来越少了，几乎所有的事情都落在廖祥海、张林军、余根基、张荣海的身上。为改变这一现状，他们决定这次采取集体行动。

在哪儿递交罢免申请，怎么递交？他们商量了一番，邓士明的家是断然不能去的，在路上递交又有失郑重，最理想的地点就是村委会办公室。谁来把邓士明约到办公室呢？有一点谁都清楚，在这八人当中，邓士明最恨的肯定就是约他来的人。最后，这副重担落在了余根基的身上，他拨通邓士明的电话："士明，你在哪里？在山上砍柴？那么你下来一下，我们找你有事，在村委会办公室门口等你。"

邓士明清楚余根基是同乡会的骨干，找自己肯定没有好事。管他呢，伸头是一刀，缩头也是一刀，干吗不去？不去就等于示弱，去！他把柴刀别在腰间下山了。走到家门口，他想把柴刀放回家，洗把脸再去见余根基。他家在溪南，村礼堂在溪北，门前有座石拱桥，只要过桥东行几十米就到村礼堂了。村委会办公室就在礼堂边上。当邓士明走上拱桥时，突然看见礼堂门口有十来个人，于是踌躇片刻，改变了主意。同乡会内部有人给他通风报信，说廖祥海他们想用车轮战术，要把他的脑筋搞糊涂。他清楚自己没他们有文化，脑筋转不过他们，怕给搞糊涂了。一糊涂就会收下罢免申请，一收下来就得启动程序，那就等于自己的刀削了自己的把，傻瓜才能这样干。他要是过去了，他们给，他不收，弄不好就得打起来。俗话说，"好虎架不住一群狼"，他们十来个人，自己只有老哥一个，吃亏的肯定是自己。他想报警，转念一想，他们只是约自己见面，又没干什么。

"我不过去了，你们有什么事就来我家门口好了。"邓士明眉头一皱，计上心来，给余根基回电话说道。

人在胆怯时，最好待在自己家。家不仅仅是吃饭睡觉的地方，也是最安全的地方。

廖祥海、张林军等人朝桥对面望望，见邓士明坐在桥头，腰里别着柴刀，身旁还站着他的老妈，胆怯像滴入水里的墨滴，在心里扩散了。

他们相互用询问的目光看看，谁也没说话。过了片刻，廖祥海打电话说："士明，你过来一下吧，我们把一件东西给你吧。"

"我不来，要你们来。你们来我家，我又不会吃了你们。"邓士明坚定不移地说。

邓士明的态度很明了，你们爱过来不过来，不来才好呢，又不是我找你们有事。

与其说廖祥海等人怕邓士明，还不如说怕他妈。老人已72岁，精神矍铄，特别护着她的士明，她的士明要是受了委屈，她就会去拼命。她那么大年龄，谁又敢把她怎么样？这还不是廖祥海他们最怕的，他们最怕的是她突然躺在地上不起来，愣说他们打她了，让你有口难辩。"殴打老人"在这个有着百善孝为先传统的山村可是件大逆不道的事，这样不仅他们"这一小撮"要背上恶名，还会让邓士明赚得同情分。中华民族素有同情弱者的传统，当年台湾竞选，陈水扁已处颓势，一颗莫名的子弹袭击后，让他化腐朽为神奇，捞取了不少选票，达到了连任的目的。

邓士明死活不过来，他们要是不过去，只有"望桥兴叹"了。他们从金华到琴坛，跑了40多公里，因不敢过桥而功亏一篑，岂不让人笑话？廖祥海无奈地说："没办法，过去好了。"其他人相互看看，没有反对。

总得有人把这份罢免申请书递交到邓士明的手里吧，谁来呢？这既是件小事，又是严峻的问题。众人面面相觑，沉默无语，只有溪水汩汩的流淌声。廖祥海大义凛然地说："你们都不想递，那么我来递好了，反正我跟他是亲戚，无所谓的。"

廖祥海说罢，转身向桥那边走去，其他人也急忙跟过去。

邓士明的老妈见突然来了这么多人，怕他们跟士明过不去，于是骂开了："我的士明又没有吃你的肉，你们这样恨他，这样搞他……"她边骂边用手里的扫帚指着廖祥海他们。她越骂越激动，手渐渐颤抖了，扫帚上的灰尘飘落下来。

"这不是吃不吃肉的问题。我们是对事不对人，你儿子做错了事就要承担后果。"廖祥海反诘道。他担心老人节外生枝，急忙将罢免申请书递给邓士明："这是罢免申请，你收一下。"

邓士明恼羞成怒："我不要，我不收这个东西！"

这下坏了，他不收你又不能强迫他收。这罢免申请书交不到他手上，罢免程序就没法启动。廖祥海想到此，便朝邓士明家走去，想把罢免申请书放在门口的凳子上，赶快撤离。没想到，老人一把拽牢了他:“祥海呀，你就放过士明吧！你把他罢免了，他以后在这村里还过得下去吗?”她说着，“扑通”一声跪在地上。

这阵势，廖祥海还是人生第一次经历。在山里人看来，被年逾古稀的老人跪拜是件折寿的事情。廖祥海也顾不得这些了，他最害怕的是她已到了桥上，万一掉进溪里，那事情可就闹大了。

“你放开我，我把申请收回……”廖祥海哀求着，然后慌忙收起罢免申请书，逃也似地跑掉了。

老人哭着骂着，朝这帮年轻人几步一跪拜，吓得他们狼狈逃窜，抱着儿子站在桥上的余金龙没来得及逃掉，被老人抓牢了，惊恐得不知所措。事后，余金龙不满地埋怨道:“你们都跑了，把我一个人扔在那儿了。”

邓士明怒发冲冠，猛地从背后抽出柴刀，跳着脚骂道:“你们这帮小流氓，到我家门口打我妈，我劈死你们!”

同乡会的人逃到了廖祥海家，邓士明的老妈在后边喊道:“我要住到你们家去，死在你们家里!”

邓士明跟了过来，在廖祥海家门口一个个地点名骂了一通。廖祥海蒙了，急忙给乡里的陶书记打电话，问邓士明不收罢免申请书怎么办？可不可以用快递寄给他?

陶书记说:“他不收也没关系，你们交到乡里好了。一个月后，他不启动罢免程序的话，乡政府来启动。”

廖祥海如释重负，经历这些事后才知道罢免村主任有多么艰难。罢免程序还没启动呢，不知有多少坎坷和磨难等在下一个路口。

五、不对等的谈判

深秋的夜空繁星点点，月亮在白莲花似的云朵里穿行着，同乡会的年轻人从四面八方赶往新天地歌厅。聚会地点与心情可谓反讽，大家心事重重，气氛沉闷，似乎有片重如泰山的黑云将要压下来。虽说罢免申请被视为递交，一个月后，罢免程序将启动，可是廖祥海他们已感到内外交困，步履维艰了。

他们从琴坛“逃”回金华后，琴坛村到处流传：廖祥海的店被砸了。张明华被抓起来了，老婆被黑社会吓疯癫了！张林军逃跑了！同乡会的人抓的抓，跑的跑，已经散伙了……

村里有人说，同乡会的那些人一个个都要吃苦头的。

廖祥海的父母吓坏了，慌忙给儿子打电话询问他的情况。张明华的父母也忐忑不安地打电话说：“明华，Y老板在金华很有势力，你可千万不能惹他……你就别再参与罢免的事了，你参与这些事对自己有什么好处？经济上没有回报，还要白搭钱和时间，何苦来呢。”

“你不参与，我不参与，村里也就没前途了。大家在一起像捆木头一样，少了谁都不可以。”张明华跟父母解释道。

不仅父母劝张明华，亲朋好友也劝他。想当年，家里穷得读不起书，他十几岁就跟老爸去种山，20岁时上山烧木炭，住在山上的茅铺里，连个电灯都没有；22岁承包茶园，采茶的季节，他昼夜不息地忙着炒茶，三天四天不睡觉。十年前，他把两个弟弟供到大学毕业，有了不错的工作，自己才出来经商，先后开过快餐店、锯板厂、婚庆公司。如今，他的生意红火，要房有房，要车有车，在琴坛村也算得上个人物了。可是，山外有山，天外有天，跟Y老板相比，他就跟琴坛的贫困户差不多。亲朋好友都劝他好好做自己的生意，别给自己找麻烦，眼前这一切来之不易，可别失去了。

张林军的父亲打电话说：“林军，你们花这么大精力和力气去搞，又搞不成功，他邓士明家的势力多大啊，你们还是不要搞了吧。”

母亲紧张不已地在电话里说道：“林军，村里传说，你们那伙人抓的抓，跑的跑，到底有这回事没有？”

“他们神经啦？哪会有这种事情呢？别听他们的，他们尽乱讲话的。”张林军生气地说。

母亲接着说：“你舅舅说，我可就这么一个外甥，他这样搞下去，要遭暗算的！你跟那帮小子说一下，不要再搞了，算了吧。”

张林军的舅舅就是村委邹旺根。

“妈，我又不是被吓大的，别理他。他觉得吓唬我们不行就吓你们。妈，你放心，我们这帮人都这么大年龄了，都有老婆有儿女了，也要有尊严的。既然做了这件事情，就一定要做到底。村里那么多人支持我们，我们还搞不好的话，过年都没脸回村。那些摁手印的村民都说，这个事情你们要做就一定要做到底，做成功啊，如果失败了，你们在金华没什么，倒霉的可是我们哪，我们要天天面对他邓士明的。你说，我们能不做下去吗？”

没两天，张林军的妈妈又来电话了："邓老师对我说：'这帮人哪，肯定要有几个人进去的，进去了就不太容易出来了。你们的儿子还好，告诉他，能不去做就不要做了，能退出来就退出来吧。'你们可小心哪，他们想把你们弄进去。"

"妈，你放心好了，你儿子又不干什么坏事，他想弄也弄不进去；你儿子要是干坏事，也用不着他弄，自然会有人把我抓进去的，跟他也不搭边。"

惶惶不安的何止是那些同乡会成员的父母？那些在罢免申请书上签字、摁手印的村民有几人睡得着觉？他们夜晚躺在床上辗转反侧地想：邓士明要是下不了台，自己的麻烦可就大了，不要说他给自己穿小鞋，就是给紧紧鞋带也够喝一壶啊！他们越想越睡不着觉，越想越害怕，越想越后悔。于是，就爬起来，不管是什么时间就拨廖祥海、张林军、余根基等人的电话，忧心忡忡地一遍又一遍地叮嘱："我们可都在你们的罢免申请上签了字的，你们要是不干了，散伙了，我们可就惨了。"

从村里回来的第二天，阿贵带着四位五大三粗的男子到模具城找廖祥海算账。老妈给他打电话说："廖祥海领几个人来，要打你哥哥，劝他们不听，我给他们跪下了才走。你快想想办法吧，再这样下去要搞出人命的。"阿贵一听就怒火万丈，廖祥海这小子居然领人去他家，逼得老妈给他下跪，是可忍，孰不可忍？阿贵压根儿就没把邓士勇的同乡会放在眼里，尽管"大懒汉"——邓士勇的父亲是他的堂叔，可是邓士勇在他的眼里也不过是个"小懒汉"而已。同乡会那几个头儿根本就算不得什么成功人士，有的还跟他借过钱，其他那些也不过是虾米了，有的连吃饭都成问题。要成立同乡会也得有自己这样的人物。真正的同乡会一要为村里服务，二要协调有关部门的关系，哪里会像他们这样，上来先是阻止溪滩承包、罢免村长，逼得他老妈下跪，这算什么狗屁同乡会？

溪滩承包出去有什么不好？一年16 000元，那是村里人出价的20倍！再说，Y老板准备在琴坛投资几千万搞旅游开发，将来村里的茶叶、粽叶、野生猕猴桃的价格也都上去了，再办些农家乐，村里那些老年人也有事做，村里不就发展起来了吗？自从二哥当村长后，他们兄弟可没少出力，他每年出5 000元钱慰问村里的老人，给他们送米、白糖和饮料，村里许多文件和材料都出自大哥的手，结果不仅没落个好，他们还要罢免二哥，真是越想越气。

“你昨天领一帮人回村里干什么了？”阿贵闯进廖祥海的店，气呼呼地质问道。

“你那哥哥把我们的溪滩包掉了，我们要把他罢免掉，给他送罢免申请去了。”

廖祥海看一眼阿贵带来的人，有的手臂上还有文身。在电影里，只有黑社会才文身，莫非阿贵找来的是黑社会的？听说黑社会残忍无度，只要给钱什么事都干，砍下一只手，剁去一只脚，割下两个耳朵。这几个人看上去没像影视上的黑社会那么凶神恶煞，廖祥海却有点抑制不住地恐惧。再看看在一旁的妻子和妹妹，早已吓得浑身绵软，不知所措了。

“你要对这事不满，可以向区里、市里、省里反映，你带一帮人吆三喝四地去吓唬我妈，让老家人跪来跪去的，你也太猖狂了！”阿贵毕竟是读书人，想动粗也粗不到哪儿去。再说，他戴着一副近视镜，掩饰不住他的那几分文弱和那几分文质彬彬。

“我没让你妈妈跪下。我尊重你，也尊重你哥哥，特别是你大哥，我们都是他的学生。但是，我们对事不对人，不管谁当村主任，做出这样的事，我都要这样做，这是为了全体村民的利益。”

“我告诉你，我妈妈没事情还好，有事的话，你们这几个人飞都飞不走，要你怎么样就得怎么样。我什么世面没见过？到时候别说把你们模具城都给围牢！”

“你想怎么样就怎么样吧！只要合同不废掉，我们还会继续干。”廖祥海看出来了，阿贵不过想吓唬自己一下，干不出打砸抢抄之类的事。

“合同不可能作废的！咱们走着瞧！我警告你，再有一次，我就不客气了！”阿贵可能也发现干这种事不是自己的强项，难以奏效，于是瞪着廖祥海狠狠地说罢，带着人怒气冲冲地走了。

阿贵会不会去找其他的人？廖祥海急忙给余根基打电话：“根基，阿贵带人到我这儿来过，可能过一会儿会去你那儿。你自己要想想清楚，不要害怕，有什么事情大家一起承担。”

余根基说:“邓士明刚给我打过电话了。”余根基刚才接到一个莫名其妙的电话，看来电显示是公用电话，那人没说自己是谁，开口就邀他到离琴坛最近的镇——安地去喝碗酒。他警觉地说，我在上班，喝酒就再找时间吧。那人说，合同的事，我是不能废的。Y 老板是有来头的，你们想把我的村主任罢免，那就把你们的本事都使出来吧，那就去区里、市里找关系好了！这时余根基才发现打电话的人是邓士明!

余根基突然想起几天前在沃尔玛超市碰到过阿贵，他也是这么说的。阿贵先说：“当初你也是支持我哥当村长的，也投了他的票，就让他当满好了。”

“他要是当得好的话，不仅可以当满，还可以连任。他当不下去了怨不得别人，他自己最清楚。”余根基毫不买账地说。

“你们这样搞下去也是没有用的，你们要是有本事就去市里找好了。”阿贵恼怒地说。

余根基又想起邓士勇最后说出来的退出理由:“区里的一位领导给我打电话了，让我们不要搞下去了。你们也不要搞了，再搞是没有好果子吃的。”看来这不是空穴来风，对方肯定找过区里领导，他不禁感到一种前所未有的压力。

压力就像降临的夜色，披着黑色的大氅向这帮年轻人裹来。这时，他们才意识到自己的年轻和幼稚，把事情想得太简单了，没想到现实远远超出了他们的想象力，没想到会遭遇如此之大的压力和阻力。张明华说，我们村也是倒霉，出了这么一个村主任，还是我们自己选出来的，现在我们自己还要把他罢免掉。他们开始反思了，反思选举时的草率，没把这个穷得没有希望的村的村主任当回事，甚至认为村主任好坏跟自己没关系。有的人不回村投票，有的人将选票作为人情送出去了，有的还帮忙拉票。如果不是这样，他邓士明怎么能当上村主任？这怨不得别人，要怨就该怨自己!

人与人是有差别的。有人坚强，有人软弱；有人有能，有人有耐；有人动摇了，有人顶不住了。继邓士勇之后，又有两人退出了。还有人想退出，他们或舍不得离开这个群体，或是碍着面子，只好撑着。摆在同乡会面前的是：罢免行动还要不要坚持下去？许多人犹豫了，毕竟退一步海阔天空，挥挥手把烦恼忘掉，没脸见乡亲父老就少回去，反正平时一年顶多回去两三次。

“做了就要做到底，不能对不起村里父老乡亲的信任。”廖祥海、张林军、余根基等人的态度仍然很坚决。廖祥海说："我们要有点儿当家做主的勇气。"是啊，过去他们太拿自己当外人了，村里的事能不问就不问，能不管就不管，现在该找回自己的主人翁责任感了。

聚会选在了歌厅，不仅可以商量事，还可以唱歌。有人唱起了《爱拼才会赢》，其他人就在这歌声中断断续续地商讨着。

"我们决不能半途而废，一定要顶住压力。"张林军说。

"以后再有恐吓电话，就用手机录下来。"张明华建议道。

"他们也就能恐吓恐吓，没什么本事，我们不能退却！"有人说。

"团结不是嘴巴讲出来的，我们要成为一个整体。"张明华讲。

……

邓士勇退出了，同乡会不能没有会长。于是，张明华被推选为新的会长。

张明华也不谦让，发表就职演说："大家都要我当会长，这是好事情。今后，我的会费比你们多出十倍好了。我们同乡会有事聚聚，没事也聚聚嘛，哪怕谈谈生意，聊聊赚钱也好嘛，14个脑袋总比两三个好啊。"

张明华想让大家轻松一下，可是谁都清楚，往后的斗争将会越来越激烈，越来越残酷，很可能像村里流传的那样：将有人倒霉，要吃苦头。在村里人眼里，他们都是个人物；在金华，他们却算不上强者。只有团结，才有望取胜。廖祥海提出："今后，不论谁遭到对方的报复，被打伤了，打残了，我们大家要共同承担他的住院费和医药费。"

这种担忧不是没有道理的。一是权，二是钱，大凡涉及这两方面的矛盾冲突都易于暴露出人的残酷与狰狞的面孔。几个月后，江西上饶县罗桥街道办横山村村主任周小飞和罗桥街道办党工委书记涉嫌"非法挪用、贪污、侵占、截留50亩被征山林的补偿款60万元"，村民们想罢免周小飞，请求江西饶苑律师事务所主任律师助理冯永忠提供帮助。在冯永忠的帮助下，数百名村民在罢免申请书上按下手印后，冯永忠被陌生男子刺伤，罢免计划被迫暂停。法律专家认为，虽然《中华人民共和国村民委员会组织法》对村委会成员的罢免方式有所规定，可是村民罢免权仍然很微弱。

廖祥海的话得到了大家的一致认可。接着，他们每人又签下一份承诺书："琴坛村同乡会再有人遇到上门寻衅滋事，其他成员要及时地赶到现场。如果有人出事，大家要有钱出钱，有力出力，共同承担后果。”

他们被自己感动了。张明华感慨地说：“我们琴坛村的人从来没有像今天这样团结！”

过去，不论谁找张明华喝茶聊天他都不反对，可是不能谈村上的事。他说，我不喜欢参与我们村上的事情，我们这个村一直都很不团结。

张林军说：“今天，我们看到了琴坛的希望！”

C对廖祥海说：“Y老板的哥哥找过我，明天要请我们几个喝喝茶，你也跟去坐坐吧。”

同乡会许多人都认为，C就是叛徒，是奸细，是他给对方通风报信的。在任何时候叛徒与奸细都是最可恨的，敌对双方可以握手言和，叛徒和奸细总要遭受最严厉的惩处。C特别恐惧，据说有人要剁掉他的脚。廖祥海他们同情理解C，认为假如他真是叛徒、奸细，那也是被逼无奈的，揪出来的话，他恐怕真就没法做人了。他们认为，以后有什么重要事背着他点儿就是了，都是兄弟，何必把他逼到绝路呢？

廖祥海说：“我跟他是没什么好谈的。你跟明华去吧，看看他们是什么态度。不论他提出什么条件，给什么好处，都不要答应。”

明华跟Y老板的哥哥很熟悉，而且明华有着丰富的社会经验，见过世面，跟各种人都打过交道，关键时能进退自如。

次日，张明华、张林军、邓士勇和C如约来到茗士茶楼的一个雅间时，Y老板的哥哥已恭候在那里。这是位遐迩闻名的大老板，有人说，他跺一跺脚，金华都得颤抖。他想怎样？震慑、威吓、收买，还是诱惑？张林军心里不禁打起了鼓。他是接到C的电话去的，C可能考虑到他是同乡会的重要人物，具有一定的影响力。邓士勇毕竟是同乡会的发起人，Y老板跟他又比较熟，也被邀请去了。

Y老板的哥哥开门见山地说：“大家都是朋友，何必搞得这么紧张？只要你们不罢免邓士明，我可以将溪滩的合同无偿奉还，我的前期投入，比如勘察、规划和设计的费用，一概不要你们琴坛村承担。”

张明华他们惊讶地望着对方，没想到他会退回合同。他在茶山那边投标16.66万承包那段溪滩之后，又以1.6万承包了龙潭溪。有人猜测Y老板会为龙潭溪而放弃已交付给茶山那边的10万押金，这样28年下来，将节省421万元。他放弃龙潭溪的承包合同就等于放弃421万真金白银，怎么肯放弃？

天底下的事情几乎没有多少是板上钉钉的，一切都存在变数。变与不变，怎么变，都掌控在利害的人手中。解铃还需系铃人，箬阳乡乡长张士达去找阿贵，希望他想办法将溪滩承包合同收回来，以平息村民的不满情绪。阿贵也担心这样闹下去也许局面难以控制，弄不好二哥的村主任真就没法当了，邓家兄弟也就在琴坛威风扫地了。于是，他对Y老板说，为了琴坛村的安定，这纸合同能不能暂时先拿回去。Y老板或许同情邓氏兄弟的处境，或许考虑到较起真来那纸承包合同未见得起什么作用，不如送个顺水人情。这事邓氏三兄弟不好出面，只好由Y老板出面了。

张明华说："这事呢我做不了主，得跟大家商量。"

Y老板的哥哥说："你把同乡会的人都找来，我们坐下来商量一下，如果接受这个条件，我当场把合同撕掉。我是宁愿不包溪滩，也不愿你们去罢免邓士明。"

因为溪滩的承包才导致这场罢免风波，导致琴坛村出现罢免与反罢免的斗争。政治斗争能让敌对双方握手言和，也能让至亲至爱成为敌人。这场斗争深入到了琴坛的家家户户，导致了夫妻反目、父子反目、兄弟反目、亲朋反目……有的夫妻一方支持罢免，一方反对罢免，夫妻俩先是激战，吵得面红耳赤，继而转为冷战，谁也不理谁。张林军为这事跟舅舅邹旺根和堂舅邹福根的关系空前紧张了。余根基也跟舅舅闹崩了，舅舅和舅妈见了他像是仇人似的。舅舅是村民代表，在溪滩承包合同上签过字，摁过手印。他认为余根基要收回合同那不仅是跟邓士明过不去，而且还跟他过不去。余根基知道邓士明答应给舅舅办低保，舅舅怕他这个外甥这么一闹腾，把低保给闹腾黄了。余根基还对舅舅说，你有三个儿子，吃什么低保啊？说出去名声也不好啊。舅舅一听更来气了。俗话说，"外甥是狗，吃完就走。"看来的确没错儿。

几天前，余根基他们回村收合作医疗费时，邹福根家人口多，老人长年患病，生活特别困难，他的老婆痛快地掏出210元钱交了。邹福根回家知道了，跑过去找到余根基他们把钱要了回去，还大骂道："谁让你来收的？溪滩卖掉的钱你们不让交，你们要拿去花啊？"一位张姓村民也跟在余根基他们身后对其他村民说："你们不要交这个钱，村里会替你们交的。”可是，许多村民都不理他，纷纷表示：“我们宁可自己交钱，也不要邓士明把溪滩卖掉来抵。”这些在过去将块八角钱都很当回事、当初为不交这笔钱而投邓士明票的村民，肯为溪滩而每家每户交数百元钱，不仅让这些年轻人感动，而且发现这些平时胆小怕事、懦弱自私、随风摇摆的村民内心深处还潜藏着对集体的关心，对村里的爱。

若在前几天，Y 老板这个条件他们会答应的，可是现在情况变了，许多该发生和不该发生的事情都发生了。村民们不仅要收回溪滩，而且更要罢免邓士明了。张林军认为，同乡会应该对那些签字画押的村民负责，接受这一交易就是对那些村民的背叛。他毫不犹豫地说：“你来投资，我们欢迎。关于投资的问题，我们是可以谈的，罢免邓士明的问题就没得谈了，这个事情肯定要做到底的。”

“等你们把程序走完了，已经到了换届改选的时候了，何必呢？你们应该知道政府的办事效率。”Y 老板的哥哥说道。他可能感到这位 80 后实在是天真幼稚。在商人的眼里，现实社会就是一个大商贸，买卖不成是开价不够，没有什么东西是不可以交易的。

张林军坚定不移地说：“哪怕罢免程序要走到他任期满，我们也要走下去！”

对方的脸陡然变色，恼怒地说道：“你想没想到后果？乡里乡亲的，抬头不见低头见，难道非要搞个你死我活吗？”

气氛一下紧张起来，雅间陷入了沉寂。C 急忙打圆场：“有没有办法让两边都有个台阶下？”

Y 老板的哥哥能请他们喝茶也算是给足了面子，没想到张林军是“初生牛犊不怕虎”，不知深浅。

邓士勇接过话说：“村长确实违背了民意，教训了一下也就可以了。这个事情搞下去会两败俱伤，付出的代价会很大，对大家都没有好处。”

张林军在桌下踢了邓士勇一下，让他千万不要松口。邓士勇的话不仅没使气氛缓和，Y 老板的口吻反而更强硬了：“我劝你们不要搞下去了，再搞下去，你们中间肯定有几个人要倒霉的。”

“你这样谈下去，我们就不要谈了，这样谈下去有什么意思？”张林军说罢，起身离去。

张明华毕竟是见过世面的人，为人处世也比较老到，既不想放弃罢免，又不想得罪这两个大老板，只好坐在那儿耗下去，直到不欢而散。

六、罢免办法投票表决通过了

亚里士多德说:“人是天生的政治动物。”罢免村主任就是琴坛村的政治，而且是最大的政治。

政治打破了山村的寂静，无论是同乡会的支持者，还是邓士明的支持者，抑或两边都不支持的人，心都无法平静。琴坛突然变得警觉了，敏感了，哪怕风吹草动都不放过。桥边树下马路旁，三三五五的村民谈论着、议论着、争论着、辩论着，大道消息、小道传闻、风言风语、飞短流长在众口传播着，心似雨中的浮萍在传闻中上上下下，起起落落，像要被刮断根似的恓恓惶惶，忐忑不安。廖祥海、张林军等人不时接到村里的电话，焦虑不安地问道:“你们到底搞得怎么样了，怎么还没有结果呢？邓士明说你们都被他摆平了，是真是假？”

“什么时候能有个说法？我们字也签了，押也画了，你们要是撤了，我们麻烦可就大了。”

村里人急，同乡会也急，再急也得按法律规定的程序走不是？为安抚民心，这些年轻人只好多回村几次，在溪滩边的公路上走一走，在屋前屋后转一转，亮一下相，让村里人看看，知道他们都还在，既没逃跑，也没被公安局抓走。

2010年1月8日下午，琴坛村将召开户主大会，对罢免办法进行投票表决。婺城区人大、组织部、纪委和民政局的领导，以及乡党委、乡政府的所有干部都来了。民政局副局长朱育清担心的是能否有三分之二的户主到会，法律规定必须有三分之二以上的户主到会才具有法律效力。琴坛村有134户，如果有45家户主拒绝到会，那么就达不到法定人数。罢免成功与否，那不是政府的事，政府要做的是让老百姓真正当家做主，让罢免在法律范围内进行。开会人数达到法定标准，罢免办法被否决是一回事，人数不到则是另一回事。

要让90位以上的户主与会，这确实不是件容易的事。村里许多家的户主在外谋生，大部分集中在金华市区，少部分在邻近的义乌、武义、永康等县市。对这些人来说，生活与奋斗的重心已移到城市，一年到头也不回来几次。他们肯放下生意，或放弃一天的工资回村开会吗?

无论如何也要凑够这个数!同乡会进行了分工，每个人负责多少个，动员他们回村开会。在金华市区的，同乡会出车把他们接到市民广场，不便于接的打的报销。同乡会花600元钱租了一辆大巴，将集中在市民广场的村民送回琴坛。

村里有些人平时遇事绕着走，树叶掉下来都怕砸了脑袋，要让他们表决什么，那比杀头还要难。张明辉给在大房山做生意的表哥打电话，动员他回村开会。姑姑和姑父知道后，说什么也不让儿子回来。姑父忧心忡忡地对张明辉说:“你加入同乡会，去罢免邓士明，这样我在村里的事情就难办了。你们要是弄不掉他，我的麻烦可就大了。”他们对罢不罢免邓士明并不在意，在意的是不能给他们添麻烦。为此，张明辉跟姑姑差点儿闹翻。最后，表哥自己选择回村开会。

琴坛村村民会议如期举行。琴坛村热闹得像过年似的，白发苍苍的老人捧着暖手用的火笼，拄着拐杖来了，多年未回村的村民也回来了，破旧的礼堂挤满了人。全村134户，有116位户主与会，超过法定户数。支持罢免的来了，反对罢免的也来了，连邓士明的母亲都到会了。罢免村主任对村民来说是“大姑娘上轿——头一次”，他们不了解罢免程序，不清楚到会户主低于三分之二这会就开不成了。

会议由村党支书邓士根主持。《中华人民共和国村民委员会组织法》规定，被提出罢免的村民委员会成员有权提出申辩意见。可是，邓士明拒绝到会，只好取消了这一内容。邓士根宣读了《琴坛村村委会主任罢免办法》，然后投票表决。发出选票116张，收回来110张，同意罢免办法的为98张，《琴坛村村委会主任罢免办法》顺利通过。于是，箬阳乡人民政府发布了2010年一号公告：琴坛村村民罢免委员会成立，党支部书记邓士根担任主任，张明华、张明辉担任副主任，廖祥海、余根基、张荣海等人担任委员。乡政府成立工作指导小组，乡长张时达任组长。最后，琴坛村村民罢免委员会发布公告：罢免表决日期定在2010年1月29日。

琴坛村沸腾了，担心同乡会年轻人半途而废的村民喜笑颜开，奔走相告。老人感慨万千，我们琴坛已几十年都没开过这样的会，没这么齐心合力做过一件事了。这些年来，村民都忙着过自己的日子，做自己的生意，赚自己的钱，采自家的茶，已很少这样为村里着想了，很少想为村里做点什么了。张贴公告和投票结果的村礼堂门口聚满了人，有人看了一遍又一遍，不识字的让人读了一遍还不肯走，他们没想到自己不仅有权选村主任，还有权把不称职不满意的村主任罢免掉。他们说不出这是民主政治的进步，讲不清村民自治之类的大道理，可是已真切地感受到民主的春风。

是啊，在中国，对广大农民来说，罢免村主任还是十分陌生的。在许多人的眼里，这是可望不可即的，这是难于上青天的！他们对于那些大肆敛财、胡作非为的村官所采取的办法就是忍，忍到他期满，忍到他躺在床上干不动为止。可是，琴坛村的年轻人凭着自己的勇气、胆量和魄力，还有对村子的爱，成功地推动了罢免程序的启动。

同乡会的年轻人在晚上10点多钟才回到市区，他们突然想喝酒，特别想喝，于是相约今夜要尽兴喝酒，不醉不罢休。他们找了一家小酒馆，十几个人频频举杯，庆祝这两个多月的艰苦奋战，庆祝首战告捷。酒瓶空了，心事满了，这两个多月多么不容易啊，忍受多少委屈，承受多大压力，付出多少艰辛啊？有几人的后院没起火，谁的老婆没有意见，甚至提出离婚？

张明辉是做电器生意的，一年赚二三十万元，为罢免村主任不仅天天开会，而且隔三差五就要回村，老婆生气地说："你不好好做自己的生意，干吗要去搞那个事？"

廖祥海的店是和妹夫合伙开的，这段期间店里的生意全交给妹夫去打理。他起五更爬半夜的，把老婆惹火了："你天天忙这种事，花钱，搭时间和精力，耽误生意不说，还得罪人，搞得家人整天为你担惊受怕。你跟邓士明是亲戚，又没有什么深仇大恨，为吗要得罪他呢？你还想不想过了？"

张林军跟老板既是亲戚又是朋友，每当老板去安徽、山东等地出差，都由他来开车，白天他们边走边聊，晚上一起饮酒。听说张林军参加罢免村长的事后，老板劝道："别做那事儿，劳神费力，还得罪人。"后来见张林军全身心地投入进去，连公司的事都没心思做了，老板发话，"你是公司的人，就得守公司的规矩！"潜台词很清楚，你要不干就走人。接下来，张林军的工资就停发了。老婆恼火地说："你晚上开会开到半夜十一二点，早晨五六点钟爬起来就走了。遇到麻烦不回家，要商量解决办法；成功了也不回家，要喝酒庆祝。你每天晚上回来时我睡了；早晨走时，我还没醒，十天半个月也见不到你的人影。"最后，老婆给他发一条短信，"你再跟村里那帮人搞下去的话，我们明天就去民政局开一张。"

张荣海的老婆和孩子在村里，生活靠他在市场外边拉脚维持。他过去每天赚三百多元钱，日子过得还算滋润。参与罢免活动后，许多活儿都推掉了，生意不做了，整天开着柳州五菱小货拉着廖祥海他们到处跑，钱没赚到不说，轮胎跑破了，老本贴进了万八千元，后院能不起火吗？

余根基在金丽温高速公路出口打工，为村里的事，请假成了家常便饭。他在2008年才结婚，孩子小，老婆在一家幼儿园当园长，工作很忙。他晚上不回家，小孩哭闹，老婆连饭都吃不上。老婆说："你再这样下去，我幼儿园也不办了，咱们离婚。"余根基英雄气短，自己收入低，又增加了额外开销，除交会费，还有各种各样的捐助。

小酒馆地上的空酒瓶越来越多，大家喝得面红耳赤，有了几分醉意，可是还在说着想着村里的事。

下午，老妈去开会了，邓士明把自己关在了家里。他感到委屈，感到窝囊，这个村主任当得他自己没少费力不说，还搭上了哥哥和弟弟。过去自己的日子在村里还算富裕和滋润。采茶的季节回村里忙忙，忙过之后去弟弟的公司当当保安，轻松加自在，一年有几万块好拿。自己跟弟弟在金华开家茶叶店，每年纯赚8万多元。他们的茶叶连续两年获全国金奖，金华市政府每次奖励1万元，婺城区奖励5 000元。当这个村主任当得累不少挨，气没少受，罪没少遭，这一年零八个月损失惨重。上任后，领着几位村民查账，奔波劳累不算，人还没少得罪，经济上也损失不少。以前打一天工赚一百多元，而村里的误工费每天才25元。别人的误工费都发了，他还一分钱没取，谁让自己是村主任呢？自己少收入好几万元不说，春节、重阳节慰问村里的老人还要搭进去14 000元。这个村主任官不大，责任不小，每逢下雨时就提心吊胆的，不管乡里来不来通知，自己都要和村委值班，村民的危房要去看看，龙潭溪还要监视着，万一发大水淹了溪边的人家可不是小事。他们说村庄整治他没搞上去，村民不满意，这怨得了他吗？他哥哥弟弟帮了多少忙？找人测量规划，村里一分钱都没花，乡里看过规划图后，认为在乡里14个村庄中是最好的一个。他弟弟说了，钱不够他还可以找一些老板捐助点儿，可是实施起来阻力重重，许多人都想说了算，他有什么办法？修乡到琴坛的公路，他捐了一块山地，525平方米，没跟乡里要一分钱，公路没修下去，那是补偿不合理。溪滩承包，他说谁出钱多给谁包。

村里人出800元，他没答应；有人出2 000元，他也没同意；乡里有人介绍来一位，说出1.3万元，他还是不同意；Y老板出了1.6万，他让村民代表看了合同，并且跟他们说，这个合同，你们认为满意，对老百姓有利，你就盖章（摁手印——作者注），没利就不要盖章。村民代表同意了，盖章了，他才把公章盖上。同乡会要罢免他，他问心无愧啊，下对得起老百姓，上对得起乡政府。同乡会那十几个小流氓来找他，说是送什么罢免申请，其实是要打他，送申请来那么多人干啥？母亲为了让他继续当村主任，同时也怕他挨打，跪下来求拜，他们才跑。自古以来，上跪苍天，下跪父母，让老妈给那帮二三十岁的小流氓下跪，这对他这个当儿子的来说真是奇耻大辱！

乡人大副主任找他谈话，指出三条路好走：一是终止承包合同，取得村民的谅解，继续当村主任；二是自己主动辞去村主任；三是等着罢免程序启动。最后劝道，你好好考虑一下，有183位村民要求罢免你，你吃不吃得消？他不相信有这么多人要求罢免自己，要求鉴定一下那两页半手印的真实性，有没有一人摁几个或几十个的现象。Y老板同意交回合同，这已经是很给那些年轻人面子了，他们却不接受，坚持要罢免。那就随他们去吧，我邓士明奉陪到底，最终是鱼死还是网破还不一定呢！

这个下午，可谓“正在烟柳断肠处”。邓士明一支接一支吸着烟，想着心事。短促的烟团从他口中喷泻，很快随风飘散，家门前那条没心没肺的龙潭溪水哗哗地流淌着。人活一张脸，树活一张皮。村里人再穷也讲面子，常说的一句狠话就是“叫你没法做人”，也就是让你没脸见人。邓士明要当这个村主任，从某种意义上说，也是要个面子，要的是他邓士明的面子，他们哥儿几个的面子，他们老邓家的面子。如果被罢免了，那不仅是没面子，而且是丢了大面子。

事已至此，他已无计可施，于是丢下烟蒂，用脚踩灭，脚还旋了一下。

七、邓士明被罢免了

2010年1月29日，琴坛村举行村民罢免村主任投票表决大会。

琴坛村挂出了横幅，贴上了标语。村口挂着一条十分醒目的红底黄字横幅：“严禁以暴力、威胁、欺骗、贿赂等手段干扰投票表决”。这是琴坛村挂的第一幅跨路横幅。

五天前的晚上，罢免委员会为这次投票顺利进行，在金华工商城开过一次会。那天下着雪，气温降至0℃，指导小组组长、箬阳乡乡长张士达特意从山里赶来。会议对每一个细节以及可能出现的情况都进行了认真的讨论。晚上10时30分，会议结束时会议室里烟雾缭绕，烟缸里的烟蒂已像玛尼堆，茶杯里几经冲泡的茶叶已变成了“白茶”。按照罢免办法，外出不能参加投票表决的选民可以委托他人代理。罢免的委托与选举不同，选举时在外的选民可以打电话给选举委员会主任说:“我的选票让我爸爸领去好了，我不回去投票了。”罢免则要求在外不能回村投票的选民在罢免表决的前两日向村罢免委员会指明委托人，并出具委托书。有相当一部分村民不能回村投票，这部分选票关系到罢免的成败。有人想将选票卖给同乡会，这帮年轻人说，我们为的是村里的利益，不会出钱买选票的。邓士明的支持者放出风说，选票500元一张。有人动心了，许多家七八口人在外，如果能搞到他们的委托书的话就能赚三四千元。

同乡会进行了分工，每个组联系哪些需要委托的村民，绝不容许买卖选票的现象出现。廖祥海、张林军、余根基和张荣海开着柳州五菱小货车连夜开车进山，到乡政府拿花名册，有了花名册才能知道哪些人需要委托。大雪纷飞，山路崎岖，车灯撕开夜色，将公路裸露。他们赶到乡政府已是半夜12点，从值班人手里取到花名册后就急忙往回赶。他们到金华时已是后半夜一点多钟了，稍微休息了一下，凌晨3点又爬起来。有几位村民在深山打工，天一亮就要上山砍毛竹，天黑才能下山，只有在起床之前才能找到他们。这些村民的住处特别偏僻，难以找到。在熟人的带领下，廖祥海他们找到那间竹棚时，天还没有亮，竹棚里的村民还在睡梦中。他们只好在外边等了一个多小时，当那些村民起床见到他们时都惊呆了。他们把村里近三个月发生的事告诉这些村民，那几个村民不禁心头一热，好多年来已没有人如此关心村里的事情了。他们爽快地填写了委托证书，感动地说:“琴坛村需要像你们这样的年轻人!”

在福利院，他们见到一位从没见过的40多岁的村民，她是一位残疾人，身高只有半米多，靠板凳行走。她在这里住了十多年，已经被琴坛村遗忘了。听说有一帮琴坛村人来见她，她吓得说不出话来，以为家里发生了重大变故。当弄清廖祥海等人的来意后，她激动地说："为了村里的利益，我支持你们！" 尽管这么多年来村里没人来看过她，可是她对家乡的挚爱并没减弱。这番乡情深深地感染着这四个年轻人，他们觉得自己更应该爱琴坛村，应该帮助需要帮助的每一位村民。那一天，同乡会的年轻人几乎找到了所有需要委托的村民，他们对这些村民说，你们想委托给谁都没有关系，我们都会帮你们办好。有人把自己的选票委托给邓士明的支持者，他们也给带了回来。

最初，邓家兄弟和 Y 老板可能没把那些年轻人放在眼里，觉得他们不过是龙潭溪的几尾小鱼，翻不起什么浪，想合同不收回，村长照样当。当得知有 183 位村民支持罢免时，他们这才不得不重视，于是 Y 老板出面要放弃承包合同，保住邓士明的村长位置。这对他们来说已很不容易了，很没面子了，没想到那些年轻人还不接受。接着，年轻人又成功地召开了户主会，通过了罢免方案。可能考虑到邓士明文化水平低，说话办事直来直去的，连个弯儿都不会打，所以邓老师和阿贵只得出面收摊了。阿贵硬着头皮来到红双喜婚庆广场见同乡会会长、罢免委员会副主任张明华，赧然一笑，说："明华，我这段时间很忙，一直出差在外，本来早就想过来坐坐，谈一下我二哥的事情。真没想到事情会弄到这种地步。事情已经这样了，就不要再往下弄了。" 张明华急忙让座倒茶，毕竟是一块儿长大的，还是表亲，再说阿贵在金华市也算得上是有头有脸的人物，许多老板都买他的账，何况他张明华呢？

张明华说："这事呢也不是我一个人说了算的，是全村人的意愿。这也不是针对你哥哥的，是针对这事情的。" 这也是实情，即便他想给阿贵面子，同乡会的弟兄也不会答应，那些签字画押的父老乡亲也不答应。话说到这份上，实在难谈下去了，阿贵坐一会儿也就讪讪地离去了。阿贵不甘心就这样拉倒，又来过几回，每次都是话说几句，坐一会儿就无可奈何地走了。

在关键时刻，阿贵无论如何也要帮二哥的，他跟二哥的感情不是一般人所能理解的。父亲病逝那年，他才 6 岁，三哥读小学，二哥读初一，在雅畈公社当代课老师的大哥也只有 20 岁。老爸没了，顶梁柱折了，他们的家坍塌了，12 岁的二哥退了学，回生产队放牛去，帮助母亲抚养两个年幼的弟弟，供他们读书。那日子实在是苦啊，家里时常揭不开锅，二哥就领着他们上山挖野菜。让阿贵终生难忘的是读小学时，上学要走将近四公里山路，经过一座小木桥，桥面低矮，一下雨水就漫过桥面。每逢这时，都是二哥背他过桥。读小学四年级时，大水冲走了木桥，二哥怕他放学回来掉进水里，冒着大雨在河边等了好长时间。他初中毕业，考上浙江银行学校，当时三哥在读警校，家里实在拿不出钱供两个中专生，二哥领他去乡里的信用社贷款。信用社主任对二哥说:“你没有担保能力，我们不能给你弟弟贷款。”他忍不住哭了，不读书就走不出这大山，就得像二哥那样当农民。在他将要失学之际，二哥领着他去武义的亲戚家借钱，一家一户地借，不知借了多少家才凑够学费。为供他和三哥读书，二哥37岁才成家。

没有二哥，也就没有他阿贵的今天。他一直不忘二哥的恩情，经济条件好了之后，先是花四五万元钱给二哥买了辆昌河货车，让二哥到城里跑运输；后来他又跟二哥合伙在金华开了家茶叶合作社，让二哥负责采茶加工，他的妻子负责销售。有一年，山里发洪水，他冒着生命危险连夜开车进山，把二哥一家接到了城里。当年，二哥要不是为了他们那个家，为让他和三哥有书读，哪会辍学回家去放牛？如不辍学，哪里会当一辈子农民？二哥的忙，他阿贵无论如何也要帮的。

投票表决的前一天晚上，同乡会开会时张明华没有到。过一会儿，廖祥海接到电话:“廖祥海，我是明华。我跟Y老板、邓老师和阿贵他们在一起呢。他们一定要我带他们过来谈谈，我也没办法，我今后还要做生意，不想得罪他们。他们坚决要求让邓士明辞职，不要罢免了，我只好同意。你们认为不妥就坚持一下好了。”

这些日子，Y老板已找过张明华多次，想见同乡会的这帮年轻人。廖祥海他们清楚Y老板无非是想让罢免程序停下来，于是决定不见。为防止开会时Y老板找上门来，他们经常更换地点。没想到今天晚上，邓老师、阿贵和Y老板来到张明华的店里。尽管邓老师没教过张明华，张明华却一直很尊重邓老师。

邓老师说:“明华，不要搞了，让士明当满，大家都是本村人，抬头不见低头见的。士明这个村主任是你帮忙选上来的，现在你又参与罢免他，这样传出去也不好听。村主任的任期也就三年，再有一年零两个月也就到届了，何必非要弄个鱼死网破，一点面子都不给呢?”

张明华本来就为当年帮助邓士明拉选票而后悔不已，邓老师可谓“哪壶不开提哪壶”，他愤懑不快地说:“这不是我个人的意愿，你这个弟弟太不会办事情了。再说，当时竞选是怎么承诺的?”

邓老师说:“明华，你们这么搞也是没用的。你看看，村里这么多人是支持我们的。”说着掏出一份名单，“你们把票给我们，帮帮忙，要不我们让别人来买也行。”

张明华听说了，邓士明在村里说，谁投反对罢免票，就给谁 40 元钱。有村民说：“不要说 40 元，就是给我一万元，我也不会把票卖了！”

张明华冷冷地说：“你估计有 90 张反对票，那么别人的我做不了主，我把我家里的全都卖给你，你也不够。”

Y 老板也表示，要不惜一切代价保住邓士明的村主任。

“钱，我也出得起，我给你两万，你拿去买好了，关键是你买不来，你出再多的钱也买不来的。”张明华不屑地说。

他们没辙了，阿贵只好取出一份辞职报告交给张明华：“投票表决大会就不要开了，让我二哥辞职好了。”

村主任被罢免，无论在浙江还是在全国，都极为罕见。邓家兄弟担心一旦被罢免，这将会引起媒体的关注，搞得沸沸扬扬，不可收拾，所以与其被罢免还不如辞职。

张明华说：“这事我一个人做不了主，必须请示乡政府。”

他们要跟同乡会的其他人谈谈，要跟张明华来见廖祥海、张林军、余根基他们。

Y 老板、邓老师和阿贵要来了，这怎么办？有人说，邓老师和阿贵真要上门求情，我们也不能一点儿面子都不给啊。谁能说不同意邓士明辞职，这话谁也说不出口。Y 老板兄弟在金华怎么说也是个人物，明华觉得不好办，我们也不好办啊。

张林军急中生智地说：“撤，赶紧撤！”

大家急忙向楼下跑去，没想到一出门就碰上 Y 老板、邓老师和阿贵。其他人慌得连招呼都没打，钻进车里就跑掉了。余根基被阿贵叫住了：“我跟乡长和书记说好了，他们同意我二哥辞职，明天那个会就不用开了。”为证明真跟乡长和书记通过话，他掏出手机给余根基看了一下记录。可是，余根基又能说什么呢？

下午 1 时投票表决，同乡会的年轻人在上午 8 时就赶回了琴坛村。张时达乡长也提前赶到村里，对他们说：“阿贵已把二哥的辞职报告送到乡里了，你们商量一下怎么办。”张林军说：“我们不知道他们的真正用意是什么。那份辞职报告一看就不是邓士明本人写的，上面写着‘为减少村民内部矛盾，制造不团结’等提出辞职，邓士明说不出这样的话，肯定是他哥哥或弟弟写的。后边的签名也不是邓士明签的，他写不出那么好的字。我们投票表决大会不开了，他要是说我没提出过辞职，谁也代替不了我，那怎么办？”

张明华说：“确实有道理。辞职报告又不是他本人递交的。”

廖祥海说：“辞职报告是他弟弟送来的，也只有我们知道他阿贵是琴坛人，其他人不知道他是个什么东西，我们不能接受。”

余根基说：“我们早已通知在外边的村民，做生意的放弃了生意，打工的已请了假，下午就赶回来投票了，他的辞职报告递交得也太晚了。”

于是决定不接受邓士明的辞职，罢免表决如期举行。

2010年1月29日下午1时，投票表决正式开始，婺城区委、区政府对此特别重视，区委组织部、区人大法工委、区纪委、区民政局的领导以及箬阳乡党委、乡政府的领导都赶到琴坛村坐镇指导，公安派警力维持秩序，报社、电视台等媒体赶来采访。

投票表决在村礼堂进行，一个用纸箱做成的投票箱立在桌子上，它的外表包着一层红纸，上面贴着两道写有“琴坛村村民罢免委员会”的封条。为了保证投票表决的真实性和公正性，程序安排得非常周密。村民一个接一个地凭选民证和委托证到设在村礼堂侧门口的领票处领票，然后从侧门进去，在指定的填票处填写好，再到投票处投票，最后从正门出来。有几位村民从领票处领到票后，以“还要再考虑”为由，想把选票拿出去填写，被工作人员制止了。工作人员说：“你可以先把选票还回，出去考虑考虑，想好之后再领取选票，在指定的地点填好，然后投掉。”

“怎么不给我选票？我们也是村里人。”人群一阵骚乱，两个三十来岁的妇女冲进礼堂。

廖祥海赶过去把她们拦住，解释道：“你们是从外地嫁进来的，按理说应该是村里的人，可是你们的户口没迁过来，所以没有选举的权利。”

“没有户口就不是人了？”两个妇女纠缠道。

一波未平，一波又起。邹旺根跟他的姐夫，也就是张林军的父亲张俭梅吵了起来。邹旺根在领取在外打工的儿子的委托书时，负责此事的张俭梅叮嘱道：“委托书你领去，后天一定给我交回来。”邹旺根赌气地说：“我后天没时间。”张俭梅也不高兴了：“你没时间那是你的问题。”要投票时，邹旺根拿着一张没有委托人签字和手印的委托书来领选票，因不符合罢免委员会的要求，张俭梅拒发选票。两人争吵起来，张俭梅见邹旺根的女友在一旁帮腔，气愤地说一句："你算个什么东西?" 她是外村的，还没嫁给邹旺根，却总参与村里的事。邹旺根火了，冲过去要打张俭梅，被众人拉住了。

张林军对舅舅说："你拿的委托书不符合要求，当然不能给你选票了。这样吧，时间来得及，你给你儿子打电话，让他打的回来投票，几百元的出租车费由我来出。"

舅舅没话说了。他又劝父亲："今天是投票表决的日子，我们不要跟他一样，被骂几句也没关系。要是打起来，把事情搞砸了，对不起全村的乡亲，要冷静，一定要冷静。"

张俭梅默默地望着儿子，没想到，经过这件事儿，林军成熟了，稳重了。

这边刚平息，那边又吵起来了。邹福根的六个兄弟回来了，可是他们的老婆孩子没有回来，又没有委托书，工作人员拒绝发他们的老婆孩子的选票。

"我回来了，我一定要领到我老婆孩子的选票!" 他们吵了起来。

"我们一定要走法律程序，民政局的领导在那边，你们有意见跟领导说一下。"廖祥海劝道。

邓士明抱着6岁的女儿坐在石拱桥上，身边有五六位他的支持者。

邓老师孤独地站在道边，一脸苦笑地对路过的村民恳求道："你家的票呢，选选我们家士明啊，让他当当满。我们还很感谢你的，你家孩子还在我那里读书的呢。"

这种兄弟情义实在让人感动，可是谁还会为一份感动投出自己手里的这张票呢? 经过这场罢免，村民的民主意识成熟了许多，已掂量出了选票的分量。

投票在希望与失望、激动与躁动中结束，公开计票开始了，那只红色投票箱成为村民关注的焦点。选票倒了出来，由廖祥海唱票，计票的人用粉笔在木板墙上统计。木板墙前，重重叠叠、里三层外三层地站满了人，看不见的村民索性站在桌椅板凳上。

"同意罢免、同意罢免……" 廖祥海唱道。

"念大声一点儿，念出声来才有意思。" 后边的村民喊道。

"同意罢免，同意罢免……" 廖祥海提高了嗓门。

每唱一声都赢来一阵阵的欢呼。

“不同意罢免。”廖祥海念到第九张时，才念到一张反对罢免的选票。

31岁的村民张小宝来晚了，挤不到前排，就搬来一张凳子，站在凳子上看唱票。

“老邓大势已去，这回罢免肯定成功！”他对同伴低声说道。他是放下在义乌的外贸生意，特意赶回来参加投票表决的。

整整20分钟过去，木板墙上所统计的反对罢免的票数寥寥无几，支持罢免的已经排列出密密麻麻的“正”字。

这时，坐在石桥上的邓士明可能已经预料到最终的结果，没好气地说：“好歹也算当了一回村主任，以后就是给我皇帝也不当了！”

他的支持者笑了，有人附和道：“是啊，是啊，破村主任有什么好当的！”

邓士明微笑着任由女儿在怀里闹腾，天伦之乐抚慰着他心中的创痛，憋屈已久的心感觉好多了。在这个世上，还有什么东西比亲情更重要？细想想，他这辈子也值了，拥有那么好的哥哥和弟弟，他们为他真是赴汤蹈火，在所不辞。

下午4点45分左右，投票结果出来了，全村有选举权的选民339名，参加罢免投票表决的选民302名；收回选票280张；同意罢免票265张，不同意罢免票14张，弃权票1张，同意罢免票占选民总数的78.2%。

箬阳乡乡长、乡派驻琴坛村罢免委员会指导小组组长张时达宣布：“罢免村主任邓士明的表决获得通过。”

让大家意外的是，宣布罢免结果时，预想的种种情况都没有出现，小礼堂依然风平浪静，大家仿佛早就意料到这个结果。只有几位村民走到木板墙前，用手机拍下了画满“正”字的木板墙。他们说：“留着作个纪念，我们能选村官，也能罢免村官，这才是真正的当家做主。我们第一次这样做，心里很激动。”

坐在桥上的邓士明看着村民们一个个从村礼堂里走出来，没人过来跟他打招呼。他转头看了一眼身后站着的73岁的老母亲，他知道老人更在意这次罢免表决的结果。寒风吹动她的满头白发，失望使得她那张脸更加苍老了。邓士明感到一阵心酸，眼眶里有液体在蠕动，他扭过了头。

事后，乡村两级干部多次到邓士明家做工作，要求他交出村委会公章，他以误工费没有结算为由拒不交出公章。

龙潭溪在他们脚下流动，一如既往地滋润着两岸的草木。

尾声：琴坛村又选出新村主任

2010年4月1日下午，琴坛村再次召开村民大会，进行了村主任补选工作，张荣海以279票高票当选为村主任。

他得知自己当选村主任后，心里很平静。在罢免邓士明时，许多人就议论选谁来做琴坛村的当家人，大家开始说的并不是他。经历了罢免邓士明的过程，这副担子最终却落到了他的肩上。他深切体会到，老百姓可以选你，也可以罢免你。这对他也是一个警示。

鲜为人知的琴坛村拨动了民主政治的琴弦，弹出了一首罢免村官的曲子，一举出名。琴坛村村民用183个红手印成功地启动了村主任罢免程序，最终导致村主任被罢免的新闻在全国数十家报纸和3 500多家网站转载，引起广泛的关注。

村民们说，邓士明不是什么贪官，没犯什么大错，也没有欺压百姓的行为。那么为何一定要罢免他？一句话，他不称职！因为邓士明不尊重我们多数人的意愿！当年邓士明以高票当选，证明他有良好的群众基础。而不到两年时间，又被高票罢免，为何会有如此大的反差？这诠释了一位哲人所说的准则，为民办事，要看群众愿意不愿意，高兴不高兴。

《浙江日报》金华分社社长徐晓恩说："琴坛村村民罢免行动，表明了农村村民的民主政治意识增强了；罢免成功，说明了我们农村建设的进步、民主政治的进步，从法律、法规等制度上保障人民群众行使当家做主的权利。这件事对当下个别通过不正当手段参选的人有警示意义！"

一位媒体工作者说："如果说改革开放伊始，小岗村农民用按血手印的方式领农村经济改革风气之先，今天琴坛村民同样用按红手印的方式表达了政治民主的诉求。一个是经济，一个是政治，都有里程碑的意义！罢免村官甚至更大的官，也时有报道，然而在金华区的琴坛村发生，可见改革的深入。"

婺城区委书记陈陆一说："琴坛村的村民们用法律捍卫自己的民主权利和集体利益，完成了这次罢免，对于农村民主政治有着里程碑式的意义。水能载舟，亦能覆舟。随着农民的法治意识、民主意识在不断增强，他们会用好自己的权，选好自己的当家人。当官的不尊重民意，不为老百姓办事，老百姓就会抛弃你。民意是天啊！”

经过罢免村长的风波，琴坛村恢复了平静。龙潭溪水仍不知疲倦地从村口缓缓流过，溪滩两岸那经历冬天拷问的翠竹仍是绿汪汪的，一株株新笋探出了头，悄然发出毕剥毕剥孕育新生的声响。又一个春天来临了！

（选自2011年第4期《北京文学（精彩阅读）》，作者：朱晓军、李英）

共和国基石

他们是80后、90后的年轻群体，他们生长在农村，却不迷恋故土；他们工作在城市，却难以扎根城市。他们为中国改革开放作出了重大贡献；他们为中国的经济发展作出了重大贡献；他们为中国的城市化进程作出了重大贡献，他们是共和国一块不可缺少的坚实基石。但他们同时又是一个时时、处处遭遇不公平待遇的弱势群体——他们便是中国的农民工。

2010年中央“一号文件”首次将“新生代农民工”提法纳入中央正式文件，并提出要着力解决新生代农民工问题。全国“两会”上总理的政府工作报告也提出，要让符合条件的农业转移人口逐步变为城镇居民，让农民有一个幸福生活的美好家园。这些无不体现出中央政府对这个约占农民工总数60%的年轻群体的高度关注，也为解决新生代农民工问题释放出积极信号。

“既然到城里来了，就不会再回去”

己丑年岁末，离除夕只有个把星期了。

位于四季青桥西侧的欧尚超市，摩肩接踵，人声鼎沸。各路商家使尽浑身解数，在做一年里最后的促销活动。一楼西北侧的健身器材部，一位小伙子在高声招呼道：

“一百九十八，‘按摩师傅’请回家！”

“一百九十八，‘按摩师傅’请回家！”

他的红色工作服的后背上印着五个黑字：养生足浴盆。

三位东北顾客被他的招呼声吸引住了。

小伙子热情地说：“请个‘按摩师傅’回家过年吧，不用管吃，不用管住，每天为您服务！”

小伙子请其中的一位顾客尝试一下，顾客将双脚放进足浴盆里，小伙子按了下开关。片刻，顾客脸上露出了笑容：“嘿，不错，跟洗脚店里小姐按摩的感觉差不多！”

小伙子连忙又介绍道：“这叫泡在脚上，暖在心头。我们这款足浴盆，吸收了一些最新的科技成分，既可以养生，还可以治病。”

一位顾客说：“你这也太夸张了吧，一百九十八元，要是可以治病的话，那还要医生干什么？”

小伙子解释说：“当然，足浴盆不可能治百病，不过，对于一些慢性病来说，还是有辅助效果的。比如说失眠吧，一些使用过我们这款足浴盆的顾客反映，睡前洗个足浴，入睡时间比原先大大加快了。”

另一位顾客说：“最近我家里那位老叫唤晚上睡不着呢，管他夸张不夸张，我买一台带回家给她试试！”

小伙子进而推销道：“我建议您买两台，一台自己用，一台送亲友。马上要过年了，您送亲友一台足浴盆，比提两瓶酒，送两条烟，既显档次，又有品位！”

三位东北顾客每人提着两台足浴盆，高高兴兴地走了。

小伙子显然发现我一直在一旁听着，刚送走那三位顾客，又忙不迭对我说：“先生，对不起，刚才没顾上接待您。您也来一台吧，自己用，还是送人？一百九十八，‘按摩师傅’请回家！”

我说：“我特别佩服你的这张嘴！”

小伙子谦虚地说：“您在表扬我呢！”

我说：“真的，准确地说，我特别佩服你的销售才能！”

小伙子说：“说不上什么才能，只能说干什么吆喝什么吧。”

我问：“请问你贵姓？”

小伙子回答：“我姓张名小强，您叫我小强好了。”

“来北京几年了？”

“快两年了。”

“干得挺不错吧？”

“只能说混得还可以，基本解决温饱问题。”

我说:“我想跟你好好聊聊。”

小伙子有些疑惑地望着我:“有什么事吗?”

我告诉他，我是一名军队的专业作家，一直在关注着农民工问题，写过反映农民工和农民工子女教育现状的报告文学。手头正准备创作一部有关新生代农民工的报告文学，我想采访他。

“您刚才说了一个名词‘新生代农民工’，什么叫‘新生代农民工’?”小伙子问我。

我说:“今年一月在中央一号文件中，第一次使用了‘新生代农民工’这个名词，‘新生代农民工’是指80后、90后进城的青年农民工。这批人目前在外出打工的1.5亿农民工里面，占到60%，大约有一个亿的人数。”

小伙子笑了:“我是1990年出生的，应该算是新生代农民工了。”接着，他又反问我，“你想采访我什么呢?”

“我什么都感兴趣，特别是你进城这两年的经历……”

小伙子痛快地答应:“那好吧，咱们随便聊聊，不过，您不要寄太大的希望，我的经历平平淡淡如一杯白开水。您定时间吧!”

“看你什么时候有空?”

小伙子算了算，说:“我后天上早班，下午3点半下班，我去哪儿找您?”

我说:“欧尚旁边有家麦当劳，我3点半在那里等你。”

小伙子说:“可以，后天见。”

两天后的下午，张小强准时来到麦当劳。

我提前给他准备了一份汉堡、一份薯条和一杯可乐。

他说:“您太客气了!”

我说:“我知道你特别辛苦。”

张小强一边吃着，我们一边开始交谈。

我说:“听你口音好像是湖北人?”

张小强告诉我他是湖北红安县人，我不由得又问了句:“你是红安县的?”

“是的，您去过红安?”

“去过，去过!我是20年前去的，那时候可能你刚出生不久。”

“我们那个地方穷啊，您去的时候可能更穷!”

20年前，为创作反映希望工程的报告文学，我有过一次大别山之行，去了红安县。

那是块神圣而又令人崇敬的土地——新中国的两位国家主席董必武和李先念就诞生在那里。建国后，从红安走出的200多位功勋显赫的将军中，有2人担任过全国人大常委会副委员长，有4人担任过国务院副总理，有10人担任中央正副部长，有12人担任过大军区司令员或政委，还有180多位担任过省级领导或被授予少将以上的军衔。红安被称为“将军县”。

那又是块为中国革命的胜利付出巨大代价和作出重大贡献的土地——战火曾经把这里烧成一片焦土，“无人区”从县北一直延伸到县南。在前后持续二十几年的战争中，全县遇难群众达10万之多，登记在册的烈士有2 200余人。红军长征时，每四个英烈中就有一名是红安籍。

我在红安采访期间，听说了老区人民一个个感人肺腑的故事：

在福建省晋江市陈埭镇招工市场，一名新生代农民工在向企业招工人员咨询工资待遇。（姜克红/摄，图片来源：新华社）

六届人大二次会议期间，李先念副总理来到湖北代表团，他问起家乡的情况，当有代表告诉他，红安仍有相当一部分群众缺吃少穿，生活在贫困线下时，李先念显然是激动了，他说："家乡穷，老苏区穷，这是个普遍问题。井冈山穷，延安穷，太行山穷，洪湖也穷。我们对老区人民是欠了债的，可是，乡亲们没有抱怨我们……"

三年困难时期，张体学省长从红安视察回武汉后，连夜拨通了李先念的电话："李副总理，您就是砍我的脑壳也要给我拨两亿斤粮食，家乡的父老乡亲实在是活得太艰难了。"李先念更着急："你就是砍我的脑壳也拿不出两亿斤粮食啊，现在活得艰难的何止是一个红安县、一个湖北省！"

红安人听到这个消息后坐不住了，他们作出决议：再上交1 000万斤大米，支援外省重灾区。300多位人民代表在县人代会上一致投了庄严的赞同票。而当时，42万红安儿女却正在饥饿中挣扎着……

记得在国防部长秦基伟的故乡，一位村民对我说，他一家六口一年全部的收入是：3 200斤稻谷、油料卖了200元、打小工挣了200元、村里给了200元的救济款。他身上披着的那件旧军大衣，还是几年前韩先楚将军回红安探亲，见老乡们太苦，专门从部队里调拨来的。

村支书告诉我，1988年初夏，秦基伟将军回过家乡一次，当时，有人让将军开开口，请中央、省里帮助解决一些困难。将军面露难色，他说："我们在外面当领导的，如果光知道照顾自己的家乡，那会让人说闲话的。家乡要想真正富裕起来，还得靠乡亲们自力更生。"将军都这样说了，乡亲们还能说什么呢。

老区人民的牺牲精神和奉献精神，不是用"伟大"两个字就可以包含的。我问张小强："这些年红安的发展应该不错了吧？"

张小强说："与你当年去的时候相比，自然要好多了，起码温饱问题解决了。但与富裕的地方比，又有差距，我们那里没有什么工业，农民手中没有钱，只好出来打工。"

我问张小强："今天这个班你推销了几台足浴盆？"

"13台。"

"推销一台你们能得多少报酬？"

"六个点。"

“也就是说今天你挣了100多元。那说明干你们这一行，收入还是不错的嘛。”

“您不能这么算。干我们这一行有个旺季和淡季的区别，现在是一年中销售的最旺季，快过年了，送礼的特别多，什么货都好卖。等过了年，还有夏天，进入淡季，经常是一天卖不出三五台，一个月就1 000来元。”

“我看你很有一套销售办法。”

“也是慢慢学的，开始，我连大声说话都脸红，更不敢叫卖。现在竞争这么厉害，你不学习就会被淘汰。就说这推销足浴盆吧，也要讲销售心理学。首先你要用自己的语言把顾客吸引过来，您那天不是听见我一直在喊一百九十八，‘按摩师傅’请回家吗？顾客一听，觉得很好奇：什么一百九十八，‘按摩师傅’请回家！然后，你就要千方百计让他试试看，按我的经验，顾客只要同意试试，这生意就做成了一半。大冬天的，谁愿意又脱鞋又脱袜的？他愿意试试，说明他动心了。这时候，你一定要抓住机会，顾客感觉舒服，你就尽量往舒服说：‘怎么样，足底开始发热了吧？足底连接人体的十二条经脉，两脚分布有60多个穴位。足底发热，说明全身经络疏通了，气血运行流畅了。’顾客要是透露自己患有某种慢性病，你就尽量往治病方面说：‘我们这种足浴盆，尽管不能治百病，但对于许多慢性病还是有很好的辅助治疗功能的。比如有人胃疼、腰疼，那是寒气所致呀！我们的足浴盆就是有驱寒的作用。还有像神经衰弱啊、高血压糖尿病啊，都有辅助治疗作用。’你即便夸张一些也无所谓，因为它毕竟不是假药和假酒，会害死人。有个阿姨，在我这里先给自己买了一台，然后就四处帮我作宣传，最后，她的亲戚朋友一共买了15台。”

我说：“听你这么一介绍，搞销售还真是一门学问啊！”

张小强在家乡的小镇读完了小学和初中，高中读到高二，英语和物理怎么也跟不上，无论谁说他都听不进去，稀里糊涂退了学。现在他挺后悔的，如果当初多读几年书，对于自己的发展空间肯定会更大一些。

在家混了一年，每天无所事事，实在混不下去了。18岁，算是成人了。2008年过了春节，他到了北京，决心干一番事业，最起码也应该自己养活自己。

比他早两年到北京的表哥，给张小强介绍了第一份工作——到一家小超市推销体育用品。就像前天他自己说的那样，开始“连大声说话都脸红，更不敢叫卖”。经理不高兴了：“小伙子，你是来推销商品的，还是来站岗？整天不言不语，有你没你一个样！”

“锻炼身体，利国利民！”他开始红着脸小声地喊着。

“锻炼身体，迎接奥运！”慢慢地，他也习惯了。

当时，超市实行的是“底薪＋销售奖励”的工资制，半年试用期内，每月底薪500元，再加销售奖励。你销售得越多，也就拿得越多。第一个月拿到650元工资，他特别激动，这是他第一次拿到工资，他给父母亲各买了一条裤子，给自己买了双降价的运动鞋，剩下几十元还请表哥吃了顿肯德基。

第二个月，800元。

第三个月，750元。

每天上班时间是十小时，一直要站着，好在年轻，他并不觉得特别累。

有次，快中午时，来了一对小两口，看样子像是白领，那男的拿起一支羽毛球拍挥了挥。

张小强连忙迎了过去，客气地问道：“锻炼身体，迎接奥运！你们想买羽毛球拍吗？”

男白领问：“这些拍子怎么都是100元以下的，你们有高档拍子吗？”

张小强说：“选购货物，一般都要便宜的，不要贵的。”

男白领强调了一声：“我是问有没有高档的拍子。”

张小强仍在解释：“高档不就是贵的吗？”

这时，那位女白领拽了拽男白领的衣袖，说了声：“跟这外地的‘傻帽’有什么可较劲的！”

“外地的‘傻帽’！”声音虽然很小，但依然传入张小强的耳中。他站在那里，发了半分钟愣，这是第一次被人称为“外地的‘傻帽’”。

北京举办奥运会时，表哥对他说：“有家健身器材公司需要推销员，你去吧！”

张小强觉得这样走了，有些对不起那位介绍工作的老乡，也对不起超市，有点犹豫。表哥说，这年头哪儿挣钱多去哪儿，没有什么对得起对不起的，有人一个月跳三次槽，还觉得少。

张小强去了那家健身器材公司，公司的老板是台湾人，主要推销跑步机。

工资不设底薪，你多卖多挣，每卖一台跑步机，公司给五个点的提成。第一个月，张小强挣了1 500元。手拿15张100元的大票，他觉得很有成就感。

当年底，张小强又一次跳槽，跳到现在的这家公司推销足浴盆，原因只有一个，这家公司给的提成点数高：六个点。

我问："到北京快两年了，你存了些钱没有？"

"存钱？"张小强笑了，"我现在是'月光族'，每个月的钱都花得一干二净，光光的。"

我说："就算平均每月1 500元吧，你也不应该都花光啊！"

张小强说："一两千元哪经花？我给你算算，房租，我住的是地下室，每月还要400元；吃饭，一天平均20元，一个月600元；年轻人电话多些，我一个月得要一百二三；老乡、同事，每个月也要小聚聚；还有，一年总得买几件衣服吧……这样算下来，还不月月光？"

我让他谈谈在北京这两年的感受，他想了想，说："怎么说呢？城市比农村好，北京比其他城市更好。一个人出生在城市和出生在农村是完全不一样的。我有个表弟，17岁了，上次来北京，我让他去超市买几瓶矿泉水，他都不敢；可我一个远房姨的孩子，在北京出生，在北京长大，5岁还不到，现在在读学前班，讲一口标准的普通话，饿了，自己进超市，方便面、酸奶、火腿肠，自己想吃什么，买什么。如果他要是生在老家，还不就是一个'土'孩子？"

"将来有什么打算吗？"我问。

"有一点是可以肯定的，既然到城里来了，就不会再回去了。我们这些到城里打工的年轻人基本都是这种想法，有人甚至说了：'就是赖也要赖在城里。'可是，一想到将来，又感到非常迷茫……"

"为什么？"

"您不想想，像推销员这种工作，都是吃青春饭，以后年纪慢慢大了，我还能干什么？没有什么文化，根本进不了白领层。自己创业，怎么创？我们几位老乡也商量过，我们也代理足浴盆到一些县城推销，可一是怕小县城消费不了，二是代理费最起码要五万元，我们拿不出这笔代理费。还有，现在我是一个人吃饱了全家不饿，可将来总要结婚生孩子吧，你最起码总得有间房子吧，北京的房价这么高，像我们这样打工的想靠自己的工资买房子，简直是在做梦！"

张小强拧着眉心，神色变得有些严峻了。

我让他帮我再介绍几位年轻的同事，我再找他们聊聊。他说，这个好办，等过了春节，闲些，有时间。片刻，他又说："其实你应该找我的爸爸和爷爷聊聊，他们都在北京打工。”

我一下来了兴趣：“什么？你们一家三代都是打工的？”

“对啊！我爸爸在北京搞装修，爷爷在环卫局扫过马路。我爸爸在北京20年了，我爷爷时间更长，小30年了。”

我说：“我一定找你爸爸和爷爷聊聊。”

张小强说：“他们昨天已经回老家过年了，我过几天也要走。这样吧，我们一过了正月十五准回来，到时再联系！”

我们互相留下了手机号码，相约节后再见……

“那每一分钱，都是他的心血啊”

说到农民工，我不由得想起了温州老家、温州老乡。

改革开放初期，我的老乡们最早离开了土地，投入到了商品经济的大潮之中。他们以走遍千山万水、吃够千辛万苦、说尽千言万语的精神，以农民的厚道与智慧，去挖掘第一桶“金”。

我经常要举这样两个例子：

一位以弹棉花、加工棉胎为业的老乡，某日，看到报上发布的公安部即将在全国开展“严打”的消息，立即收集了大量的棉被送往省内的各大监狱。狱警感到奇怪：“你怎么知道我们正需要棉被？”那位老乡告诉他：“公安部门一开始‘严打’，肯定要抓一批罪犯，罪犯一多，监狱肯定需要棉被。”

还有一位老乡是卖蜡烛的，一次，听广播说，西北大旱。他连忙组织了一批蜡烛运到西北，所到之处供不应求。等他发了一笔横财之后，他才向朋友泄露了“天机”：“天一旱，小水电站没水了，肯定发不了电，一停电，还愁蜡烛的销路吗？”

后来，被理论界总结而成的“温州模式”，几乎全部为农民工所创造。

虎年正月十七，我接到了张小强的电话，他告诉我，他和父亲已经回到了北京，祖父得再过个把星期。他已经把我的情况向他的父亲、祖父说了，他们表示愿意和我聊聊。

张小强的父亲叫张德贵，按照他提供的住址，我在六里桥附近的一个小区找到了他，他住着的一间小平房的门口居然挂着一块“为民装修公司”的小招牌。

因为接触过张小强，一见张德贵，便觉得他们父子俩像是一个模子里刻出来似的，都是中等个，国字脸，眉毛特别粗。

我说:“你还真行啊，自己还开了家装修公司。”

张德贵笑了:“我这叫什么公司，有活儿就组织几个老乡一起干，没活儿就我一个光杆司令。”

小平房也就十几平方米，一张桌子、一张床，还有一个煤气灶，十分简陋。

我问:“就你一人住?”

张德贵说:“是的，我爸爸帮人家看仓库，就住在仓库里，我老婆在老家一直没过来。”

我们正说着，张德贵的手机响了，听他们对话好像是一个客户明天要铺地砖，对干活的师傅不太放心，要他过去看看，他满口答应。

张德贵出生于1963年，1979年初中毕业，没考上高中。当时，他们那边的农村已经分田到户，也允许农民做点小生意。开始，他跟着堂兄在老家附近几个村，从农民家里收购鸡蛋，然后，转卖给专门做鸡蛋生意的小贩。一天收六七百只鸡蛋，一只有三分钱的差价，一天能挣个两元钱。不过，非常辛苦，不论刮风下雨，一天都要走四五十里地。干了小半年，收购鸡蛋的人多了，挣不了多少钱了，也就不干了。后来，他又收了一年的废品。

当时，农村青年的出路只有三条：一是考大学；二是当兵；三是学手艺。考大学是不可能了；张德贵的父亲曾经当过三年兵，说当兵苦得很，且家里就他这么个男孩儿（他还有一个姐姐、一个妹妹），又舍不得他去当兵；唯一的出路只有学一门手艺。

1982年，张德贵的父亲收到在北京海淀区环卫局工作的战友的来信，战友说你们红安农村不是很穷吗，这边需要打扫卫生的临时工，你过来吧，怎么也比在农村强。

父亲临走前，把张德贵托付给了村里的一个木匠，让儿子跟他学手艺。张德贵整整学了三年的木匠活。出师后，他就在农村给人家盖房子、打家具。

父亲走后两三年，村里就陆陆续续有人出外打工了。张德贵挺羡慕的，给父亲写信，说自己也想出去闯闯。父亲回信说“在家不知出门难”，让他安生在家待着。

1988年，张德贵结婚了。

1990年——北京举办“亚运会”那年，张德贵在家再也待不住了，同村里两个也会木工活的老乡商议，一起出去打工。这次，他索性不告诉父亲，省得老人再阻拦。去哪呢？一位老乡曾经去过天津塘沽，于是，他们决定先去天津。

张德贵记得很清楚，他们是9月9日深夜到达天津塘沽的。人生地不熟，在火车站附近转了转，正好看见一家浴室，住一夜一人五毛钱，便先住了下来。

第二天清晨，他们盲目地走到向阳街的街口。哥仨在路旁将三把锯子架在一起，手里拿张写有“木工活”的白纸，算是开始接活了。

别说，还真有找干活儿的。当天中午，就被一位中年人叫去打几件家具。干了一个星期，三个人挣了200元。

这期间，也有不顺的。有次给一户人家做张床，做好了，对方一量尺寸，硬说给做短了五公分，不仅不给工钱，还差点挨了打。

磕磕碰碰干了三个月，天冷了，三人决定回家。刨去吃住和车票钱，每人分了700元。

春节，父亲也回老家过年。父亲告诉他，既然要出去打工，就去北京，北京是祖国的首都，挣钱的机会肯定比天津要多。父亲还告诉他们，红安县在北京打工的许多老乡都住在焦家坟一带。

转年开春，三人直接来到北京，下了火车，一路直奔焦家坟，听口音，果然有许多老乡。他们租了一间当地农民的屋子，三人合住每个月房租100元，算是把家安了下来。

在北京揽活比在天津还方便，在街口或地铁口，你手里拿张白纸，再写上“木工”“瓦工”“油漆工”“厨师”“保姆”……人家就知道你会干什么。

活儿不断，一个接着一个。

我问张德贵:“那几年，给你留下最深的印象是什么?”

“整天干活，挺累人的。我们打工的说自己，每天起得比鸡还早，睡得比小姐还晚，干的活比驴还累。那时候，粮食政策还没完全放开，市场上买不到大米，每天都吃面条。北京人不吃猪油，我们就烧一锅水，放些白菜，搁一勺猪油，下面条。……还有什么印象深的？……对了，那就是被警察抓过几次……”

我有些惊诧:“你还被警察抓过?”

“抓过！”张德贵说，“大概是从1993、1994年开始，北京管得严了。老乡们经常互相提醒，我爸爸也打电话来，叮嘱出门一定要小心。一天晚上，我和另外一个老乡下工刚出地铁口，两个警察正站在那里，迎面就问：‘克林顿要来了，知道吗？’我们没有电视，又不看报纸，哪知道美国总统克林顿要来我们国家访问。我只好摇摇头，说：‘不知道。’‘有没有暂住证？’警察又问。也是邪门了，平时我每天出门都带暂住证，偏偏这天给忘带了。警察一见我没有暂住证，就把我带到旁边的一辆警车上，说：‘按规定，没有暂住证是要把你押送回老家的，看你比较老实，罚你一百元。’我说我有暂住证，忘了带了。警察说你要不老实就押送回家。我哪敢？只好老老实实交了100元罚款。”

我问：“给收据了吗？”

“给什么收据啊……这次不算什么，还有更惨的一次呢！我记得特别清楚，1996年国庆节前的那个星期天，我刚出门，还没到公共汽车车站，就被巡警带到了派出所。我连忙说我有暂住证，一位警察接过我的暂住证，看都没看就给撕了。我急了，喊了声‘你怎么把我的证件给撕了’，警察不理睬，把我带到旁边的一间屋子里，我一看，里面男男女女已经关了十几个。天快黑时，来了一辆大车把我们拉到昌平收容所，每人给了两个馒头，一点咸菜。深夜12点多，加起来一百五六十人，被拉到北京站。说是要把我们遣送回老家，到了家再由亲属拿500元到当地派出所‘赎身’。火车开了没多久，北京的警察就把我们交给了河北的警察。河北警察开始‘叫卖’，先是说谁要是交500元马上就可以下车。谁先下的车，你肯定猜不到……”

我问：“谁先下车？”

“歌厅的小姐。”

“为什么啊？”

“她们有钱啊！然后，警察又开始降价，400元有没有要下的，下去十几个；火车再到一站，300元有没有下的，下去几十个；再到一站，200元下不下？100元下不下？我身上只有五六十元钱，连100元都拿不出。连我加一起只剩下最后六个了，警察知道这几个实在是没钱的，到了下一站，喊了声‘都下去吧’。下车后，我花18元买了张票，快中午时又回到了北京……这次被收容的经历，让人一辈子都忘不了啊！”

在福州做保安工作的山东籍新生代农民工刘胜城注视着眼前的高楼大厦，对城市梦的追逐让他一次又一次远离家乡。（姜克红/摄，图片来源：新华社）

大约是1998年前后，一些会木匠活、瓦工活的老乡，自己开起了装修公司，租个房间，安部电话，然后就发小广告，开始揽活儿，有的生意还挺红火。

张德贵看着有些眼馋，心里想：人家能干，自己为什么就不能干？

他也在公主坟附近租了间房子，安了部电话，又给自己配了部BP机。那时候，注册个公司好像起码要有十万元的注册资金，他哪有那么多钱？所以，既没去工商部门登记注册，也不敢挂招牌，只是到阜成门专门印小广告的地方，印了3 000张的小广告，他给自己封了个“大众装修公司”业务主管的头衔。这一切，他没敢告诉父亲，也没跟熟悉的老乡说，全部是悄悄地在进行。

然后，一边打工，一边散发小广告。开始，不敢散发得太多，一天就发七八张、十来张。有时贴在电线杆上，有时放在人家自行车筐里。大约是一个星期后，他和一位老乡正给一户人家打家具，腰间的BP机响了，有人呼他，他赶忙到公共电话亭回电话。电话一通，对方就问你是“大众装修公司”吗，你们公司怎么老没人，我只好找你这个业务主管了。张德贵连忙支支吾吾地解释，公司最近业务比较多，怎么怎么忙，请对方原谅。对方说自己想打三个书橱，问公司能不能接活儿。张德贵连声回答说行啊行啊没问题。对方告诉了具体地址，约好第二天上午10点见面，张德贵痛快地答应了。这边的活儿，他让老乡一个人干了。第二天上午，到了客户家，一进门，见屋里到处都是书，张德贵马上反应这是一个知识分子的家。两人一对话，对方说你不就是昨天接电话的业务主管吗，你怎么亲自来了？张德贵又红着脸解释，公司不大，最近活多，派不出其他工人了。对方说看不上店里卖的书橱，家里又有一些木料，想根据自己的要求打一组组合书柜，张德贵说这个没问题。然后就量尺寸，算工钱，马上开始干活儿。

干了两天，活儿才干了一半，腰间BP机又响了，他又去楼下的公共电话亭回电话。对方也是找"大众装修公司"的，对方说自己家原来铺的地砖质量不好，想换下来重新铺，张德贵说没问题。对方让明天就派工人去，并告诉了地址，张德贵也说没问题。可当他放下电话一想，马上觉得问题大了，一是自己只会干木匠活儿，不会铺地砖；二是即便自己会铺地砖，一个人也是分身无术。只能是找人替代。晚上收工回家，张德贵找了个会瓦工的老乡，说有个客户家里要铺地砖，问他干不干。老乡听说有活儿干，求之不得。张德贵告诉他客户地址，嘱咐他到了客户家，就自己说是"大众装修公司"派来的，价格双方协商。

这之后，隔三差五有客户呼他，要求公司派人去干活。好在能干装修活的老乡多，张德贵都给应付了。可回头一想，不对啊，我忙乎了半天，都在为别人忙乎了。

张德贵醒悟了，再有客户要干活儿的，他自己先去客户家看项目，谈好价钱，然后再转包给老乡干，按比例提成，也叫收取管理费。

张德贵自己不干活儿了，光发小广告，光联系活儿，慢慢地成了个小包工头。

当包工头和自己干活儿当然不一样，收入比原先多了，差不多增加了一倍，不过责任也重了。有时遇到一些问题，还得自己去处理，比如：你派出的工人到客户家干活儿，客户对干的活儿不满意，你就得赔笑脸，说好话，还得妥善处理。

那两年在水利部、新华社小区包了不少活儿（主要是家庭装修），也挣了些钱，差不多有小三万吧。张德贵觉得挺满足的。

有天上午，张德贵正在屋里接电话，来了一高一低两位穿着制服、自称是工商局的人。张德贵连忙笑脸相迎，又是倒水，又是递烟。

两位脸部没有一点表情，那位“高个儿”问:“你是‘大众装修公司’的负责人?”

张德贵回答:“是的，是的!”

“高个儿”环视了一下四周，说:“把你的营业执照拿出来看看!”

张德贵一时语塞:“……营业执照……哦……”

“高个儿”冷笑了一声，喝道:“张德贵，别装蒜了，我们已经调查过了，‘大众装修公司’根本就没有在工商局登记过。”

张德贵的精神一下便被击垮了:“是没登记过……当时，我也不知道怎么登记……”

“高个儿”咄咄逼人:“你既然办公司了，会不知道怎么登记?你纯粹是为了逃税!”

张德贵愣在了一旁。

“高个儿”严肃地说:“国有国法，家有家规，根据我国工商管理的有关规定，除对你罚款十万元外，还要追究有关法律责任。”

张德贵急了:“什么?你说什么?要罚十万元?”

“高个儿”说:“这还是最底线。”

张德贵忙解释:“我这说是公司，其实根本不是什么公司，就是揽点活儿干，十万元，你就是把我枪毙了，我也拿不出来!”

“高个儿”转向一直没开口的那位“低个儿”，问:“刘处，你说怎么处理?”

“低个儿”从自己口袋里掏出烟，点燃吸了口，说:“你的性质是十分严重的，但根据我们掌握的情况，考虑到你是初犯，罚款减少一半，五万元。”

张德贵哭丧着脸，说:“五万元我也拿不出……”

“低个儿”站了起来，“既然拿不出，那我们只好转交公安局处理。王科，走人!”

张德贵一把抓住“低个儿”的胳膊，哀求道:“你们能不能开开恩，再少点儿?”

“低个儿”收住步子，略微考虑了片刻，说:“下午3点，准备好三万元，否则，你的问题转交公安局处理。王科，回局里去。”

“低个儿”先头走了，“高个儿”走了两步，又回身轻声对张德贵说:“认罚吧，转交到公安局，苦，就有你受的了，下午3点见!”

张德贵像是被电击中了似的，一下瘫坐在椅子上。三万元，简直是个天文数字！他在银行有两万元存款，这是两年来没日没夜付出的辛苦钱，他舍不得花，想再攒些，过三五年回老家盖房子用。可如今，为了不进公安局，不被判刑，只得全部取出；还缺一万元，只好跟老乡借，他又不敢透露真情，便胡乱编了个借口，说是进一批装修材料急需用钱。

下午3点刚过，桌上的电话便响了，是“高个儿”打来的，问钱准备好了没有，张德贵告诉他准备好了。也就过了两三分钟，门口传来了汽车喇叭声，“低个儿”和“高个儿”从一辆小轿车上走了下来。

他们一进门，张德贵就从抽屉里把钱取出交给“高个儿”，说：“这是三万元，你们点点看。”

“高个儿”没有数钱，给张德贵递过一支烟，说：“你还是个明事理的人，真到了公安局，再到法院，判你几年刑，坐几年大狱，那就惨了。处长，您还有什么指示？”

“低个儿”咳了一声，又安慰道：“以后，真要开公司，就到我们局办理登记手续，这样对你个人、对国家都有好处！”

“高个儿”收起了桌面上的钱，说：“我们还有其他事要处理，先走了。”

张德贵将他们送出门，送上车。

回到屋里，张德贵只觉得四肢无力，浑身发软。他在屋里转来转去，一会儿骂自己糊涂，一会儿骂自己无能……忽然，他觉得有些不对头，刚才交了三万元钱，他们怎么连个发票也不给？再说，这罚款也不能说罚就罚，说罚多少就罚多少？坏了，肯定是被骗子骗了！张德贵脸色蜡黄，豆大的汗粒直往下掉……

张德贵火急火燎地让出租车将他拉到海淀区工商局，打听有没有刘处长和王科长，人家问是哪个处哪个科的，他回答不出来；人家又问有什么事，他又不敢说，刚给假工商骗走三万，真工商要是一听说没登记就开公司，再罚他两万，岂不更惨！

张德贵把公司给关了后，病了一场……

张德贵被骗绝不是个案，许多农民工在打工过程中，都有过被歧视、被欺骗、被敲诈的遭遇。

我问张德贵：“你现在这个‘为民装修公司’，可是在工商局登记过的？”

张德贵说："登记过，登记过，再也不能干那种傻事了。"

我请他谈谈近些年的情况。

张德贵告诉我，那件事对他的打击实在是太大了，那每一分钱都是他的心血啊！过了两三年他都没缓过气儿来。

又重新回到了自己单干的日子。好在已经建立了一些客户关系，找他干活的不少，他要是忙不过来，就找老乡一起干。

2007 年，张德贵还是不死心，到工商局登记注册了"为民装修公司"。比起十年前，政策宽松多了，注册公司只要有万元资金就行了。不过，他的盘子不大，还是个小包工头。知足常乐，他觉得现在这样已经很不错了。

我提起他的儿子张小强："其实，小强完全可以跟你一起干，当个帮手。"

"嘿！"张德贵叹了口气，"现在的年轻人啊，你实在猜不透他们的心思！当初让他好好读书，他听不进去，现在这个社会竞争这么厉害，没有文化哪行？既然出来了，一家人一起干也好有个照应，还是听不进去，他说自己要闯荡闯荡。现在我也不管他了，随他去吧，反正我也快 50 了，过两三年，我就想回去了，家里还有几亩地，他妈妈一个人也忙不过来。我想用这几年存的一点小积蓄，在老家开家装修公司，老家这几年发展也比较快，现在城镇的人盖了房子，也开始讲装修了。"

我问："听说你老父亲还在北京，他今年多大了？怎么还在北京打工？"

张德贵说："老人今年 71 了，现在给我老乡看仓库。我劝他几次了，这么大岁数，别干了。他说回老家也是闲着，在这里每个月还有个几百元的收入。我父亲可以说是咱们国家第一代农民工，他们当年进城干活儿，比起我们来又要艰难得多。我记得当时有几年，连春节他都回不了家。你要写农民工的话，真应该写写他们这代人。"

我说，我肯定要找老人聊聊……

"长安街上留下我数不清的脚印"

我是在丽泽桥东边一个建材仓库里找到张玉河老人的。

这一带正在建设北京的第二条金融街。一眼望不到边的工地上，到处可见伸着大臂膀的大吊车和张牙舞爪的挖掘机，机器轰鸣，车水马龙。

或许是因为也当过兵的缘故，张玉河见我穿着一身军装，显得格外的热情。

我说:“听说您是1957年入伍的，可以称得上是老前辈了。您当兵在福建，我刚当兵时也在福建。”

张玉河问我:“你在福建哪里?”

“连江县黄岐半岛当海军海岸炮兵。”

“哦，知道，知道。我在厦门，在陆军的一个汽车连。”

“那您参加了1958年炮击金门的战斗啰?”

为参战部队运送过物资，没有直接参战。1958年整整紧张了一年，我们连睡觉都不脱衣服。

“1969年，我应征入伍，到了黄岐半岛。隔海相望，便是蒋军占守的马祖列岛。通过高倍望远镜可以看见对方炮阵地上，一门门高高昂起炮口的火炮。那时候，海峡两岸风声鹤唳，剑拔弩张。我们每星期都要搞抗登陆和反小股演习。双方隔三差五还对打宣传弹（一种带着传单的炮弹，在空中爆裂，将传单撒在对方阵地上），一般都是夜间打，第二天早晨，连里便组织干部和班长到阵地上捡传单，集中起来上交到营部。我们班长是河北文安人，平时挺喜欢我。有一天，班长捡完传单回来，把我拉到厕所里，塞给我一张传单，悄悄对我说:‘马上就要上交了，你赶紧看两眼吧。在前线当兵，连敌人的反动传单都没看过，亏了。’这是我第一次看到蒋军的传单，32开，印制得十分精致。上面的内容好像有西北某省遭遇百年大旱，庄稼绝收，民不聊生；我空军飞行员某某某，驾机投台，受到蒋介石的亲自接见，并奖励黄金多少万两等等。我看得心直跳，额头直冒汗。班长叮嘱说:‘看完就看完了，对谁都不能说啊。’

“那时候，我们炮阵地上还安装了中国人民解放军福建前线对台广播电台的高音喇叭。每天清晨，起床的号声刚刚响起，高音喇叭便开始了广播:‘中国人民解放军福建前线广播电台，现在开始广播。蒋军官兵们……’

“40年，弹指一挥间。前几年，我曾经回过一次黄岐半岛，老连队早就撤销了，高音喇叭也不见了，炮阵地成了人们旅游休闲的去处。”

如今，海峡两岸已实现“三通”，两岸同胞开始了和平之舟的破冰之旅……世事变换，令人感慨万端。

张玉河18岁入伍，当了四年兵。退伍后，又回到那个连兔子都不拉屎的小乡村。

老家靠着一条河，年年不是发大水，就是闹干旱。粮食年年不够吃。村民们住的都是土坯房，有的家穷得连吃饭的碗都不齐全。

农民真苦啊！在村里当会计的张玉河记得，一个正劳力，一天挣不了几毛钱，一年辛辛苦苦干下来，年底分不了红不说，还倒欠队里钱。而且税费还特别多，什么公粮税、教育附加费、农业特产税、民兵训练费、生猪屠宰税、计划生育费等一大堆。

张玉河当班长时，班里有个北京兵，人很机灵，但长得特别瘦小，张玉河对他格外照顾。北京兵是张玉河带出来的新兵，可每次出车发动车时，张玉河都要自己摇摇把。夜里连队搞紧急集合，张玉河每次都是先帮北京兵打好背包，再打自己的。张玉河退伍离队时，北京兵抱着班长久久不放，失声痛哭。

三年后，北京兵也退伍回到北京，但他们一直没有断绝联系。北京兵知道老班长家乡穷，总是设法救济他。每到过年过节，张玉河都会收到北京兵寄来的包裹，里面有吃的、用的，还有半新不旧的衣服。

战友之情一直在延续着……

1982年，过了端午节，张玉河收到了北京兵的信，说是他们单位正在招收临时工，让他去北京，说在北京怎么也会比他在老家强。去北京？张玉河连做梦都没想过。他是既激动又胆怯，妻子也替他担忧，考虑了三天三夜，他决定先去看看再说。

火车刚驶进北京站，张玉河便看见站台上北京兵那熟悉的身影。久别20年后重逢，不是“激动”两个字所能包含的！

北京兵退伍后被分配到环卫局车队工作，这时候已经是车队的队长了。前些日子，单位里有一批老职工退休，居然招不到新职工，特别是打扫马路、清理垃圾、看管厕所的清扫队，北京的年轻人更是看不上。局里只好先招一些临时工顶替。

北京兵问老班长愿不愿意干，张玉河说：“在部队那几年那么紧张，在农村这些年日子过得这么苦都能承受，打扫卫生算什么！”

张玉河被安排到清扫队当清洁工，每月工资30元，住在集体宿舍。

张玉河负责清扫从万寿路到五棵松这条路段的卫生。每天清晨4点，先在五棵松的队部集合，再骑三轮车到各自的工作点。清扫马路，收集垃圾，一直干到上午8

点下班。下午2点再上班，还是清扫马路，收集垃圾，干到晚上6点下班。

清洁工不需要什么技术，就看你能不能吃苦。张玉河干得特别认真，特别卖力，他像当年维护汽车一样来维护这条马路。每次队里组织评比，他负责的这个路段都被评为第一名，经常得到队里的表扬。后来，队里管辖的一个厕所一时找不到人清扫，他又主动把活给揽了过来。

有了一份工作，每个月还有几十元的收入，比在农村强多了，张玉河十分满足。头三年，他连春节都没顾得上回老家过。人过节，可马路总得有人清扫啊，那时候，过春节还允许放鞭炮，从除夕到大年初五，一放起鞭炮来，大街小巷到处都是纸屑，清洁工比平常日子还忙。张玉河还是当兵时养成的那种习惯，见困难就上，有什么好事就让，头几个春节都让队里的外地工友回家过节。

我问张玉河："你来北京头几年，北京已经有农民工了吗？"

张玉河想了想，问我："保姆算不算农民工？"

"当然可以算。"

"好像安徽人是最早到北京当保姆的，当时北京一些领导家里的保姆也有我们红安的。对了，当时我在马路边遇到过卖菜、修鞋、收废品的老乡。公主坟那时还有个农贸市场，前几年拆了，里面做小买卖的都是农民。"

我又问："那时候，农民工的生活状态怎么样？"

前来福建晋江务工的贵州农村女孩提着拉杆箱走出晋江汽车站。（张国俊/摄，图片来源：新华社）

张玉河说：“……你这一问，我还真想起一个老乡来，这个老乡也是在万寿路一带认识的。记得那天下午五六点钟，快下班时，我正在厕所清扫卫生，一个人推着一三轮车的水果，拼命往里跑。我吓了一跳：‘你这个人怎么往厕所里推水果？’那个人喘着粗气说：‘听口音你也是湖北老乡，你让我先在这里待会儿。’过了十来分钟，那个人跑到外面看了看，好像才放了心了。他说：‘老乡，我这不做点生意、卖点水果吗？最近，管得挺严的，治安队隔三差五出来检查，要是给逮住了，没收三轮车不说，还得罚款。’后来聊了起来，知道他是湖北黄冈人，老家也特别穷，听说政策松动了，允许农民进城干活，就跟几个老乡一块儿来到北京。卖过烤红薯、卖过豆芽，都挺难的，去年又开始卖水果。每天早晨三四点起床，先到永定门火车站把水果批发来，再拉到万寿路一带卖。后来慢慢熟了，我在马路上打扫卫生，我们每天都可以见面。每次见面，他都跟我念苦经，说卖水果是小本生意，没有多少利，夏天怕烂，冬天怕冻，一个月下来，挣不了多少辛苦钱。大约过了一年多，‘五一’过后，我好几天没见到他，也不知道他回老家了，还是病了？那天中午，我正打算收班，他来了，告诉我，前几天，被治安队逮住了，三轮车被没收了。我问他打算怎么办？他苦着脸，也不言语，后来，就再也没露面了。

“还有个湖北老乡在万寿路南口摆了个修鞋摊子，起早贪黑，中午就啃两个干馒头，就点咸菜。有一天，一位青年女子说他把她的鞋修坏了，这双鞋是她亲戚从国外带进来的，要他赔 100 元。那位老乡哪赔得起，两人争吵不休，引来了警察，老乡和那位青年女子都被警察带走了，后来，也再没见到他。”

“那时候，北京人是不是特别排外？”

“也不能这么说。”张玉河说，“不过，社会上许多地方的不公平都是明摆着的。就拿我们清扫队来说，最差的时间段是清晨 4 点到 8 点，下午 2 点到 6 点，都由我们这些外地来的临时工干；本市的职工干最好的时间段，上午 8 点到 12 点。安排活儿也是这样，最脏、最累、最苦的活，都是临时工干；本市的职工一般安排开清扫车啊什么的，都是些好活。我们临时工除了工资外，其他什么也没有；本市的职工工资比我们高不说，看病报销，还有各种补贴。”

“您在清扫队一共干了多少年？”

“从 43 岁那年来北京，到 65 岁离开，整整干了 22 年。”

“真干了不少年啊！”我有些感慨。

“是啊，清扫队后来进来的本地职工，都没有我干得长，长安街上留下我数不清的脚印。”

“你那位北京战友，是不是也该退休了？”

“退了，2001年退的。退了以后在家待着不习惯，想找点活儿干。后来，正好我这个仓库的老板需要开车的，要北京人，我就把他介绍来了，在这里开了六年车。他开玩笑说：‘早先是你湖北人给我们北京人打工，现在是我北京人给你们湖北人打工，三十年河东三十年河西啊！’”

我们的话题又转到了他的孙子张小强身上。

张玉河说：“我现在最担心的就是小强，这孩子别说跟我们这代人不一样，就是跟他爸爸也不一样。我说小强啊，过两年爷爷就要回去了，你准备怎么打算？他说，爷爷我不回去了，我准备一辈子待在北京，做北京人了。我说，北京是城里人的，不是我们农村人的。他说爷爷你落伍了，城市是大家的城市，北京也是大家的北京。谁都有一个根，这孩子连根都不要了。”

我说：“一代人有一代人的想法。”

张玉河不无忧虑地说：“孩子还小，经事少，不知道过日子的艰难啊！现在是政策好，可以让你农民进城挣点钱，谁知道以后政策会怎么变？就是不变了，你挣那么点钱，怎么过日子？我们老乡算了，就算你一个月挣3 000，不吃不喝，50年，还买不起一套房子。其他的就更别说了……”

“这些，其实小强他们年轻人都想到了。”

张玉河说：“要按我的想法，趁现在年轻，脑子好使，赶紧去学门手艺，有一门手艺在身，一辈子挨不了饿。”

过了片刻，张玉河像是问我，又像是自言自语：“小强他们这代人说是要留在城里，再也不回去了，这可能吗？”

从张玉河到张德贵再到张小强，三十个春夏秋冬，他们用血汗连接成同一条打工路；一家三代农民工，其中的酸甜苦辣，向谁人诉说？

（选自2011年第1期《中国报告文学》，作者：黄传会）

起航，信义之船

大雪纷飞的 2010 年年关，发生在武汉市黄陂区孙家兄弟身上的故事极度悲伤又令人肃然起敬：在北京当包工头的哥哥孙水林为赶在年前把工钱发到农民工手上，返乡途中遭遇车祸一家五口身亡；在天津的弟弟孙东林为了完成哥哥的遗愿，来不及处理哥哥的身后事，赶在腊月二十九返乡，将 33.6 万元工钱一分不少地送到 60 余位农民工的手中。

接力，在哥哥倒下之后

2010 年 2 月 11 日，腊月二十八下午，兰考县人民医院太平间。

抚摸着哥哥苍白冰冷的脸庞，悲痛欲绝的孙东林仿佛听到了哥哥弥留之际的交代和嘱托："一定要在大年三十之前全部结清工友们的工钱，要不，我死不瞑目！"

揉了揉眼，孙东林以为自己悲伤过度，出现了幻觉，再仔细看看依旧躺在担架上不再醒来的哥哥，顿时，孙东林脑中闪现出一个念头：找到哥哥遗留在车内的 26 万元现金，大年三十之前结兑完所有的工钱，完成哥哥的承诺。

回想起 2 月 9 日晚的情景，回想起哥哥冒着恶劣的天气，赶夜路回家的决绝，孙东林心中坚定了决心——"新年不欠旧年薪，今生不欠来世债"。大年三十之前，在孙家大院热热闹闹地给最后一批工友结款。

这真是一个疯狂的念头！

要完成哥哥的承诺，年前肯定要瞒住家中年迈的父母，真不知道二老听到哥哥去世的消息会伤心到什么地步；要完成承诺，哥哥的丧事只能等到正月十五之后操办，这与早日让逝者入土为安的习俗又相违背！

矛盾！

既伤心难过，又手足无措的孙东林焦急地在孙水林一家人的担架前徘徊，时而用这只手敲打着那只手，时而抓抓鬓角。

看着孙东林这副举棋不定的模样，收起悲伤的官敦贵等人询问着他什么时候接水林哥回家。话里的意思很明显，年前接水林哥回家是重中之重，耽搁不得，他们可不愿意他们的好大哥和大恩人客死异乡后还不能入土为安。

晓之以理，动之以情，孙东林终于说服了官敦贵等人，待找到大哥的26万元钱后，火速赶回黄陂老家。

绕着孙水林一家五口人的担架走了一圈又一圈，大伙都不愿离去，悲伤之情重新笼罩在他们的心头。

“哥，你安心地在这里躺几天，等我发完工友们的工钱，再来接你回家。”抹干泪水，孙东林领着官敦贵等人一步一回头地离开了太平间，朝兰考县交警大队所在地直奔而去。

下午4点，在交警的带领下，孙东林等人在南兰高速二郎庙收费站附近见到了哥哥出事的汽车残骸。汽车的车门两侧已经深深凹陷，一扇门已经被电锯锯掉，车头的两个大灯还在不停地闪烁着。

孙东林从被锯掉的车门钻入已经变形的汽车，寻找着哥哥一家人的遗物以及那26万元现金。

车内一片狼藉，到处是散落的碎玻璃片，灰色的地毯上凝结着一摊摊暗红的鲜血。后座上，挂着七零八落的汽车内饰，让本就残破不堪的汽车看上去更加惨不忍睹。

找遍车内的每一个角落，除了一张张工程材料纸，孙东林一无所获。

2010年2月23日，孙东林看着从事故车残骸中找到的哥哥的照片。（程敏/摄，图片来源：新华社）

孙东林用铁棍撬开汽车

的后备箱，在放后备轮胎的地方，黑色的塑料袋安静地躺着。这个塑料袋孙东林很熟悉，2月9日晚，大哥临行前，妻子递给他的，里面装有15万元现金。

打开塑料袋，15扎贴有中国银行标签和11扎贴有中国建设银行标签的共26万元现金完好无损地放在里面。签了接收单，孙东林抱着塑料袋再次赶往兰考县人民医院的太平间。

春节临近，交警等部门也特别繁忙，因此事故处理尚待时日，年三十之前能不能定案还是一个未知数。沉浸在巨大悲痛中的孙东林肯定不能待在兰考等待交警处理事故，他要在今晚就赶回老家黄陂泡桐。

2010年2月11日下午5点，兰考县人民医院太平间。

孙东林瘫坐在哥哥的遗体前，泪水滂沱，泣不成声。

"哥哥啊，不是弟弟心狠，我不能在这里陪你。今晚我就赶回老家为工友们发钱，替你完成遗愿，不然你躺在太平间也不会太平的。"

理了理哥哥额前凌乱的头发，抚摸着哥哥冰冷的面庞，孙东林淌着泪水，告别长眠的哥哥，携带着26万元现金连夜往老家赶。

2010年2月11日，腊月二十八夜晚。

京珠高速公路上积满了白天融化的雪水，被夜晚的寒气摧残着，雪水迅速凝结成薄冰，在荧光漆的映射下闪着幽怨的光。

司机小张驾驶着汽车小心翼翼地在高速公路上行驶着，坐在后排的孙东林心里焦急万分，平时只需要四个多小时就能到武汉，按照目前的车速，恐怕十个小时也回不了家。

"小张，还能开快一点吗？"尽管孙东林知道司机小张已经在以最快的速度朝武汉赶了，他还是忍不住催促他再快一些。

可路面已经结冰，车速过快容易出事故，不管怎么样，安全才能回家。再说，现在高速公路上车辆很多，所有的车辆都开得比平时慢很多。

小张从后视镜里看着东林哥憔悴焦急的面容、通红的双眼，听着他已经沙哑的声音，他也心疼他的老板，他的好大哥呀！

从9日上午往河南赶，到今天11日夜晚，三天两夜没合眼的孙东林似乎也苍老了许多，失去亲人的悲痛让他透支着体力。

"前面不远有一个车辆改装厂，等会儿我去把车子改装成火箭，那速度很快，还不担心堵车。”小张诙谐地说。他知道东林大哥太累，想用笑话驱散他心头的悲愁，让他安心地在后座上睡一觉。可无济于事，孙东林仍旧睡意全无，睁着一双血红的眼睛，不时透过车窗看看高速公路两边的指示牌，他想知道车子进入武汉没有。

一小时过去了，两小时过去了，三小时过去了……十小时过去了……下京珠高速到武汉，再从武汉到黄陂，已经15个小时过去了。

在孙东林漫长的等待中，汽车裹着一路的风雪停在了老家的大门口。

2010年2月12日，腊月二十九上午10点，黄陂泡桐街孙家。

大院依旧那么平整敞亮，院里的桂花树倒长高了不少，浓绿的叶子被积雪覆盖着，绿意从缝隙里流了出来，在阳光下闪着耀眼的光。

隔壁小院里不时传来阵阵爆竹声，小孩子们可等不到除夕的夜晚，提前拿了几挂爆竹，兴高采烈地玩耍着。年前的时候，学校早就放了寒假，大人们要忙的事又太多，他们可没多少空余的时间管孩子，这段时间的孩子最幸福，玩得最野。

看着他们幸福的笑脸，孙东林鼻子一酸。曾几何时，他们兄弟姊妹三人也在这孙家大院这样放肆地笑着、闹着，直到母亲喊他们吃晚饭。那个时候，大哥总是护着他，生怕他摔倒受伤。姐姐孙新平一边哼着儿歌，一边蹦蹦跳跳地跟在大哥屁股后面朝他做鬼脸，逗得他呵呵呵地笑个不停。

几十年的时间眨眼就过去了，如今，小时候的画面仍在眼前，但斯人已去，躺在兰考县人民医院的太平间，尸骨未寒！这怎能不令孙东林悲伤？

听到汽车驶进大院的声音，孙新平率先冲出了大门。

昨天晚上，孙东林回家之前就给她打了一个电话，告诉了他的决定，请求姐姐的支持，一起帮助大哥完成他还未兑现的承诺。虽然刚开始她不同意，怎能将大哥一家丢在冰冷的太平间，不能入土为安，就先回来给工人结工钱？再说，工人们也不是那么不讲情理，工钱年后结也是一样的，难道他们会趁着她家给大哥办丧事的时候讨要工钱？但最终东林还是说服了她——今年我们家过不好年，不能让跟了大哥干了十几年的工友也过不好年，20年来孙家不欠薪。

看着站在大院里的二弟饱含泪水的双眼，孙新平赶紧示意他收起悲伤，免得父母看见跟着难过。

用大手抹了抹双眼，孙东林朝姐姐歉意地笑了笑，笑得那么凄苦，然后跟着姐姐进了堂屋。

堂屋布置得充满了年味。正中央摆着一张方形大桌，桌面上摆放着要贴的春联、门神、爆竹、檀香等，四把长椅围着桌子，扬尘已经打过了，中堂也擦过了，地面扫得一尘不染，房门上已经贴上了倒写的“福”字……

父母在厨房里准备着招待工友们的饭菜，往年的这一天，他们都是这么做的，这是孙家十多年的惯例。虽然两个儿子还未到家，但他们还是习惯了早点预备妥当，说不定两个儿子今天就回来了呢。

母亲掌勺，一边细数着两个儿子爱吃的菜：回锅肉、大蒜叶子炒香干、青椒炒蛋、红烧鱼……一边往沸水里加卤料，脸上的笑容像沸腾的热水。父亲打着下手，劈劈柴，提提水，一大把年纪，脚步依旧欢快，像踩着一阵风。

厨房里飘来的香味在堂屋里升腾，满脸悲伤的孙东林正和孙新平细声地商量着采用什么方式告诉两位老人这个不幸的消息，瞒是瞒不住的，迟早都要面对这一天，还是让他们早点知道，省得二老不必要地担心，熬坏了身体。可是，这青椒炒蛋的菜香一下子让沉闷的气氛更加悲伤、压抑，这是大哥最爱吃的菜啊！每年年终，大哥一回到家，母亲端上桌的第一个菜就是青椒炒蛋，那时候，大哥总像个孩子似的迫不及待地拿起筷子，边吃边做出夸张的表情。

当大儿子水林一家五口车祸丧生的噩耗从女儿和二儿子口中吐出的时候，朴实苍老的宋腊梅差点昏倒在地，要不是二儿子东林早有准备，一个箭步冲上前搀扶着，宋腊梅——一位七旬的老人，听到噩耗后连站着的力量也没有了。

原本以为自己从小就学会了足够的坚强；原本以为用自己吃苦换来了孩子们幸福平坦的人生路；原本以为操劳了一辈子，孩子们都成才、结婚、生子，她不枉此生了。可是，当噩耗传来，这位70多岁的老人瞬间失去了所有支撑自己活下去的勇气。

浑浊的泪水从深陷的眼眶里快速溢出，撕心裂肺的痛哭声在洋溢着年味的堂屋里回荡。宋腊梅一只手臂被东林搀扶着，一只手撑在堂屋的大方形桌上，掌下是大红的春联，这个位置正是每年除夕夜水林吃年饭时落座的地方啊！

水林从小行善积善，老天爷为什么这么心狠，一家五口人全部遇难。被儿子搀扶着的宋腊梅在心里第一次有了对老天爷不公的控诉！

听到噩耗后，老父亲孙金成就一直站在二楼的走道里，身后的椅子上放着一瓶尚未开封过的白酒，这是他特意准备和儿子们吃年夜饭时喝的。自从进入腊月，一向嫌时间过得太快的他反常地抱怨日子过得太慢，天天扳着手指数日子，老伴宋腊梅经常笑他，说他想儿子想得人都不正常了，他也不在意，一味呵呵地笑。

眼睛紧紧地盯着院门口的小路，孙金成仿佛看见大儿子水林正笑着牵着孙子的小手，一家人双脚还未踏进院门，孙子孙女们就已经兴奋地大声喊着爷爷奶奶了。多么温馨的画面！人活到他这个岁数，求的是什么？求的是一家人平平安安、快快乐乐，孙子孙女们围在膝边打闹，儿子媳妇嘘寒问暖。多少回，他从这样的梦中醒来，兴奋中有着担忧，期盼中带着失落。他担忧儿子一家在外地吃苦受累，而每年的聚少离多总是让他感到深深的失落，期盼孩子们有更多的时间团聚在他的身边。

默默的、一动也不动的孙金成没有流泪，他用布满雾气的双眼死死地盯着院前的小路，他相信他的儿子水林一家一定会奇迹般地出现在那里，出现在他的视线里，孙子孙女在院子里疯着、闹着……

堂屋里，刚刚安慰好母亲的孙新平和孙东林正商量着给工人结工钱的细节。有多少名工友没拿到工钱，这个可以找邹文桥，他肯定是知道的。最麻烦的还是借支单在车祸中全部丢失了，有多少工人先前预支过多少工钱，他们现在没有凭据，就算找邹文桥等人问，也不可能全部问清楚。

“车祸周围到处找了吗？借支单找不到，这工钱还怎么发？要是有人瞒报数字，我们也没办法啊！”孙新平急得围着方桌来回不停地踱着。

“那也是没办法的事情。工友们说多少，我们就给多少吧。都是跟着大哥十几年的老工友、好兄弟，相信他们不会多要的。”

中午的时候，邹文桥终于从兰考赶了回来，孙东林和他一合计，共有60多名工友还没拿到工钱。望着压在春联上的26扎现金，孙东林一边让姐姐孙新平马上去武汉取钱，能取多少是多少，一边让邹文桥调出手机里工友的联系电话，通知他们立刻到孙家大院领工钱。

在哭声中结兑

2010年2月12日，农历腊月二十九。

年味已经很浓了。被门前山、屋后山、白虎山三山紧紧怀抱着的仰山庙村，处处氤氲着虎年的气氛。有的人家挂起了灯笼，有的装饰着窗花，有的正在打扫卫生……早起的孩子们，小鸟一般在门前的水泥道上奔跑玩耍；家家户户屋顶的烟囱里正冒出淡蓝色的炊烟，同清晨的冷雾袅绕在一起，形成一道云雾的屏障，将小小的村庄裹在里面。雾气中升腾着各种香味，翕动一下鼻子，你能分辨出年糕的清香、卤菜的辣香、酥骨的油香和腊肉煮豆丝的浓香……

与这样的氛围格格不入的是，在千年古柏树下，坐着一个头发花白的老人，她将头埋在怀里，瘦弱的双肩不住地耸动着。看得出，她在无声地哭泣，泪水湿透了她的衣襟，冷雾濡湿了她的发丝，她的悲痛正在汹涌地宣泄着。

她就是孙水林的母亲宋腊梅。得知儿子一家五口出车祸后，她哭了整整一夜，先是嚎啕大哭，泪水滂沱；后来声音哭哑了，她就嘶哑地哭；再后来嘶哑的声音也发不出了，只能无声地恸哭，哭着哭着昏了过去，醒来时天还没亮。她听见旁边房里的哭声，狼嚎一般，那是她的老伴在哭，一种绝望的男人的哭，一种撕心裂肺的悲怆的哭。

她的眼泪又下来了。

冥冥中，她仿佛听见一声熟悉的声音，那是儿子孙水林的呼唤。声音从窗户外传来，渐渐飘远，隐隐约约，飘飘渺渺，似乎正在向古柏树方向飘去。

“水林！”宋腊梅惊坐起来，匆匆穿上鞋子，推门而出，追寻着儿子的呼唤，不知不觉来到了古柏树下。

儿子的声音消失了，夜色中只有山风呜咽。磕磕碰碰的石头，让宋腊梅忽然惊醒——这只是一个幻觉，儿子没有回来，儿子一家五口还躺在遥远的兰考，那个冰冷的兰考人民医院的太平间里。

“儿子啊！怎么就撇下妈走了啊！”宋腊梅一声号哭，扑倒在古柏树下。

夜色中古柏树显得更加高大，像一个慈祥的老人，接纳了宋腊梅所有的悲痛。噼噼啪啪，从亭亭如盖的树顶上滴落下一颗颗晶莹的露珠，似乎这棵千年的古柏树也神灵般地被感化了，流下同情的泪水。

晨风中传来摩托车的马达声，越来越近，在古柏树下戛然而止。

身材魁梧的孙东林摘下头盔，他眼睛通红，面容憔悴，显然也是哭了一夜。看着埋头哭泣的母亲，他情不自禁地扑倒在母亲脚下，抱着她的膝盖，颤抖地喊出一声“妈”，母子俩抱头痛哭。

良久，宋腊梅才抬起头来，她抬起瘦骨嶙峋的手替儿子擦着眼泪，嘴里喃喃地说:"不哭，咱不哭了——咱不哭了。"

孙东林点点头，擦干泪水，扶起母亲。

宋腊梅说:"你先回去吧，我还想坐一会儿，跟你哥哥说说话。"

孙东林说:"我已经让邹文桥通知工友们，让他们到家里拿工钱来了。哥哥虽然走了，可他承诺过的事，我们要帮他完成。"

宋腊梅猛然醒悟过来，连连说:"对对对，我是伤心过头了。走，我们这就回家！"

2010年3月2日，被"信义兄弟"事迹感动的来自各地素不相识的群众前来送行。（程敏/摄，图片来源：新华社）

宋腊梅说着，刚刚还浑浊的泪眼突然迸发出坚定的光芒。

孙东林将宋腊梅扶上摩托车，发动，向泡桐集镇的家驶去。

这是一间典型的黄陂农村住房。中间是一连三间的大瓦房，两旁是稍稍矮小的厢房，一长两短三截围墙，将三间房连成一个有机的整体。

院子里一棵高大的柿子树，上面还挂着几个红彤彤的柿子。树下，坐着一个约摸40岁的男子，他脸色悲戚，胡子拉碴，一根接一根地抽烟，地上满是烟头，刺鼻的烟雾在他身边缭绕。

他叫孙汉波，是孙水林手下的一个工友。老板一家出了车祸的消息传来后，他一下子倒在地上，他怎么也不敢相信，五条鲜活的生命说没就没了。就在腊月二十七的下午，先行到家的他还和天津的孙水林通过话，孙水林以为他等着钱用，说钱已经向弟弟借到了，回来就发给大家，保证让大伙儿过一个红红火火的虎年。言犹在耳，斯人已去，让他如何不震惊和痛苦？！

老板是为我们死的啊！如果不是担心大家没钱过年，如果不是把大家伙儿的冷暖挂在心头，他怎么会连夜出发，千里奔波，以致死于车祸呢？

孙汉波心如刀绞。

“叮铃铃”，屋里的电话响了，妻子从门口探出头来：“汉波，接电话，找你的。”

孙汉波拿起话筒。电话是邹文桥打来的，通知他到孙水林家里拿工钱。

孙汉波惊呆了！

记得刚听到老板的噩耗时，妻子脱口而出：“完了，工钱泡汤了。”孙汉波吼妻子不该说这样的话，但是内心却和妻子有同样的看法，一家五口，灭门之灾啊，工钱找谁去要？

没想到，老板虽然走了，他的弟弟却站出来，让他们去领工钱。这是一种多么让他难以置信的境界啊！

但是孙汉波啊，这钱你能要吗？不说老板没有赚到多少钱，也不说老板平时对你多么好，时时刻刻关照着你、呵护着你，单说现在老板一家遭遇灭门之灾这个状况，你好意思去拿吗？摸摸自己的良心，你能拿这个钱吗？

不！不能要！孙汉波想清楚了，他果断地拒绝了邹文桥。

邹文桥在电话里叹了一口气，说自己也是这样的想法，可是再想想，老板从千里之外连夜回家是为了什么？不就是为了兑现他“今生不欠来世债，新年不欠旧年账”的承诺吗？如果我们不去领，那不是陷老板于不义吗？如果这样，他在天之灵也是不会答应的。

邹文桥的话让孙汉波愣住了。

是啊！记得有一年妻子突然生病，孙汉波提前从北京赶回老家，因为之前借了孙水林 5 000 元钱，和应得的工钱差不多，因此到结账的时候他并没有出现。但是孙水林却把工钱寄到家里来，他以为孙水林忘了借钱的事，打电话去说清楚，孙水林却说一码归一码，按时发工钱是他的承诺。

蒙眬的泪光中，孙汉波仿佛看见孙水林捧着一沓钱向他召唤：“来吧，这是你应得的。”

“好吧，我马上就来。”孙汉波缓缓地放下电话。

摩托车转过大街，驶进一条窄窄的巷子，停在一栋两层楼前。

孙东林扶着母亲下车，缓缓走进大门。

屋里传来压抑的哭声，那是她的女儿一家在痛哭。阳台的栏杆上，头发灰白的老伴靠在那里，木偶一般，他已经流干了泪水，悲痛到了极限，他的思维像停止了一样，浑身失去了知觉。

宋腊梅推开孙东林扶她的手，理了理头发，清了清嗓子，大声地说：“都给我听清楚了，从现在起，不要再哭了！东林已经通知了工友们，他们一会儿就要来吃年饭，拿工钱，这是喜事，我们不能在这个时候哭，我们要笑，就像水林活着的时候一样。听见了吗？”

仿佛士兵接到元帅的命令，屋里的哭声消失了，女儿一家人从屋里走出来，个个眼睛红肿。

宋腊梅环视着大家，心里刀扎一般难受，她强忍着悲痛问东林：“钱准备好了吗？”

孙东林点点头说：“准备好了，除了哥哥车厢里拿回的 26 万，我手里还有一些，应该差不多了。可是……”

宋腊梅看着孙东林，不知他为何来了个转折。

孙东林说：“可是哥哥的借支单不见了，每个人的账务情况不是很清楚，待会儿怎么发?”

宋腊梅想了想，说:“都是跟着你哥哥干了十几年的乡里乡亲，他们不会乱要的，等会儿就让他们自己凭良心报数吧。”

孙东林点点头，走进一个房间，拿出一个鼓鼓囊囊的大包。

“我们来分工，东林负责发钱，新平负责记账，我负责安排他们吃喝。记住，等会儿谁都不要提水林，免得大家伤心。”宋腊梅指挥着大家。白发苍苍的她将失子的痛苦埋在心底，将威严挂在脸上，让人联想到百岁挂帅的佘太君。

外面传来摩托车的声音，宋腊梅吩咐孙东林将门打开，迎接民工进屋。

第一个进来的，是离孙东林家最近的陈松叶。这个黑瘦的中年汉子，一进门就哭了。本来，他是擦干眼泪跨上摩托车的，一路上他不断对自己说，要忍住、要坚强，不要再让自己悲伤的情绪感染了老板一家，他们太不幸了！可是，一进屋，看见满桌的菜，想到孙水林不可能再尝到自己母亲做的饭菜，不可能再给大家伙儿敬酒，不知不觉地，他悲从中来，痛哭失声。

孙东林上前握住陈松叶的手，用力摇了摇说:“别哭。我们都不哭。”

陈松叶含泪点头，他来到宋腊梅面前，一把握住宋腊梅的手，哽咽着说不出话来。

宋腊梅扶他坐下，说:“今天吃团年饭，要高高兴兴，你是第一个来的，要给后面的做个榜样。”

宋腊梅说完，倒了一杯热茶递给陈松叶。陈松叶捧着茶，泪水却不争气地掉进杯子里。

人陆陆续续地来了。

孙汉波、高满堂、张大个子、孙二牛、邹文桥……一张张熟悉的脸庞上都流淌着泪水，但是他们却强忍着悲痛，不让哭声发出来，生怕一粒石子不慎落在波心，激起满池动荡。

一杯杯热茶摆在大家面前。

孙东林的眼光滑过每一个人的脸庞，最后停在母亲的脸上。

“都到齐了吗?”

孙东林点点头，宋腊梅示意他开始。

孙东林清了清嗓子，说:“今天是腊月二十九，按照惯例，今天是给大家结算工钱的日子，也是大家在我家团年的日子。首先我代表我哥……”说到这里，孙东林猛地一愣，发现自己忘了母亲的嘱托，还是提到了哥哥。

孙汉波一下子趴在桌子上哭起来。

好像传染一样，痛哭声顿时此起彼伏地响起来。

孙东林愣了，眼泪在眼眶里打转，不知怎么面对这个场面。

宋腊梅站起来说：“大家不要再哭了。我是水林的妈妈，水林是我一把屎一把尿地拉扯大的，现在没养我的老就这样走了，我比大家更悲痛、更心疼，我都没哭，大家哭什么呢。今天是个好日子，我们要高高兴兴地做完水林没做完的事。东林，你继续吧。”

孙东林点点头，继续说：“我代表我哥哥，感谢大家的努力工作。今天，我们就像往年一样，先发工钱，再吃团年饭。因为哥哥出了事，借支单也不见了，大家就凭良心，报多少，我们发多少。现在我点名。”

突然，孙汉波站起来，大声说道：“东林，既然借支单掉了，这钱就没法发，我们都是借了钱回来的，也没剩几个，现在水林又……这钱我不要了。”

孙汉波说完就要朝外面走。

陈松叶也站起来往外走。接着，更多的人站起来。

孙东林急忙跑过去拦住孙汉波，有些生气地说：“你这是干什么啊？这些钱，是你们流着血淌着汗挣来的辛苦钱，是你们的孩子婆娘眼巴巴盼了一年的过年钱，是我哥哥求爷爷告奶奶，踏破铁鞋要来的三角债，不就是为了让你们过一个暖和的年吗？你们怎么说不要就不要了？你们这样对得起我哥哥吗？”

“回来，都回来坐下。”宋腊梅也发话了。

孙汉波、陈松叶等人只好怏怏地回来，坐在桌子边。

孙东林拿出名单，开始点名：“高满堂。”

高满堂走过来，说：“我走的时候借了500元，你还给我4 500元就行了。”

孙新平数了一沓钞票，递给高满堂：“满堂哥，您数一数吧。”

“不用了。”高满堂捏着钱，泪水夺眶而出，不断滴落在纸币上。

孙东林继续点名。

工友们一个个上前，捧着属于自己的钞票，泪水在悄悄地流淌。

很快，26万元发完了，孙东林自己的6.6万元也发完了，可是名单上还有好几个没有结算。孙东林皱了皱眉，看了一眼母亲，说："等会儿，我出去办点事，很快回来。"说罢拔腿就往外走。

宋腊梅跑过去拉住他，悄悄地问："是不是钱不够了？"

孙东林见母亲看出来了，只好点点头。

"估计还差多少？"

"差不多一万吧，还有两个人没结。"

宋腊梅："你跟我上楼，我那里还有一万元。"

孙东林急了："不行，那是您养老的钱，我不能要。我去朋友那里借点，很快就回来。"

孙东林要走，宋腊梅却死死地拉住他，小声而坚定地说："这个时候，不要让大家感到我们很为难，这样他们心里会更加不安的。妈还没老，手脚都能动，还不到养老的时候。"

孙东林只好让步，被母亲一拽一扯地拉上楼去。

这一幕，民工们都看在眼里。虽然他们不明白他们具体在争执什么，但是可以肯定地说，一定是为钱的事，钱不够了，他们正在想办法。多好的一家人啊！工友们彼此交换着感激与不安的目光。

不一会儿，孙东林和母亲从楼上下来。

孙东林翻了一页，念道："陈松叶。"

陈松叶坐着不动。

孙东林奇怪地看了他一眼，又点了一下名字。

陈松叶大声地说："这钱我真的不能要。我走的时候借了2 000元，还剩3 000元，但是我跟着水林干了八年，第一年，我手艺不精，导致工程返工，水林损失了不下一万元；后来，水林出钱让我学艺，又是1 000多。再后来我儿子结婚，他借了我2万元，到现在还差5 000元没还，前前后后加起来，我欠水林实在太多了。我本来想，等我手里宽裕了，我一定要报答水林的大恩大德，但是现在他走了，我……"

陈松叶说完捂着脸哭起来，泪水从指头缝里渗出来，滴落在地。

大厅里再次爆发出哭嚎声。

陈松叶的话勾起了大家对孙水林点点滴滴的回忆，仿佛就在昨天一样。

最先跟着孙水林干的高满堂忘不了，孙水林到北京不久，他就打电话要求过

2010 年 3 月 26 日，孙东林（左）和代表孙水林领奖的孙水林的女儿孙云在武汉领取全国五一劳动奖章。（程敏／摄，图片来源：新华社）

去。孙水林说让他等两天，等他安定下来再过去。但是穷得坐立不安的高满堂等不住了，第三天就赶到北京。孙水林自己住在工地的窝棚里，却为他租房子、找工作。一连三个月高满堂都没找到合适的工作，也不肯到工地上出苦力，全靠孙水林护着他……

脾气暴躁的孙二牛忘不了，他刚到工地就和外乡人打架，是孙水林挺身护着他，还给他垫付了医药费，赔偿了别人的损失……

胆小懦弱的马文斌忘不了，他才去工地的时候，有恐高症，不敢爬脚手架，是孙水林陪他一起爬上爬下，鼓励他，搀扶着他，帮助他克服了恐高症。后来，他看上了另一个工地管伙食的山西姑娘，却不敢表白，是孙水林帮他说媒，一次又一次地创造机会，现在，姑娘成了他的老婆。

……

太多了！太多了！多得就像天上数不清的繁星。恩人的恩德和情谊，怎是金钱能衡量的啊！

想一阵，哭一阵，谁也劝不了谁。

在大家的哭声中，所有的钱都结清了。

孙东林望着母亲，一字一顿地说：“妈，一共发了33.6万元，我们家不再差任何人的一分钱，哥哥的承诺兑现了。”

宋腊梅激动地点点头，大声说：“好！放鞭炮！把菜端出来，大家好好吃个年饭！”

鞭炮轰鸣！隔墙的两间大厅里整整齐齐摆了六桌酒宴。每桌十几个菜，堆得满满当当，有黄陂特有的肉糕鱼糕，有红烧肉、土鸡汤、基围虾，还有各色蔬菜，和本乡最隆重的除夕大宴不差分毫。

望着桌上一道道色香味俱全的菜，宋腊梅的眼泪又流了出来。她不禁想起了前天——腊月二十七这天晚上，她像往年一样怀着喜悦的心情，精细地准备着这些菜。肉糕不能太淡了，水林说民工劳动强度大，出汗多，要吃咸点；鱼糕面粉不能掺多了，水林说民工在外地生活不好，回家得原汁原味地好好补补；土鸡要用山药煨，水林说民工身体缺乏维生素，山药营养丰富……还有那个木甑子（甑，蒸饭用的木桶），今年返乡前，孙水林特意叮嘱母亲换个大点的锅焖饭，免得工友们吃不饱。

黄陂有句俗语，叫“吃饱了不想家”。宋腊梅，这个70岁的老母亲，迎接着她漂泊天下的儿女，她要让每一个孩子吃饱吃好，感受家庭的温暖。就这样，她忙活了大半个晚上，准备了丰盛的菜肴，只等孩子们回来吃饭，却没想到，等到的却是让她痛不欲生的消息。

“水林啊！你怎么舍得爹娘，舍得你的兄弟姐妹，舍得这些跟你闯天下的乡亲们啊！”

宋腊梅的心都碎了，为将他们兄弟俩拉扯大，她吃了好多苦啊！

忘不了，为让兄弟俩吃饱穿暖，她独自一人到山上挖蕨根，却被毒蛇咬伤，爬到村口昏了过去……

忘不了，为了挣够兄弟俩上学的学费，她大年三十还在深山里砍柴，听着远处传来辞旧迎新的鞭炮声，她欲哭无泪……

忘不了，两兄弟总是一年四季在外面接活干，只有年底才能回家。孝顺的孙水林总是站在老人的身后，用那把断了齿老人也舍不得扔的木梳子替老人梳头。老人的头发容易掉，孙水林总是格外仔细，生怕弄疼了母亲。边梳头，老人边给他讲那已不知讲了多少遍的俗语：“莫穷得富不得，富得了不得。”“起家有如针挑土，败家有如浪淘沙。”……孙水林总是耐心地听着，点头……

大厅里充满了压抑的哭声。

宋腊梅擦了擦眼角，忽然想起了什么事，转身朝楼梯走去。

宋腊梅来到丈夫孙金成身边。老人还是那副样子，两眼无神，恍恍惚惚，木偶一般靠在栏杆上。他似乎想了很多，又似乎什么也没想。此时的他，心早就碎了，只剩下一副空空的躯壳。

宋腊梅挽起老人的臂弯，轻轻地说：“走吧，伢们都等着，我们陪他们一块团年吧，水林没走，他在看着咱呢。”

老人长长地叹了一口气，在宋腊梅的搀扶下缓缓走下楼梯。

所有人都站了起来。

老人挥挥手：“水林虽然走了，我们还活着，将来还要好好地活下去，大家都是跟着水林干了几十年的好兄弟，我感谢你们。现在，就请大家端起酒杯，好好吃个年饭吧。”

突然，孙汉波一下子跪在地上，哭喊着：“大伯，水林虽然走了，我们还活着，我就是您的儿子！”

“我就是您的儿子！”陈松叶跪下。

“我也是。”孙二牛跪下。

“爹！妈！”

……

顿时，大厅里的人一个一个先后都跪下了，哭喊声惊天动地。

老人的嘴唇剧烈地抖动起来，眼泪大颗大颗落下，他浑身颤抖，连连说：“好好好，伢们，快起来。有你们这句话，我就知足了。快，快起来！”

孙东林含着热泪，将大家一个个扶起来。

宋腊梅擦干眼泪，倒了一点葡萄酒，高高举起：“这杯酒，我代表水林……”

孙汉波打断她，高高举起酒杯：“不，这杯酒，先敬给水林哥，感谢他多年对我们的关心和帮助！愿他在天国安息。”

孙汉波将酒泼在地上。

陈松叶、孙二牛、高满堂等纷纷将酒泼在地上。

宋腊梅也将酒泼在地上，终于禁不住号啕大哭：“水林啊，你怎么这么狠心，让我这个白发人送你这个黑发人啊！”

孙东林和孙新平也都大哭起来。

工友们都掩面而泣。

孙金成拉了拉宋腊梅的衣角，说：“你让大伙别哭，怎么自己带头哭起来？都不要哭了，我们痛痛快快地吃饭喝酒，团团圆圆。”

孙金成夺过宋腊梅的酒杯，给自己斟满，高高举起来，说：“这杯酒，我代表我儿子，我们孙家，给大家拜年，祝大家虎年吉祥，出入平安，发大财！”

孙金成一口干杯，朝大家亮了亮杯底。

“干！”所有人举起酒杯，一口干了，泪水和着酒水，吞进肚子里……

孙东林默默地离开了家，他跑过泡桐集镇，跑过黄孝河，跑过仰山庙，跑到千年古柏树的石台上。他泪水横流，振臂高喊：“哥哥，我可以自豪地宣布，我们孙家不差任何人的一分钱，我们没有失信于人。你在天之灵，安息吧！”

“安息吧——”

“安息吧——”

呼喊声在泡桐集镇的上空，在黄孝河畔，在漫山遍野，在大江南北，久久地回荡着……

（选自湖北人民出版社《起航，信义之船》，
2010年10月出版，作者：寒青）

互联网的大未来

如果把2010年中国互联网产业内发生的许多事件想象成一部电影中的情节，那么这部电影为人们呈现出来的无疑是一场异彩纷呈、震撼无比的“视听盛宴”，这其中“微博爆发”和“团购竞争”无疑是最大的两个看点。

微博爆发，互联网传播潮再起

在微博未爆发之前，在互联网上，以发言自由、表态自由、动员能力强等著称的BBS一直是民意表达的最佳渠道。BBS的历史最早可以追溯到中国互联网正式开通之前，随着中国互联网第一代创业公司新浪、网易、搜狐的创办，BBS迅速成为它们聚集人气的最佳平台。此后，天涯、猫扑、西祠胡同等专业的BBS网站逐渐声名鹊起。人气巨大的BBS网站曾一度被资本视为“宠儿”，天涯曾屡获融资，猫扑和西祠胡同分别被千橡和艺龙收编，而且都卖了个好价钱。

然而，随着微博的兴起，BBS的根基逐渐被撼动。首先，与BBS相比，微博同样具有发言、评论的自由，而且技术门槛更低；其次，微博具有的便捷转发、评论、贴图等功能，使其在表达与响应方面比BBS有了质的提高。2010年，BBS与微博的此消彼长，意味着中国互联网的微博时代已经到来。

世界互联网内最早，同时也是最著名的微博网站是美国的Twitter。Twitter服务于2006年6月由博客技术先驱blogger.com创始人埃文·威廉姆斯创建的新兴公司Obvious推出。最初，Twitter服务只提供向好友手机发送文本信息的服务。到了2006年年底时，Obvious对该服务进行了升级，用户无需输入自己的手机号码，而可以通过即时信息服务和个性化Twitter网站接收和发送信息。

“在微博上，140字的限制将平民和莎士比亚拉到了同一水平线上。”微博的出现，让每一个“小我”都有了展示自己的舞台，引领了大量用户原创内容的爆发式增长。正如Twitter拥趸所认为的，Twitter为世界带来了一个“人人都能发声，人人都可能被关注的时代”。自创建以来，Twitter的价值一路飙升。

在Twitter正式开通后一年左右，2007年，饭否、叽歪、做啥等中国本土的早期微博网站也陆续正式开通了，并迅速聚集了极高的人气。但是，由于一直未能找到有效的营利模式，同时作为独立网站缺乏相关资源等原因，这些网站在运营的过程中面临着政策、资金等诸多方面的风险，更重要的是从2009年开始，微博已经成为各大门户网站的标配。所以，经过几年的发展，这些早期微博网站的市场空间已经逐渐被压缩，或关闭，或出售。

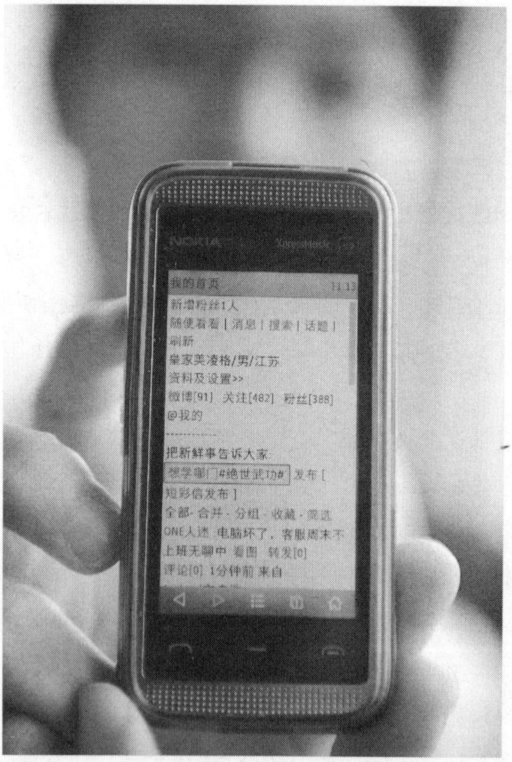

南京大学金陵学院新传媒系2009级的一名学生展示自己手机中的微博内容。
（韩瑜庆／摄，图片来源：新华社）

随着这些早期独立微博网站的“退役”，各大门户网站开设的微博纷纷迅速崛起。2010年，微博开始风靡中国，在再次引领了互联网传播风潮的同时，也改变了万千网民的生活。

四大门户网站中，最先出手的是新浪。2009年下半年，新浪便正式推出了微博服务。成功地运营微博一年之后，新浪微博用户已达到5 000万，每天发布信息2 500万条。值得一提的是，在此前推广博客时所运用的“名人战略”，这一次在新浪的微博推广中同样建立奇功。随着姚晨、小S等娱乐圈名人，任志强、潘石屹等产业界大佬和陈志武等著名学者的相继加入，加之抓住“两会”代表、委员入住微博的热点，新浪微博迅速成为继博客之后名人们新的信息发布平台。同名人博客一样，新浪的名人微博同样取得了显著的成功。而在美国，Twitter 的声名鹊起也与奥巴马、欧普拉和一些 NBA 明星的加入密切相关。

因为微博业务发展顺利，华尔街开始重新审视新浪这一老牌门户，并将其视为“中国的 Twitter”。自 2010 年四五月份开始，华尔街就注意到了新浪微博的影响力，并开始发布研究报告看好其前景。随着 Twitter 估值的一路走高，已经实现了比 Twitter 还要快的用户增速的新浪微博同样被华尔街给予了很高的估值。而新浪方面也表示，不无将新浪微博拆分上市的可能。

新浪微博的成功刺激了本土其他门户网站，搜狐、腾讯、网易等也纷纷开始上马或重新审视微博项目。另外，华尔街对门户的估值普遍大于网游，这也使网游收入占相当比重的搜狐和网易感到了前所未有的压力。

2010 年 9 月，张朝阳亲自上阵主抓搜狐微博，同时喊出了“再造搜狐”的口号。与新浪相同，搜狐所采用的也是“名人战略”。此时，搜狐以往在娱乐圈积聚的超强人脉发挥了关键作用，以赵本山、小沈阳、朱军等人为首的搜狐名人微博开始渐渐发力，对新浪形成了追赶之势。

网易将微博定位为简单的分享。网易微博无论从色彩布局还是整体设计上，都秉承了 Twitter 的简约风格。另外在交互上，网易微博摒弃了新浪微博回复提醒的繁琐功能，而相比于新浪微博的评论内嵌，网易微博采用了 @ 的形式（从留言中带有“@ 名字”的人中筛选出感兴趣的对象，然后将其加入自己的关注列表）进行用户之间的友好交流。

网易微博正式上线半年之后，推出了“i 达人”计划，为首次启用身份识别认证，所有在特定领域有专业影响力的用户都可成为达人。据网易内部相关人士介绍，“i 达人”的目的是帮助用户在微博中找到优质的信息源，而未经验证的用户信息在中国网络环境中会对用户造成干扰。网易采取的这一策略与其他三大门户网站采取的“名人战略”有所不同，意在将微博逐步扩展到媒体、股票、IT、漫画等更大的范围内，同时并通过对关键用户的推荐，吸引其身边的同类型人群，建立起活跃的微博互动社区。

腾讯在微博上采取的战略与新浪也有所不同。他们为微博提出的口号是“与其在别处仰望，不如在这里并肩”。与新浪积极发展认证用户不同，腾讯微博在内测初期加“V”控制极为严格，主打草根路线。

2010 年，经过一年的发展和相互较力，单纯从用户量级来看，腾讯与新浪跑在了前面。新浪微博的用户数量在 2010 年 10 月底便超过了 5 000 万大关，而腾讯在 2010 年年底的用户量更是超过了 8 000 万，搜狐和网易的用户量按分析者预测应该在 2 000 万 ~ 3 000 万人之间。用户数量的差异，体现了各门户网站对微博的不同态度：新浪在微博上可谓倾全公司之力；腾讯奋起直追，欲借助平台优势与新浪争夺第一；搜狐发力虽晚，造势却明显；网易在营销及推广方面则相对表现低调。而在手机客户端的争夺上，各大门户也是相继出招：新浪与中国联通携手向二三线城市推进，并开始积极组建团队，打造新浪微博手机；搜狐则选择与中国移动合作，同时进行了一系列的促销；腾讯则凭借拥有的手机端 QQ 亿万用户，顺利推进手机微博业务；相比之下，网易在手机客户端的争夺中，略显被动。

四大门户网站在微博上面投入力度的不同，与其本身的业务模式与营收比例密切相关。广告收入是门户网站商业化体现的最有力证明，在四大门户网站中，新浪的广告收入占其整体营收的五成以上，搜狐略低一些，在四成左右，而腾讯和网易的份额则更少。所以，对于新浪来说，与媒体相关的业务是生命线，对微博自然全力投入；在门户方面一直比肩新浪的搜狐，在微博上自然会采取积极跟进的战略；而对于以即时通信为主要业务的腾讯，为防止其他产品抢占 QQ 的用户资源，在微博上自然也投入不少；而对于营业收入已严重依赖网络游戏的网易来说，只是将微博视为一个业务调整、均衡结构的改变机遇，所以投入相对较小。

随着四大门户网站在微博战略上的集体发力，本土微博因此聚集了庞大的用户群，同时这一数目还在持续快速增长，而这也必将对中国的社会生态产生极大的影响。2010 年，有理由被称为微博年。从谷歌宣布退出中国内地市场，到潘石屹与任志强利用微博平台互相调侃；从 iPad 正式发售，到犀利哥的风靡网络；从厦门警方求助微博破案，到微博打拐的效果显现……在这些接二连三的突发事件和热点新闻中，微博的表现可圈可点，往往是第一时间通报信息，并不断地在过程中推动事件朝着好的方向发展。

2010 年的微博是传播界绕不开的重大主题，作为普通民众与精英阶层的直播平台，微博已经渗透于社会的方方面面，其所产生的影响力也日渐显现。因为微博的存在，很多人和事件都发生了改变。

血拼团购网：从兴起到恶战

2010年，微博的爆发引发了互联网传播风潮的再一次兴起，亿万网民每天上网的第一件事由看新闻、上QQ变成了上微博。在微博大军中，草根民众成为当之无愧的第一大群体，至此，被称为第五种权力的"民意"再一次被互联网放大。同样是在这一年，互联网中刚刚兴起的一种电子商务模式也得到了草根民众的认同和喜爱，其程度丝毫不亚于微博，这种商务模式就是——团购。

"原价268元的美发套餐团购仅售18.8元。""原价362元的KTV欢唱套餐团

红 灯　　图/高微 新华社发

购仅售 68 元。”“原价 418 元的高档西餐厅情侣套餐团购只要 88 元。”……缤纷多彩的团购活动让“今天你团了吗”成为 2010 年本土互联网上最给力的一句流行语。

团购网站最早兴起于美国。2008 年 11 月，Groupon 正式上线，以网友团购为经营卖点。Groupon 的团购模式归结起来有以下几点：每天一款折扣产品，价格超低，限时抢购，创造需求，冲动消费，变被动为主动。Groupon 并不是一个纯粹的电子商务网站，它是电子商务、web2.0、互联网广告以及线下模式的结合体，收入模式是依靠收取提成。从 2010 年 5 月开始，Groupon 的团购模式开始受到广大用户的青睐，规模开始急速扩大，很快便覆盖了北美、拉美、欧洲等地的 300 多个市场。据相关报道显示，Groupon 2010 年在美国的全年营收为 4.6 亿美元，而在全球这一数额更是高达 7.6 亿美元。

Groupon 的优异表现引起了谷歌的关注。从 2010 年 11 月开始，便传出谷歌意欲收购 Groupon 的消息，而且预计收购金额将超过 30 亿美元。2010 年 12 月 4 日，据国外媒体报道，Groupon 已经明确拒绝了谷歌的收购，决定继续独立经营，并考虑 IPO，而此前谷歌的出价已经达到 60 亿美元（53 亿美元的收购价外加 7 亿美元基于盈利能力的对价付款）。至此，Groupon 的创始人安德鲁·梅森成为继 Facebook 创始人马克·扎克伯格之后，第二个对豪门收购说“不”的人。此前，马克·扎克伯格曾先后拒绝了雅虎、维亚康姆、微软的收购。而安德鲁·梅森拒绝的“底气”正是来自 Groupon 的高速发展和超高的营收能力。拒绝谷歌的收购后不久，Groupon 便获得了新一轮高达 9.5 亿美元的融资。Groupon 将这笔融资主要用在了海外扩张上面，而中国就是其扩张战略中的一个重要据点。

而此时，中国本土互联网内的团购网站也已经形成了一定规模。2010 年 3 月 4 日，国内第一家 Groupon 的模仿者——美团网正式上线。此后，国内的团购网便如雨后春笋般冒了出来：拉手网、乐家网、佳家网、菲乐团、找折网、爱帮团、团火网、58 同城、36 团、24 券、恩多团、心心团、有一团、购物狂、指南针团购网……团购网站的飞速发展不仅吸引了众多初创业者，同时也成为很多传统门户网站的新业务，继搜狐推出自己的团购网站后，腾讯、新浪、网易也相继宣布进军网络团购市场。根据团购导航网的调查显示，截至 2010 年年底，国内的团购网站数量已达 2 612 家，全国平均每日新增十多家团购网站。与此同时，团购模式也日益深入人心，据业内专业人士预计，2010 年整个网络团购市场规模将成功突破 10 亿大关。

网络团购到底有多火爆？2010 年 9 月 25 日，iPhone4 将在中国首发。当日，国内某知名团购网站上海站推出了一项“0 元抢购‘中国联通 iPhone4 合约计划’300 元首发”的优惠活动。参与此活动可获得低于市价 300 元的优惠合约，成功加入合约计划后还有机会免费领取 iPhone4。此举极大地激发了消费者的抢购热情，同时在线用户数超过 100 万人，未满 42 个小时就卖出了 16 万份合约，销售额和订单量均创历史新高。类似这样的销售奇迹，只能算是网络团购能量的冰山一角。

用户和业务的迅猛发展，令团购网站的火爆程度丝毫不亚于当年的社交网站和网络游戏。这种情况下，创投资金自然不会错过投资的良机。2010 年 6 月，拉手网获得来自泰山天使、CFF 天使投资、Rebate Network 及金沙江投资的 1 000 万美元融资；2010 年 12 月，拉手网再获第二轮 5 000 万美元风险投资，投资机构包括 Tenaya Venture 及 Norwest Venture，而第一轮投资人金沙江投资和 Rebate Network 也参与了跟投。2010 年 8 月，满座网获得来自美国著名风险基金 KPCB 公司（Kleiner Perkins Caufield & Byers）的千万美元级别首轮融资；2010 年 11 月，快乐团购网则获得 1 000 万元天使投资；2010 年 12 月，百度宣布战略投资家居建材网购平台齐家网；专业化妆品团购网站 VC 团获得了 2 000 万美元的风险投资；嘀嗒团获得 IDG 2 000 万美元的资本注资。团购网站俨然已成为最被看好的互联网创业方案之一。

团购网为何如此火爆，除了“门槛低，收益高”之外，相关业内人士分析后认为，“三方共赢”是根本原因。所谓“三方”，即客户、商家及团购网站。首先，团购可以让客户（消费者）的利益最大化；其次，对于商家来说，通过团购的方式可以提升自己产品的影响力；最后，团购网因提取交易费佣金而获得收益。

同时，也有许多业内专家提出，本土的团购网站的发展也面临诸多困境并存在着许多隐忧。比如，如何有效整合线下资源，为用户提供永续低廉的产品，如何打破团购商品的区域性限制，如何创造中国化的团购网站商业模式等困境都是亟待解决的问题。而存在的隐忧则集中体现在以下三个方面：第一是诚信危机。因为中国在网络团购方面还没有出台明确的法规，这便导致了消费者在购买过程中及获得售后服务方面存在巨大隐患。而从团购网站的角度来看，也有可能因受到商家的欺骗而导致利益受损。第二是由于网站模式单一、支付方式不合理、合作商家重叠情况严重等因素而导致运营方式的漏洞。第三是饱和危机。过度迅猛的发展，导致的结果是整个市场的容量已经趋于饱和，未来的市场将进入调整期，一些无论从资金还是规模上都相对较弱的小网站将难逃被大网站收购的命运。

2010年的网络团购市场用“疯狂”来形容一点也不为过。门槛低，利润高，加之资本的热捧，让团购市场的整体行业势态呈现出了“非理性”介入与扩张的局面，同时许多网站为“先发制人”，赢得客户，不惜采取免费作推广，甚至亏本做生意的方式与同行竞争，因此直接导致了行业内无序竞争的势态愈发严重。

本土行业内不良竞争的风潮还未退去，2010年年底团购巨头Groupon的高调进入中国也使行业内竞争愈发激烈。Groupon与腾讯联手打造了中文版Groupon团购网站——高朋网。进入中国之后，Groupon便开始实施进军异地市场的惯用策略：收购当地团购公司，且不惜重金进行市场推广，从而在客观上造成当地市场成本、价格高涨。至此，团购网站血战的序幕将再次被拉开，团购的战火将在2011年继续蔓延。

从智能手机到平板电脑：移动网络时代正式来临

2009年，随着国内三大电信运营商中国移动、中国联通和中国电信分获3G牌照，标志着中国移动互联网时代的正式开始。到了2010年，随着8月工信部通过WiFi版iPhone入网认证，中联通开始清理无WiFi功能的iPhone库存，以及9月第一款在中国销售的苹果3G iPhone4的正式发售，标志着中国互联网终端无线上网的最后一道屏障被突破。在三大运营商3G网络快速建设和优化的支持下，无线上网时代阔步到来，而移动应用业务的风行也成大势所趋。

作为推动移动互联网发展的三大运营商在这个领域内自然不会落人之后，纷纷发力。2010年8月，中国电信推出了“天翼数字阅读平台”，同时为2010年制定了覆盖500万终端、实现65万日常用户、形成8万册左右阅读内容的发展目标。此举意味着中国电信正式进入数字阅读市场。与此同时，中国电信还表示出对iPad有着很大的兴趣，并希望能与苹果联手在中国提供iPhone的发售。中国移动方面也在很早之前就表示过，与苹果公司就提供iPhone4进行了相关谈判，希望苹果把中国自主研发的3G技术用于iPhone上。而中国联通也曾就引进iPhone4而赴美与苹果公司进行相关洽谈。三大运营商同时青睐 iPhone，只是中国 3G 火热推进的一个缩影。

从 2007 年 1 月，苹果公司第一代 iPhone 手机面世，到如今 iPhone4 在全球智能手机市场的热销，苹果明星产品的一举一动都伴随着电信运营商的激烈竞争。最终，中国联通与苹果公司达成协议，共同在中国市场推广 iPhone4。

iPhone4 在中国市场的火爆销售，让中国联通赚得盆满钵满。与此同时，中国移动与中国电信自然也不会坐视中国联通独享 3G 手机这个市场，纷纷采取行动。在 iPhone4 进入中国市场之后，中国移动随即表示继 2009 年国际漫游费用降低了 50% 以来，在 2010 年将和欧美运营商商讨，继续降低国际漫游费用，兼顾投资者和消费

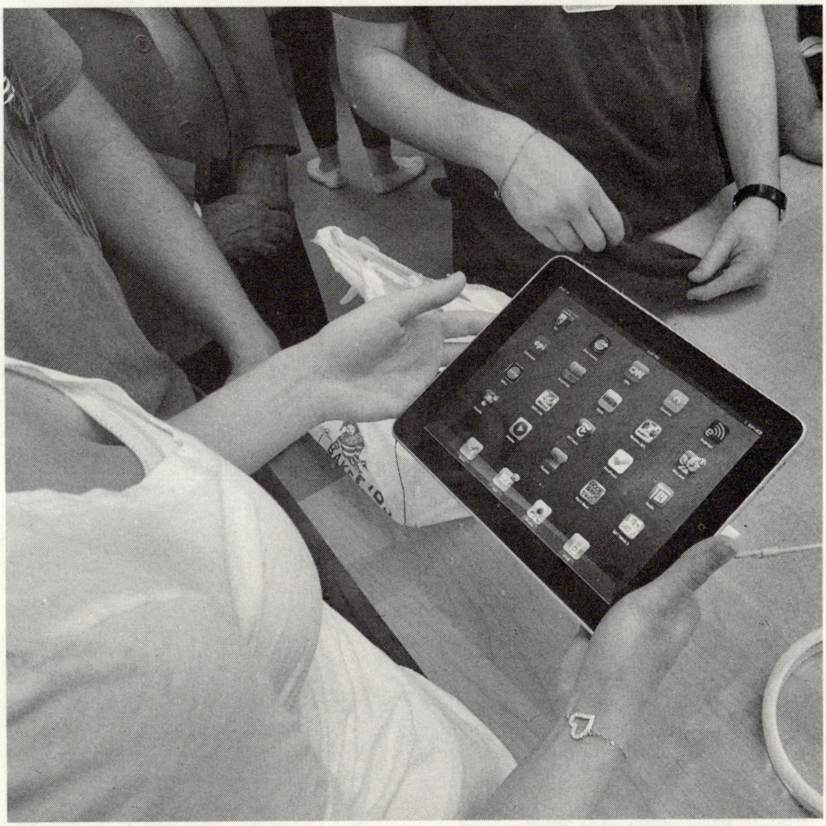

在美国纽约一家苹果专卖店内，消费者正在试用 iPad 平板电脑。
（吴凯翔/摄，图片来源：新华社）

客户两者的利益。中国电信也不甘落后，继与摩托罗拉 XT800 达成协议之后，又联合三星推出另一款旗舰型 3G 智能手机三星 I909，并在销售时采取“100% 返还等额话费”的补贴形式。就此，三大运营商在 3G 手机领域的竞争拉开了序幕。

在终端方面，三大运营商在 2010 年下半年纷纷大规模引入明星终端。中国联通的战略主要表现在增加对 iPhone4 的补贴和一批新套餐的加入。中国电信则四面出击，在成功引入黑莓手机后，顺势引入 Palm 品牌手机。在应用方面，中国移动 Mobile Market 移动应用商场（以下简称 MM）快速占位。截至 2010 年中时，MM 各项运营指标快速增长，同时制定了“100 万个开发者、1 000 万个用户使用、1 亿次下载量”的年度运营目标。

三大运营商动作频频预示着 3G 移动互联网的发展开始迈上快车道，而随着下半年在平板计算机领域的竞争，中国移动互联网产业彻底被激活。

正如苹果的 iPhone4 引爆了国内 3G 手机产业一样，在本土移动互联网内的平板计算机争端中，苹果的 iPad 同样是始作俑者。2010 年 4 月，苹果 iPad 一经面市便在全球掀起一阵平板计算机热浪。短短半年时间之后，苹果 iPad 就在世界平板计算机领域奠定了无人可撼的垄断地位。

苹果 iPad 在平板计算机市场的一家独大，从侧面反映出这个市场蕴藏着巨大的商机。各大 IT 厂商当然不愿眼睁睁看着苹果独享这块巨大的“蛋糕”，因此，市场利益驱动着它们必须作出改变，否则将只能沦为时代的淘汰品。于是，在苹果 iPad 推出之后，RIM（黑莓手机制造商）、三星电子、惠普、摩托罗拉等国外公司以及本土汉王科技、联想、华为、中兴通讯都纷纷宣布将进军平板市场，并在半年至一年之内集体兑现。2010 年 10 月，三星 Galaxy Tab 平板计算机在北美上市。国内厂商中率先发力的是华为公司，2010 年 9 月，Smakit S7 平板计算机正式上市；中兴通讯紧随其后，于 2010 年 10 月推出了 7 英寸平板计算机 V9。

国内外各大 IT 厂商的纷纷加入，已然引爆了平板计算机这块新兴市场的争夺战。而作为国内三大运营商，面对如此巨大的市场诱惑，自然更不会作壁上观，也先后频频发力，毅然挺进。平板计算机俨然成为移动互联网时代继智能手机之后的另一块被抢夺的“阵地”。

三大运营商中，中国电信率先发力。2010 年 6 月，中国电信推出深度定制的 3G 平板计算机“天翼 LifePad”。中国联通紧随其后，凭借与苹果公司的合作关系，3G

版 iPad 强势出击。中国移动自然不甘落后，于 11 月 25 日推出了一款名为“MID”的平板计算机。至此，三大运营商已全数踏入平板计算机市场。

从 iPhone 到 iPad，平板计算机市场的争夺战与智能手机争夺战有着惊人相似的轨迹。首先苹果公司在市场掀起热浪，然后国内外厂商纷纷跟进，从智能手机的明星终端 PK 战，到平板计算机的价格、性能之战，从智能手机的市场激战正酣，到平板计算机市场争夺战的风起云涌，移动互联网战场上的硝烟越来越浓。

从 2010 年开始，随着电信运营商宽带和基站建设的日益完善，智能手机与平板计算机的迅速普及，以及云计算、云服务应用的快速发展，移动互联网时代已经正式到来，中国互联网也将开始新的征程。

（选自机械工业出版社《中国互联网风云 16 年》，
2011 年 9 月出版，作者：武帅）

曹操墓真相

2009年12月27日，河南省文物局在北京发布：安阳县安丰乡西高穴村抢救性发掘的一座东汉大墓，经权威考古学家和历史学家确认为魏武王曹操高陵。2010年1月14日第9届“中国社科院考古学论坛”在北京举行，曹操墓入选2009年中国六大考古新发现。这一新闻成为近几日大街小巷热议的话题，一时众说纷纭。

阴阳两界的证据关联

2009年，一场瑞雪降临豫北之后，中国文字博物馆在安阳开幕。安阳再次成为国人关注的中心。

安阳人为安阳骄傲，暗地里期待着安阳能够博得另一场喝彩。因为考古圈外早已传开，西高穴二号墓很可能是曹操的墓。

但是2009年12月27日以前，西高穴二号墓是曹操墓的说法仅仅在学界内部流传。

随着二号墓发掘接近尾声，谁是该墓的墓主，自然也成为考古界需要回答的问题。考古学家则长时间埋头于论证过程中。

不得不承认，社会各界对于考古学界确认墓葬的墓主身份一直存在某种误解。许多人以为，在确认古墓的墓主这一问题上，大墓一旦掘开，首先应该去查找文献，看看文献中的有关记录。如果文献中提到某个时候某人葬于某地，便以所发现的墓葬去与文献相联系：如果与文献记载对应，则认为这座古墓的墓主就是文献中的某人；如果与文献中的某条记载不合，则认为墓主无法确认。

不妨将这种方法称为“考古实物必须服从文献记载”的方法。

然而这一方法并不科学。

为什么不科学？问题出在哪里？

很简单，这样论证既然以实物资料服从文献记载，必须有一个前提：文献记载确凿可信。

然而事实却未必如此。文献中关于某人或某事的记载，有时候是唯一的，也是正确的；有时候却会出现两种甚至多种相互矛盾的记载；有时候记载不确切；有时候甚至完全是错误的或者虚假的。按照文献记载来解释考古发掘，或者说以实物资料服从文献记录，尽管有时候二者可以很好地对应，但仍存在解释不明，甚至完全错误的危险。

当文献记载存在多种说法的时候，有过一定训练的学者一定会先对文献进行分析整理。剔除不可靠记录，归纳文献记载的主流信息，再通过具有可信度的主流信息来解释考古发现。这是优于依据某些特定文献记载来判定墓主的做法。但是在具体的操作过程中，由于甄别每一条记录的真实性存在困难（遇到文献中的漏记和误记可能更加束手无策），有时候会面对复杂的文献资料而难以确定主流信息。

20世纪90年代，西方考古学界曾强烈批评过某些中国考古学家研究工作中的“证史倾向”，即考古实物资料服从于文献解释的做法。无论中外学者，在如何处理文献记录与实物资料的关系这一点上，都有过沉痛的教训。

因此，考古发现的解读工作应反对简单地套用文献材料，尤其不能抓住某条特定记录来评价某项考古发现的结论正确或者错误。

正确的方法应该首先让考古的实物材料“自己发表意见”，然后将考古材料所得出的结论与文献记载咬合。这种方法的立足点是材料，文献记载属第二位。考古材料“自己发表的意见”在与文献记载相联系之前，完全独立于文献之外。诚然，文献材料本身也必须按文献学的法则进行“去伪存真”的处理，其中的“特定记录”或者“单条文献记载”要服从于从可信文献中得出的“主流信息”。

为什么立足于考古证据？原因很简单，考古材料通常不会是假的，即使有人造假也可以识别。如果汉代一座房屋倒塌后被埋在地下，它仍然是一座真实的汉代建筑。

为什么是“咬合”？

这是因为，考古资料就某问题所提供的信息常常不会是一条，很可能是一条

邺城金凤台，门上匾文为“魏武雄风”。（王文化 / 摄，图片来源：新华社）

“证据链”。每条证据所起的作用并不相同，但每一条证据之间都是相关联的。为保证研究的科学性，不应该使用单条证据，而应该立足考古“证据链”去检验文献中的“主流信息”，观察二者的契合程度，最终得出结论。

西高穴墓葬的“死亡密码”可否与文献中曹操的死亡线索相印证呢？

西高穴大墓是一座东汉末年的墓葬，曹操死在东汉末年。

西高穴大墓无论从规模还是规格上判断，都属帝王一级。曹操虽未为天子，但可以“设天子旌旗”“备天子乘舆”，是东汉末年的实际掌权者。死后按帝王规格安葬也合乎情理。

中国古代帝王十有八九都葬在都城附近。西汉帝陵在汉长安的北面；宋代帝陵在巩义；明代帝陵在北京。西高穴东北 30 里的邺城正好是曹操时期的帝都。曹操自建安九年（204）攻陷邺城后，以此为都 17 年。特别是公元 213 年曹操封爵魏公后，邺城实际上成了全国的政治、文化和经济中心。

从邺城的三台遗址出发，沿漳河南岸向西走不足30里，便是今天的安丰乡西高穴村和渔洋村。西高穴二号墓的位置，从地理上满足了曹操要求他的儿子们“时时登铜雀台，望吾西陵墓田”的要求。而西高穴村一带，本来就是古代邺郡或邺县的一部分。关于这一点，唐代碑刻和墓志铭都可“表态支持”。例如唐朝开元三年的《相州邺县天城山修定寺之碑》，开元七年的《大唐邺县修定寺传记碑》，都铭记位于今安阳县西北的清凉山修定寺属于当时的邺县。西高穴村的位置甚至比修定寺更靠近三台遗址。

西高穴大墓不仅通过其与邺城的相对位置关系与曹操联系起来，而其自然地理位置或地貌特征也与文献中的曹操墓地遥相呼应。

西高穴大墓附近是一处岗地，其地海拔107米，明显高于周围，墓地周围地势开阔，与曹操《终令》中所言的地貌特征完全一致。

曹操所葬地，被曹丕等无意间透露出来与河相近，而西高穴大墓正在漳河岸边。

曹操《遗令》明确提到他的葬地与西门豹祠的相对位置。魏、晋至唐代诸多文献中，似乎也特别偏好拿西门豹祠来说曹操高陵。西门豹祠的实际位置，经过考古调查，已确认就在西高穴二号墓东14里，准确地印证了文献的记载。

时间线索、地理线索均得到了考古发掘的实证。表面上这是破解谜团的两个维度，但其中地理线索方面的印证，其实已经不止是“一对一”的对应，而是“咬合”。漳河、山峦、高岗、邺城、西门豹祠，无不缝接。

西高穴二号大墓地面发现陵园，文献显示曹操下葬时地面建有陵园。

《遗令》显示曹操要求薄葬，不封不树。所谓“不封不树”，指的是不堆封土、不种柏、不立碑。西高穴二号大墓未发现封土，也未发现石碑。

虽然墓葬在被盗的情况下还出土400余件，但多属“常所用”之物。薄葬不等于草葬，更不等于裸葬。西高穴二号墓以帝王等级，随葬这些器物仍属薄葬范畴。

西高穴大墓与曹操“死亡密码”还有几项“唯一对唯一”的排他性对应关系。

公元213年曹操封魏公，216年封魏王，220年正月曹操去世后，入土下葬之前，汉献帝又赐谥号“武王”。仅过八个月，曹丕称帝，曹操又被追尊为“武皇帝”。这一系列称号的变化，竟然也与西高穴大墓的墓主人墓内称“魏武王”，以后称为“魏武帝”相应。这同样是“唯一对唯一”的对应关系。

那么“魏武王常所用挌虎大戟”会不会是曹操生前将自己用过的“大戟”赐予了某位“爱将”，“爱将”死去后，将曹操赐予的“大戟”随葬于自己墓葬中呢？例如，如果张辽或者许褚生前获得了曹操的几件武器，张辽或者许褚死后，将武器作为“荣誉”，贴上标签随葬于自己的墓葬之中。

如果真这样，“魏武王常所用挌虎大戟”岂不正好成了否定西高穴二号大墓是曹操墓的铁证？

这个问题听起来刁钻，实际并不合情理。

生前节俭的曹操将其“常所用”之物赠予臣僚，若是一件两件尚可理解，怎么可能赠这么多？如果真有某位重臣有幸获得“魏武王常所用挌虎大戟”，他又有何理由、有何能力按帝王规格为自己建一座墓？

帝王规模的大墓中出土有“魏武王”石牌的墓主可能性最大的就是曹操。

墓主下葬时称“魏武王”，但鲁潜墓志却称“魏武帝”。中国浩如烟海的古代文献里，能够符合生前称“魏王”，死后称“魏武帝”者，仅曹操一人。

曹操生前的某些个人习性在西高穴墓葬中也有所反映。

西高穴二号墓出土了铁铠甲、铁剑、铁戟等兵器，曹操戎马一生。

西高穴二号墓出土了“慰项石”，文献记载曹操有头痛病。

西高穴二号墓内出土了铁刀，文献记载曹操生前曾亲自打制“百辟刀”。墓中之刀虽未见“百辟”之名，但墓主对刀的钟爱已得证实。

西高穴二号墓出土了刻有“香囊卅双”的石牌，文献记载曹操生前的确熏香。墓内文物与曹操生前的事迹又一次关联起来。

西高穴二号墓除发现男性墓主外，又在后室的两个侧室中各发现一具棺木，并发现两具女性头骨。文献中的曹操曾有妻子或女人多名。

细节之间的相互条件满足，加强了西高穴大墓与曹操之间的对应关系。

那个死在东汉末年、葬在邺城西30里高岗上、具有帝王级地位、实行了薄葬、头部有病、下葬时为魏武王、以后被人称为魏武帝的人，只能是曹操！

那个生前使用“百辟刀”、死后有铁刀随葬的人，只能是曹操。

那个生前熏香、死后随葬有香囊的人，只能是曹操！

西高穴大墓的墓主是曹操，则墓内那具60岁以上的男子只能是曹操。因为曹操死时正好66岁。

安阳西高穴，此处葬曹操！

疑问解消之后的疑问

曹操墓为什么没有葬在许都或亳州

公元 196 年，曹操迎汉献帝刘协至许都。220 年，曹丕受禅代汉称帝，建立魏国，改许为许昌。三国魏虽徙洛阳，但其宫室武库却仍在许昌，并列许都为其五都之一。

许都故城遗址，位于许昌县张潘乡古城东南、营王村东。许都平面呈方形，城垣东西宽 1 300 米，南北长 1 500 米。但现今东、西、南三面城垣因历年烧砖被挖成了平地，仅北城墙还有一段蜿蜒起伏，残垣清晰可辨。遗址内坐落着盆李和甄庄两个自然村，其中甄庄村发现排水管道，历年还征集到铜戈、铜矛、铜爵、铜觚等遗物。城的西南隅还出土有四神柱础、龙虎纹青石方板、石碾、“万世千秋”“千秋万岁”瓦当等，应是汉魏许都宫廷建筑遗物。

文献中未见曹操死后葬于许都的记载，迄今也未闻许都遗址附近有曹操冢。

曹操迎献帝于许都后即开始东征西讨，他在许都的时间主要是其中年时期。公元 204 年夺取邺城后，邺即取代许都成为当时的政治、军事和文化中心。曹操的老年时期主要住在邺城。因此最终曹操选择了邺而未选择许。

亳州是曹操故里。

曹操刚刚起兵时，家乡亲族曾经给予他强有力的支持。但各种文献中，均无曹操葬于谯（亳州）的记载，也没有证据证明曹氏宗族墓中有曹操本人的墓葬。

魏文帝在曹操去世的当年，曾率领大军回过家乡，大宴家乡父老。

现在的亳州有曹氏宗族墓地。据说曹操的祖父、父亲就葬于此。曹氏宗族墓地有东汉墓葬 60 余座，但其中并无帝王级墓葬。已经发掘了 10 余座，据推论其中有曹腾、曹嵩、曹炽、曹胤、曹鼎、曹鸾、曹勋、曹水、曹宪等人的墓。

曹操的家乡虽然在亳州，却并非一定要葬在家乡不可。

古代中国普通百姓死后葬于自己家乡村庄附近，但帝王却以“国”为“家”，死后葬于“国都”附近，这是中国古代帝王选择陵墓墓地的通行原则。所以西汉十一帝葬于西安附近地势高亢的咸阳原、鸿固原、白鹿原；东汉帝王陵墓则在洛阳附近的邙山；唐十八陵则葬在都城长安以北的北山一带；同样，朱元璋也没有葬在老家安徽凤阳而葬于南京紫金山。清朝皇帝也没有葬回东北老家。

曹操未葬在亳州也是同样的道理。

亳州是曹操少年和青年时期有所依托的地方。但中年和老年时期的曹操，与家乡关系渐远，死后不选择亳州安葬实是情理之中。

曹操葬邯郸与葬安阳有何区别

现代行政区划，邯郸与安阳分属河北、河南两个不同省份。没有到过这两个城市的人，或许会以为这是两个遥远的地方。实际上，邯郸与安阳是地理上紧密相连的两个城市。邯郸的磁县、临漳县与安阳的安阳县，中间更是仅有漳河相隔。

如果时间倒回 1 800 年前，河北省邯郸的磁县、临漳县与河南的安阳县同属于邺。

西高穴二号大墓在今天的行政区划上虽然属安阳，但地理位置上距磁县和临漳仅一河之隔。汉魏时期的漳河，曾经在磁县时村营乡中南部和讲武城乡一带绕道往东。从邺都到曹操葬地无水所阻，站在邺城的铜雀台上向西眺望，西高穴一带正属其西部。

曹操葬地只有一处，所以今天争论曹操在邯郸还是在安阳没有意义。今天的安丰乡西高穴村，古代也属邺城西，仅仅是现代行政区划将古代的邺地分割开来了。

考古发现的陵墓墓道。（朱祥/摄，图片来源：新华社）

墓中的石牌究竟做什么用

任何一个时代的墓葬，随葬品的准备都十分讲究，绝非随意放置。

自战国以来，高等级的墓葬，随葬品都是按功能“配置”好的，而且进入墓葬时都要进行登记。用来登记的东西被称为“赗方”或“物疏”。现代学者根据《仪礼·既夕》“书遣于策”的记载，也称之“遣策”。

20世纪60年代中期发掘的湖北江陵望山二号墓是一座战国时期的墓葬。该墓平面呈甲字形，葬具有一椁三棺。虽然被盗，墓内器物仍然较丰富，不含竹简共出土了617件器物，分别放置在墓葬的东室、南室。东室放置祭器、燕器、乐器、兵器、车马器、葬仪用器，如鼎、敦、竹笥、壶、漆耳杯、玉带钩、木俑、漆木瑟、漆木虎座鸟架悬鼓、铜镞、镇墓兽等；南室放祭器、燕器、乐器、车马器、竹简，包括漆木四矮足案、六足案、八足案、漆木大房俎、小俎、漆木勺、铜剑等。无论东室还是南室，功用相同的器物一般放在相近的地方。

其中的竹简有66枚，主要是“遣策”。遣策所记明显有分类，只是出土时多有残断，加上墓葬被盗造成的随葬品缺失，遣策与实际随葬器数并不相符。

墓葬中有随葬遣策、赗方之风在汉代尤盛。以往考古发现的“尹湾汉简”就有“刀二枚”“笔二枚”“管及衣各一”等字样。

西高穴二号墓中的石牌实际上是两种。一种为六边形，比较宽，石牌上中部有一孔，但是没有铜环和铜链相连。上记随葬品名称及数量，如“书案一”“刀尺一具”“圭一”“璧四”“木墨形清”“胡粉二斤”等。这种石牌实际上是“物疏”或“遣策”。曹操本人生前作有《上杂物疏》。

另一种是圭形石牌，记器物名称和器主，却不记数量，而且一牌一物，成对出现。如“魏武王常所用挌虎大戟”石牌、“魏武王常所用挌虎短矛”石牌和“魏武王常所用挌虎大刀”石牌。这些石牌的上部有一孔，孔间有一铜环，环上连一铜链。功能可能与前一种石牌有所不同，是一种特殊的“物品标牌”。这种标牌，在我国尚属首次发现。

为何没有出墓志或印玺

考古学许多墓葬的墓主人判定，都是通过墓志确认的。

墓志是一种载有墓主信息的特殊随葬品，其质地通常是石质、砖质，也有少量铁质或瓷质的。南北朝特别是唐、宋以后的墓葬中，墓志不仅写明墓主人的姓氏，还将其籍贯、年龄、经历一并说明。

曹操高陵为什么没有发现墓志，还是本来有墓志，被盗墓贼盗走遗失了呢？

两汉时有“告地状”，通常书写在木牍上，记录死者姓名、籍贯、丧葬时间、随葬品清单。东汉时，墓葬内又出现墓砖铭，简单地记录死者的姓名、籍贯。墓志即可能由两汉时的“告地状”或“铭文砖”发展而来。

严格意义上的“墓志”的出现，是南北朝以后的事。东汉、曹魏、西晋时，正处在墓志起源的阶段。这一时期墓志的形式和内容都还没有定型（例如晚于曹操墓125年的后赵鲁潜墓志，其内容就未定型）。墓志不是墓葬中的必需随葬品。

中国古代，墓志限于文武百官或中、下层人士使用。皇帝死后用的是“哀册”，以墓志随葬者目前尚无先例。

“哀册”是皇帝的专用祭文。20世纪80年代北京丰台王佐乡史思明墓所出，为汉白玉材质，阴刻文，字口填金。因为史思明在“安史之乱”时称过帝，因此有资格使用。唐乾陵陪葬墓懿德太子墓也出土了哀册，表面上是违背了原则，实际上懿德太子墓是“号墓为陵”，享有皇帝级待遇，故并非违制。

曹操一生未称帝，按制不能使用“哀册”。

因此，曹操高陵中不出土墓志和哀册，都属正常。如果出土了墓志或哀册反倒不合理。

曹操墓中没有随葬印玺，可从曹操儿子曹植的《武帝诔》中找到线索。《武帝诔》记述了曹操下葬时的情景，其中两句特别提到“玺不存身，唯绋是荷”，意思是说，为了严格地遵守曹操的遗令，曹操生前所用的印玺都没有随葬。

既然是薄葬，为什么随有金玉

曹操高陵中发现部分金、银器和玉器，但数量不多。

既是“薄葬”，为什么会有金银？

曹操高陵中所见带入墓内的物品分为两类：第一类是其常所用的物品，多是衣服上的点缀之物；第二类是死后专门为曹操准备的物品。墓葬中的大部分物品实际上都属于第一类。这些金银玉器也当如此，甚至可能是衣物箱笼上的点缀之物。随葬这点东西，并不违反曹操自己定的“金珥珠玉铜铁之物，一不得送”遗令，更不能说明曹操墓实施了“厚葬”。

为什么不采用碳-14或热释光方法断代

碳-14和热释光是考古学中常用的两种测定古代文物年代的方法。为什么曹操高陵的年代测定没有采用这两种方法呢?

这主要是由于这两种方法的局限性与学术界对曹操墓年代精度的要求造成的。

无论是碳-14方法还是热释光方法，所得数据都存在无法消除的“误差”。

高精度碳-14测年数据，最好有系列的测年样品，并能够将结果作“达曼树轮”校正。例如，如果西高穴二号墓出土有一段保存完好的树木，且树木有明显的年轮，便可对每一层年轮提取样品，分别测出一个年代。再以这样一个“系列年代数据”与达曼树轮表对照校正。最终按采自树木最外层的测年样品的年代数据作为“最接近墓葬下葬年代”的数据。

但西高穴二号墓根本就没有树木标本，无法得到系列测年样品，自然也无法获得系列年代。

西高穴二号墓中有棺木，但早已朽于土中，仅存痕迹。即使可用来测年，所获数据的最小误差也在50年左右的范围内（按68%的置信度）。

热释光的误差更大。碳-14测年方法和热释光方法，都只能够给出一个大致的年代范围。就西高穴大墓的测年结果而言，可以预见的范围是东汉后期至西晋时期。如此宽松的年代范围，对于讨论墓主人是否是曹操，根本不可能满足要求。

相反，考古学类型学断代法，特别是文字本身所携带的年代信息，已经帮助我们将西高穴二号墓的年代定在东汉末年。这样的结果满足了研究的需要，再去利用碳-14或热释光测定年代，就属于“画蛇添足”了。

为什么不对墓葬中的人头骨作DNA实验

曹操高陵发现了三具人头骨以及少量人体的肢骨。墓葬本身的“内证”已可证明其中年龄60岁以上的男性头骨应该就是曹操本人。

不少人追问：现代科学技术发达，墓葬的骨骼是否是曹操，作一下DNA分析不就可以验证了吗？据说还有曹姓人士自称曹操家族后裔，自告奋勇，愿意为曹操的研究提供比较标本。

又一个类似于要求对文物作热释光的想法。

给西高穴二号墓的人骨作DNA分析，如果不是没有意义，至少也是一个“得不偿失”的建议。

至少有五个理由支持上述说法：

一、人死以后，他的DNA分子会降解，也就是说遗传物质会随着时间的推移不断减少。时间越长，能够从骨骼中提取基因片断的概率就越小。能否从古代骨骼标本中成功提取DNA，很大程度上取决于骨骼的保存程度。曹操高陵中的人骨标本保存都不大好，成功提取的概率很低。

二、人骨DNA的实验，须严防标本污染。西高穴二号墓在下葬以后的1 700余年的历史中，曾经N次被盗。仅2006年以来，便有多批盗墓分子进入过墓室中，甚至连曹操的头骨也被从后室抛置于前室。实验过程中要清除这些污染几乎是不可能的。

三、即便提取DNA成功，又将面临没有可资比较研究的参照标本。而用于比较的DNA标本当然必须是确凿的曹氏后人的。然而1 700多年后的今天，又有谁能说他就是真正的曹操后人呢？

四、西高穴二号墓的其他考古证据已经足以证明其中的男性头骨是曹操，仅仅为了“验证”这一结果没有必要。

五、好的考古发掘工作，必须时刻将文物保护铭记在心。西高穴二号墓中最有价值的文物，既不是“魏武常所用挌虎大戟”石牌，也不是“魏武常所用挌虎短矛”。最重要的文物，无疑将是曹操的人头骨。我们应该以百倍于法国人保护名画《蒙娜丽莎》的努力来保护曹操的人头骨，而现代的DNA测试都是有损试验阶段。我们有什么理由让曹孟德1 700余年后再惨遭破坏呢？

墓葬中的“她们”是谁

西高穴二号墓内埋藏了两名女子。既然墓主是曹操，两名女子显然与曹操关系密切。

这两名“曹女郎”是谁呢？

目前的论证方式，似乎只能作如下讨论：

一是墓葬女性的年龄鉴定结果与文献所载“曹女郎”的死亡年龄是否相符；二是墓内女性的某些生理特征与文献中的“曹女郎”有无线索可以关联对应。

先来看看两名女子的年龄。

对于考古学家来说，只要骨骼保存完好，年龄是可以鉴定的。

以头骨为例，人类在成长过程中，骨骼随着年龄的变化而发生变化，其中人头骨上骨缝的闭合时间便有指标意义。人头骨前部有一条横向骨缝，称为冠状缝。通常人从24岁开始，直到41岁之前，冠状缝会闭合到一起。人的头骨顶部还有一条前后方向的骨缝，称为矢状缝，矢状缝的愈合年龄是22～35岁。当然还有其他骨缝，有的要等到60岁以上才闭合。人类学家可以利用这些指标来推断死者的年龄。

同理，人类骨骼的其他部分也随着年龄而变化，其中一些变化可以用于鉴定死者的死亡年龄。

西高穴二号墓中的两名女子，保留下来的骨骼有头骨、骨盆和部分肢骨。

先后参与西高穴二号墓人骨鉴定工作的，为中国社会科学院考古研究所的王明辉和张君两位学者，他们都具有丰富的骨骼鉴定经验。他们根据骨骼上的“年龄密码”，均判定其中一名女子年龄在20～25岁之间，另一名女子年龄50岁出头。

除年龄可以鉴定之外，女性生前是否有过生育，也会在骨盆上留下“印记”。仔细观察过西高穴二号墓人骨标本的张君坚信，墓内两名女子的骨盆都有明显的生育痕迹。

西汉时，帝与后通常在同一墓地开挖两个墓穴，分开埋入，形成“异穴合葬”关系，例如北京大葆台西汉墓。东汉时，开始出现夫妻葬于同一墓穴的情况，河北定县的刘畅夫妇墓即是如此。这种葬法，称为“同墓合葬”或“同穴合葬”。

西高穴二号墓是由墓主与两名女子“同穴合葬”，在墓室内，两名女子各自独居一个侧室，可知身份不低，不像侍女待遇。

西高穴二号墓中的两名女子，具有三项“硬性条件”：

1. 生前都有较高地位，是曹操亲密的伴侣。

2. 年长者50岁出头，年轻者20～25岁。

3. 两人生前都生过小孩。

曹操生前的众多女人中，谁符合上述条件呢？

曹操的女人，按地位分为数等，地位最高的是王后。按文献记载只有卞后一人。王后以下，有夫人、昭仪以及诸姬。

曹操的这些女人中，最有地位的是丁夫人、卞夫人和刘夫人。

丁夫人是曹操的嫡妻，但一生无出，而且建安初被废，当不在墓中两位女子之列。文献记载说，丁夫人死后葬在许昌，或许间接证明了这一点。

既然西高穴二号墓中的两名女子都有生育痕迹，我们不妨将文献中曾经为曹操生育过子女的“曹女郎”们罗列出来：

刘夫人：生曹昂、曹铄、清河公主

卞夫人（即卞后）：生曹丕、曹彰、曹植、曹熊

环夫人：生曹冲、曹据、曹宇

杜夫人：生曹林、曹衮、金乡公主、高城公主

秦夫人：生曹玹、曹峻

尹夫人：生曹矩

王昭仪：生曹干

孙姬：生曹上、曹彪、曹勤

李姬：生曹徳、曹整、曹京

周姬：生曹均

刘姬：生曹棘

宋姬：生曹微

赵姬：生曹茂

……

最先为曹操生育的是刘夫人。刘夫人去世早，留下儿子曹昂。曹昂便由丁夫人抚养。曹操征张绣时，曹昂不幸被杀，丁夫人每天痛哭不止。曹操忍受不了丁夫人的哭哭啼啼，便将丁夫人逐回老家。丁夫人性格倔强，最终也未与曹操和好。

曹操的女人中，卞夫人最贤，在曹操所有妻妾当中地位最高。

卞夫人生有曹丕、曹彰、曹植、曹熊等兄弟。长子曹昂死后，曹丕等便被曹操视为掌上明珠。卞氏处事谨慎，得体。曹丕立为太子时，卞氏“怒不变容，喜不失节”。建安二十四年（219），曹操去世前一年，卞夫人被立为王后，是为卞后。卞后

性好节俭，不尚华丽，有体恤民苦之心，也甚得曹操赏识。

文献记载，卞夫人生于延熹三年（160）十二月，死于魏明帝太和四年（230）五月，寿约70岁。

如果文献记载无误，则卞夫人死亡时已经年逾古稀。墓室中同葬的两名女子中，年长者也可能只有50岁出头。基于死亡年龄方面的理由，这位生养了后来成为魏文帝的曹丕，在曹操众女人中地位最为重要的卞夫人的确可能并未与曹操同穴而葬。

然而这样的推论是建立在人骨鉴定合乎实际情况的前提下得出的。从体质人类学角度来看，鉴定老年人骨的年龄有时候难以避免某些局限性。由于老年人头骨上的矢状缝、冠状缝和人字缝早在中年以前即已愈合，不排除60岁以上的人头骨与50岁以上人头骨的年龄特征相近。按照科学逻辑，目前应采取最谨慎的态度：卞夫人与曹操同葬西高穴二号墓的可能性较低，但仍无法最终排除这种可能。

其他“曹女郎”中有无能够与曹操墓中的年长女子相对应者呢？

曹操诸妻妾中，杜夫人和环夫人生育子女较多，地位相对较高，死亡年龄也可能稍大。她们也是曹操墓中年长人头骨的“嫌疑对象”。

那位20～25岁的女子，身份同样扑朔迷离。

曹操的众多女人中，留下了死亡年龄记录的不多。

生了曹昂和清河公主、建安初年即已去世的刘夫人，死时年龄应当不会超过30岁。另有一位王昭仪，据说生下曹干不久即去世，死亡年龄也应该不大。而且两人都死在曹操之前，如果曹操死时有意将两人之一的骨殖迁入墓内，则其中一位可能即是西高穴二号墓中的那位年轻女子。

然而，曹操生前女人众多，当前所有的观点都只是推论。两位女子的真正身份可能成为千古之谜。

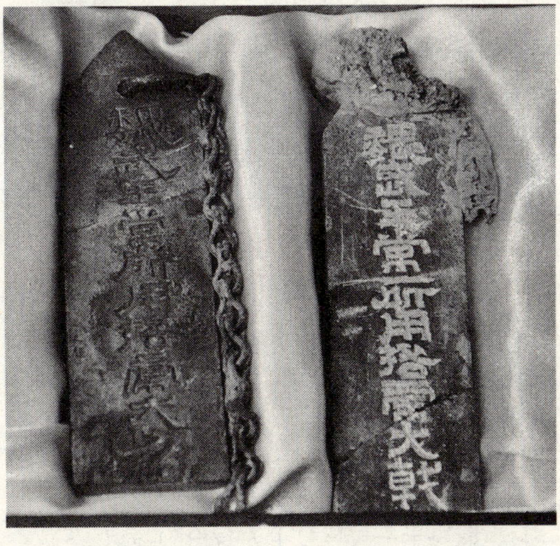

挖掘出土的两块石牌。
（朱祥/摄，图片来源：新华社）

关于卞夫人与西高穴一号墓

卞夫人是曹操诸夫人中唯一封“后”者，她又是曹丕、曹植的生母，地位之隆，曹操所有女人中无人出其右。关于她的葬身之地，不妨多说几句。

卞夫人是琅邪（今山东临沂北）人。家世不显。曹操年轻时，待机家乡。此时的卞氏嫁给曹操，从此跟随在曹操身边。曹操每有征伐，卞氏都随军照料。

关于卞后的埋葬，《三国志·魏书·明帝纪》有“秋七月，武宣卞后祔葬于高陵”的记载。《三国志·魏书·后妃传》所记类似，但说的是“合葬高陵”。

西高穴二号墓北侧有一号墓。坊间有许多人士推测，如果西高穴二号墓（操墓）中未葬卞氏，则西高穴一号墓就很可能是卞氏死后的栖身之地了。

之所以有此推论，一方面是由于《三国志·魏书·后妃传》有“合葬高陵”的记载；另一方面，西高穴一号墓与二号墓之间相距不远，两墓之间似乎形成了“异穴合葬”关系。

很明显，搞清楚卞后到底是“祔葬高陵”还是“合葬高陵”，对于解决卞后的葬地会有所帮助。

有研究者整理古代文献中有关“祔葬”与“合葬”的含义，发现“祔葬”的重要特征是开冢葬入，即先得有人死后下葬，形成了第一个冢，后死者挖开此冢将棺木放入，方为“祔葬”。古代文献中仅见例将“异穴合葬”也称为“柑葬”，它的意思是在主陵旁开了一个小穴，将后去世者葬于旁边。

“合葬”在西汉以前一直指异穴同茔，即在同一墓地内另行开穴埋人。东汉以来，偶尔也有将“同穴埋人”称为合葬的。

无论按《三国志·魏书·明帝纪》还是《三国志·魏书·后妃传》所载，卞后都是死于曹操之后的。按照“祔葬”与“合葬”在绝大多数场合的理解，如果所记“合葬”属实，卞后应是在同一茔地另行开穴埋藏的；如果“柑葬”是真的，则多半应重新打开曹操高陵，将卞后送入已经存在的曹操墓中埋葬。

判定卞后是否葬入二号墓，一方面需要检查二号墓有无“二次打开”的痕迹，同时也取决于一号墓墓主人身份的判定。

《晋书·礼志》中有一条文献，记载曹丕称帝后追加曹操为“武皇帝”，并刻了一方金玺，想将金玺献给曹操。但由于玺是黄金的，如果打开曹操墓室放于墓中，则明显违背了曹操临终前“无藏金玉珠宝”的交代，因而不敢打开曹操墓，只好将金玺藏在石室中，放置在墓道的前端，以保证墓中仍然没有金银器物。

但话又说回来，这条文献虽然提到曹丕不敢打开曹操墓室，但又隐含“若不是黄金玺可能违背曹操‘不藏金玉’的交代，曹丕便将曹操墓室打开了”的意思。因而，这条文献并不能帮助我们判断卞后下葬时是否打开过曹操墓。

在一号墓的墓主人身份判定之前，最好的办法当然是看二号墓有无“二次打开”的痕迹。但卞后死亡的时间距离曹操去世很近，如果当时打开曹操墓，再将墓葬封好，所谓有“二次打开痕迹”在考古发掘过程中是很难确认的。再说，古代也有主墓埋好之后暂时不封墓道的先例。墓道的封填，有时要等若干年后，主墓至亲之人死亡并且移棺墓室，才最终填埋。这种情况下，考古队通过墓道的发掘，完全找不到“二次填埋”的痕迹。

因此，要讨论卞后与一号墓的关系，一号墓的发掘本身是关键。

一号墓中墓主人的判定，其实也受诸多条件限制。其中一个重要条件是墓内的人骨保存要比较好，否则难以进行科学的年龄性别鉴定。

卞后是否葬在一号墓，必须等一号墓完全发掘之后才会有最终的答案。

西高穴二号墓该如何命名

西高穴二号墓既然是曹操的墓，那么，这座墓应该怎样定名最合乎历史实际?

西高穴二号墓发现以来，已经出现过多种名称，如东汉大墓、曹魏大墓、曹操高陵、曹魏高陵。听起来不是问题的问题，似乎已经发生了某种“混乱”。

曹操是个历史人物，他有自己的时代，有自己特定的身份。曹操虽然被尊为曹魏的“高祖”“武皇帝”，但死在东汉末年，故称“曹魏大墓”明显不妥。

《三国志·魏书·武帝纪》:“谥曰武王。二月丁卯，葬高陵。”曹操死后，曹丕等称其墓为“高陵”。

曹植《武帝诔》:“既次西陵，幽闺启路。群臣奉迎，我王安厝。”其中将曹操墓称为“西陵”。这是在“高陵”定性的基础上，加上了地理的概念，因此也是可以的。唐朝以前很多诗人将曹操墓称作“西陵”，是因为他们作诗时均在邺城或者相州。

命名古代大墓，地理位置通常不是首要的考虑条件，基本“要素”是人名与身份。

常人之墓为墓，皇帝之墓为陵。虽然将西高穴二号大墓称为“曹操墓”简单明了，但未将曹操“生前等同皇帝”，死后被追认为“武皇帝”的身份表达出来。比较合乎传统文化的称呼是“曹操高陵”、“曹魏高陵”或“魏武帝高陵”。

考虑到“曹操”在中国人心目中不仅仅是个历史人物的名字，更是一个文化符号，无论西高穴二号大墓如何命名，“曹操”两个字或许都应该保留。

鉴于此，西高穴二号墓的最佳名称应该是——曹操高陵。

附录：曹操高陵发现的前前后后

1988年3月8日，《人民日报》第一版发表《“曹操七十二疑冢”之谜揭开》一文，证实了曹操疑冢实际上是北朝的大型古墓群，并指出其确切数字也不是72座，而是134座。当时未对普通民众产生什么影响，曹操墓的具体位置也还是模糊不清。

1998年4月23日，河南安阳安丰乡西高穴村村民徐玉超在挖土时意外发现一块刻石，长30厘米，宽20厘米，墓志文14行，120字，隶书。后来被称为鲁潜墓志，上面提到“故魏武帝陵”的相对位置，正式开启了今天的这个大发现。

1998年5月14日，“鲁潜墓志”被正式上交给安阳市文物局。这块青石板的孤立发现，专家估计是被盗墓贼扔掉的。当时，包括徐玉超在内的所有西高穴村村民，都没留意到墓志中“故魏武帝陵”几个字。

1998年6月28日，《中国文物报》头版发表《安阳出土十六国后赵鲁潜墓志：具体标示曹操陵墓位置》一文。同月稍早，新华社也已发布类似消息。两文都基本确认所谓曹操墓就在西高穴村，但当时都并未引起公众的关注。

2000年，河北省邯郸历史学会会长刘心长在中国文史出版社出版《曹操墓研究》专著，内容在当地媒体连载，引起了邯郸当地人关注的热潮。刘心长根据文献综合确立一个外部推断曹操墓地位置的证据链条：邺城、西门豹祠和铜雀台，他大胆推断划定了一个跨河南、河北两省面积达五平方公里的“曹操墓园”说。

2002年，安阳市博物馆党宁在《殷都学刊》第4期发表《由“鲁潜墓志”探寻魏武帝陵》一文。按图索骥，推测高陵应在安阳县安丰乡高穴村至渔洋村一带。

2003年，渔阳村民、被当地人称为土博士的龙振山在《华夏考古》第2期发表《鲁潜墓志及其相关问题》一文。该文指出刻石中所提到的“魏武帝陵”是一代枭雄曹操之陵墓。墓志提到鲁潜墓与魏武帝陵的相对位置关系。

上述消息不仅引起了考古学家的关注，也引来了盗墓贼。

2005年除夕，当家家户户都在放鞭炮过春节之时，盗墓者就选了这天晚上去盗掘。这应是近10年来墓穴第一次被开启。因盗洞口的位置隐蔽，和地底距离较近，成为此后这所墓穴被屡屡侵犯的入口。

2006年3月，村民首次发现盗洞，向政府举报。负责南水北调安阳段文物保护工作的河南省文物考古研究所的潘伟斌副研究员被安丰乡党委书记贾振林找到，拉着他去看这座被盗的大墓。他们后来成为这次抢救性考古发掘事件的最主要推动者。这次，潘伟斌从盗洞进入了墓室，根据墓室的大小、高度和构造，判断这座古墓应属于东汉末年的王侯级大墓。他一边要求安丰乡政府将墓穴盗洞回填，加强保护，同时向上级领导作了汇报。但盗洞洞口的回填并没有阻止盗墓者的疯狂盗掘，两年间当地破获盗墓案件就达四起，抓获20余人。

2007年12月底，一个12人的盗墓团伙进入墓穴，挖出一个雕刻有图案的石块，石块裂成三部分，大约有两三百斤重。2008年初秋，安丰乡派出所破获了这起12人参与的盗墓案，追缴了这块画像石。画像石的画面分三层，画面上有仆役、车马、桥梁，还刻绘有一个栩栩如生的蜻蜓，类似《水陆攻战图》，也就是本书所说的《七女复仇图》。

2008年11月，河南省文物局决定抢救性发掘西高穴村东汉大墓，并上报国家文物局获得批准。

2008年12月6日，河南省文物考古研究所正式对安阳西高穴大墓进行抢救性考古发掘。

2009年4月6日，经过几个月的考古发掘，理清了两座墓的平面形状和尺寸。考虑到两座墓葬的规模宏大、规格较高，河南省文物考古研究所召开考古发掘论证会。河南省文物考古研究所所长孙新民、副所长贾连敏到会，他们还请来了曾经在漳河边上发掘过北朝王陵的中国社会科学院专家徐光冀、朱岩石和专门研究汉魏丧葬制度的郑州大学韩国河教授。河南省文物局考古处的处长司治平、副处长杨振威参加会议。会议确认两个大墓之中先行发掘二号墓。随后河南省文物局副局长孙英民到发掘工地要求作细发掘方案，并在发掘之前先搭建发掘保护棚，将一号墓和二号墓置于棚内，以保证文物的安全。

2009年6月4日，在墓道发掘结束，墓室发掘的前夕，河南省文物局再次召开考古发掘诸葛亮会。他们聘请了北京和郑州的专家，专家们一起就墓室的发掘提出了多种发掘预案。

2009年9月25日，河南省文物局局长陈爱兰和考古所所长孙新民一行到发掘现场指导工作，就在这一天，在前室的前部发掘出土了一具人头骨。接着，考古队员又发掘出土了几件陶器、铁器和精美的鱼鳞状铁铠甲。

2009年11月6日，考古队员在墓葬的前室中清理淤土，发现一个残断的石牌上有半个“魏”字。11月11日，发现了“魏武王常所用挌虎大戟”的石牌。数日以后，又发现了两个人头骨和一些零碎的肢骨。

2009年11月16日，国家文物局单霁翔局长考察发掘现场。提出四点指示：

一、注意安全，确保包括人身安全、文物安全、工作站的安全。

二、科学发掘，不要遗漏任何考古现象，工作要细致，要将骨骼作为珍贵文物对待，尽可能地收集和进行人骨鉴定。

三、马上组织专家考察发掘现场、研究出土文物、进行科学论证。尽快拿出结论，统一意见后，尽快召开新闻发布会予以公布。

四、从现在开始就要考虑今后的保护和展示工作。怎样展示，要作好规划，要立足于原址展示，原址保护，作好规划。

2009年11月19日，河南省考古研究所再次请来专家对西高穴东汉大墓发掘成果进行评议。参加人员有中国社科院考古研究所专家徐光冀、朱岩石；陕西省考古研究院焦南峰；中国考古学会常务理事、中国世界文化遗产专家委员会委员陈雍；郑州大学考古文博学院韩国河；河南省文物考古研究所孙新民、贾连敏；河南省文物局孙英民、杨振威；安阳市文物考古研究所孔德铭。

2009年11月20日，孙英民对西高穴大墓的发掘保护及安全问题进行了部署，包括安装铁丝网、监控及文物存放、活动板房等。

2009年12月12至13日，西高穴东汉大墓发掘专家论证会召开。国家文物局文物保护与考古司司长关强陪同，北京大学李伯谦教授，中国社科院历史研究所汉魏史专家梁满仓，国家文物鉴定委员会委员、河南省文物考古研究所前所长、考古与古文字学专家郝本性，中国秦汉史研究会原副会长、历史学专家朱绍侯，中国社科院考古研究所研究员安家瑶、副研究员王明辉等十几位专家来到安阳，参观发掘现场后，进行了一天的闭门讨论。大家从考古学、历史学、古文字学、体质人类学等角度综合论证。论证会认为西高穴二号墓的墓主应为曹操。

2009 年 12 月 17 日，中国社会科学院学部委员、社会科学院考古研究所前所长、汉魏考古学权威学者刘庆柱考察西高穴二号墓，对发掘工作给予指导。

2009 年 12 月 27 日，曹操高陵的发掘及论证成果上报国家文物局，国家文物局同意由河南省文物局向社会公布曹操高陵业已发现的消息。

2009 年 12 月 31 日，针对曹操高陵发现后公众的质疑，河南省文物考古研究所举行了“曹操高陵考古发现说明会”。

2010 年 1 月 11 日，中国社会科学院考古研究所由所长王巍率队，组织 12 位学者到西高穴大墓考察。成员有汉魏考古的一线专家朱岩石、钱国祥、刘振东，有文字学专家赵超、体质人类学专家张君、碳 -14 年代学专家张雪莲、化学专家赵春燕等。

2010 年 1 月 13 日，西高穴大墓考古发掘被中国社会科学院评为 2009 年全国六大考古新发现之一。

2010 年 1 月 14 日，中国社会科学院考古研究所举行“公共考古论坛”，面向媒体及大众解答考古研究的基本程序以及曹操高陵的相关问题。

2010 年 1 月 18 日，国家文物局副局长童明康考察曹操高陵，并对下一步发掘、保护、研究、展示提出了指示。

2010 年 4 月 2 日至 3 日，中国秦汉史研究会、中国魏晋南北朝史学会两会会长及相关专家在河南安阳召开联席会议。会上，文献史学家一致认为考古专家关于西高穴二号墓为曹操高陵的定性准确、判断正确。

（选自 2010 年第 6 期《时代文学》，有删节，
作者：唐际根、张志清、潘伟斌）

云水相望

——《富春山居图》600余年离散录

2010年3月14日上午，国务院总理温家宝在人民大会堂金色大厅与采访全国“两会”的中外记者见面。在回答台湾记者提问时，温总理动情地讲述了传世名画《富春山居图》的故事。

这幅画，一半在台北，一半在杭州，“画是如此，人何以堪。”总理“希望两幅画什么时候能合成一幅画”，用画的合璧寄语两岸的团圆。

从元代绘就至今，《富春山居图》已历600余春秋。人世间沧海桑田，山水依旧，此画却分作两半，翘首相望。一缕乡愁，隔在浅浅的海峡。

人同此心，心同此情。《富春山居图》的传奇故事，蕴含着两岸同胞共同的情愫。

画中兰亭

在位于杭州市中心的浙江博物馆武林馆区，三楼书画展厅，一幅长卷平铺舒展在大型展柜中。LED灯散发的冷光下，画卷上已经泛黄的画纸更显年代悠远。

这幅长卷宽30余厘米，长足有6米，但前后多是题跋，真正的画作只是画心处横51.4厘米、纵31.8厘米的一幅古画。长卷引首处四个大字“富春一角”，道出了这幅古画的显赫身世——它就是温家宝总理提到的中国十大传世名画之一《富春山居图》，不过不是全部，只是“一角”，不足全作的十分之一。这尺许画卷中，淡雅笔墨勾勒出一山一水一丘一壑，自成气象，别有意境。

因为在“两会”上被温家宝总理提到，这幅承载了太多悲欢离合的国宝画作成为万众瞩目的焦点。慕名而来的参观者是幸运的，正在浙博武林馆区展出的“山水之间——黄公望《富春山居图》与馆藏明清山水画”，是《富春山居图》入藏浙博50余年来第四次公开展示，而且时间长达三个月。此前，《富春山居图》公开展出最长的一次为十天，最短的一次，仅仅一天而已。

被浙江博物馆视作“镇馆之宝”首位的《富春山居图》，历来是重点保护对象。对纸张脆弱的古画来说，温度、湿度的变化和灯光直射，乃至每一次展卷，都可能造成无可弥补的损害。因此，《富春山居图》长久以来被深锁库房，妥善保存，很少有人能够一睹其真容。

“以前浙博展出条件欠缺，这幅画很少拿出来展出，直到去年12月底，武林馆区建好后展出条件才有所改善。书画展厅的第一个展览就是‘山水之间——黄公望《富春山居图》与馆藏明清山水画’。”浙江博物馆常务副馆长陈浩说。

在浙博武林馆区，安放《富春山居图》的展柜是从德国进口的，24小时恒温恒湿，连展厅的灯光都选用了光线柔和的冷光源LED灯。这样的展出条件在国内的博物馆中也不多见。于是，《富春山居图》才得以“破天荒”地公开展示三个月。全国“两会”之后，参观者骤增，浙博又临时决定，将展期从3月20日延长到5月20日。

以画作的咫尺片段就堪当稀世珍宝，《富春山居图》究竟是怎样的一幅画呢？

浙博的展板上这样介绍，《富春山居图》纸本水墨，高一尺余，长二丈四尺，是中国古代水墨山水画的巅峰之笔，被誉为中国山水画长卷“第一神品”。图绘富春江两岸秋初之景。开卷描绘坡岸水色，远山隐约，接着是连绵起伏，群峰争奇的山峦，再下是茫茫江水，水天一色，最后则高峰突起，远岫渺茫。山间丛林茂密，点缀村舍、茅亭，水中则有渔舟垂钓。山和水的布置疏密得当，层次分明，大片的空白乃是长卷画的构成特色。笔墨上已显然取法董源、巨然，但更为简约利落。山石的勾、皴，用笔顿挫转折，随意而似天成。清润的笔墨、简远的意境，把浩渺连绵的江南山水表现得淋漓尽致。

“《富春山居图》是元代大画家黄公望晚年的代表作，这幅画有‘画中兰亭’之称。”陈浩告诉记者，“它对中国山水画的意义，就像王羲之《兰亭序》对中国书法的意义一样。”

只是，画中兰亭的真迹已一分为二，天各一方。浙博所存乃画卷前半卷，世人

收藏在杭州的元代黄公望的《富春山居图》残卷。（图片来源：新华社）

称之为《剩山图》。后半卷《富春山居图》又称《无用师卷》，纵 33 厘米，横 636.9 厘米，现存于台北故宫博物院。在稀世珍宝数以百万计的台北故宫博物院，《富春山居图》同样是“十大镇院之宝”之一。

黄公望（1269—1354）本名陆坚。幼年被永嘉（今浙江温州）一位叫黄乐的老翁收为义子。黄乐很喜爱陆坚，初见他时曾言：“黄公望子久已。”所以，陆坚改名黄公望，字子久。

黄公望曾在元大都做过书吏，因上司贪污，他受连累被抓进大牢。出狱后，黄公望改号“大痴”，从此信奉道教，云游四方，以诗画自娱，并曾卖卜为生。

年过五旬的黄公望隐居富春江畔，师法五代宋初的董源、巨然一派，潜心学习山水画，为明清画人大力推崇，成为“元四家”（黄公望、王蒙、倪瓒、吴镇）之首，开启了元明清文人山水画的路子。

《富春山居图》是黄公望 79 岁高龄时开始创作的。一次从松江归富春山居，偕好友无用禅师同行，应无用禅师之求，黄公望就在他的山居南楼援笔作此长卷。但他经常云游在外，而画卷留在山中，只得“逐旋填札”。经过三四年之后才题款，但最后何时完成不得而知。清王原祁在《麓台题画稿》中说是经营七年而成，黄公望自动笔至去世恰恰是七年，堪称呕心沥血之作。

《富春山居图》完成后不久，黄公望就离开了人世。据黄公望在该画上的题款称，他把此图送给了好友——无用禅师。我们因此可知，《富春山居图》的第一位藏主即是无用禅师，从此这幅画作开始了它在人世间600多年的坎坷历程。

大烬余残本

浙江博物馆所藏《剩山图》，是上世纪50年代从中国现代著名书画家、收藏家吴湖帆手中所购。今人所见装裱《剩山图》的《富春一角》长卷，即为吴湖帆整理制作。

《富春一角》长卷的画心《剩山图》，不过长宽几十厘米，但吴湖帆收藏时，在画卷上添加引首（手卷术语，中国书画手卷装裱上所留空白纸方地位，可以在上面题写。因在开卷时首先看到，故以此得名——记者注）、抄录前人题跋、画黄公望像、自述流传经过及题诗等，整幅画卷已长达数米，堪称《剩山图》的全景介绍。

在著名书法家沈尹默楷书题写的引首中，我们可以窥见这幅画作的离奇身世："元黄子久富春山居图卷真迹大烬余残本。"引首后另有加注："此为荆溪吴氏云起楼所藏之本也，前幅尚有数尺已罹劫灰，其后幅久归清内府。"

注中所说"荆溪吴氏"，指的是明末清初大收藏家吴洪裕。"云起楼"乃吴家藏书楼，藏品之中，《富春山居图》是吴洪裕的至爱，为此，他还专门盖了一栋"富春轩"作珍赏之所。

根据画上题跋所记载，《富春山居图》最初是画家为无用禅师所作。一百多年后的明成化年间，此画为著名画家沈周所得。至明万历年间，又归大书画家董其昌所有。不久又转手为宜兴收藏家吴之矩所藏，吴之矩死后传给其子吴洪裕。

吴洪裕对《富春山居图》的喜爱到了偏执狂热的程度，可就是他的这份畸形的爱，险些让《富春山居图》沦为陪葬品。这也就是为人所熟知的《富春山居图》险遭“火殉”的故事。

由于吴洪裕没有儿子，临终前，他便叮嘱家人，要把一生最爱的两件宝——智永《千字文》真迹和《富春山居图》一起投火为殉，使他在九泉之下仍可持有这两件书画作品。（智永是王羲之第七代孙，南北朝和隋代书法大家，书法造诣冠绝当世。其作品尤以《千字文》为多，现今仍有墨迹存世——记者注）

王羲之的《兰亭序》真迹被李世民带入陵墓殉葬，吴洪裕以智永《千字文》和《富春山居图》效仿之，倒是应了《富春山居图》“画中兰亭”之名。只是，这个荒唐透顶的举动，给《富春山居图》乃至中国书画史带来了不可弥补的损失。

当时的著名画家恽寿平在其《南田画跋》中这样记录：

“吴问卿（吴洪裕字）生平所爱玩者有二卷，一为智永《千文》真迹，一为《富春图》，将以为殉。弥留，为文祭二卷。先一日焚《千文》真迹，自临以视其烬。诘朝焚《富春图》，祭酒，面付火，火炽辄还卧内……”

吴洪裕就此安心闭眼，撒手人寰。而就在他转身离开的瞬间，“其从子吴静庵疾趋焚所，起红炉而出之……”

然而由于火势太猛，经吴静庵抢救出来的画卷，已断裂去前面五尺许。中间烧出数个连珠洞，并断成一大一小两段。被烧毁的五尺，画的是城楼隐约，平沙无垠，为富春江口出钱塘的景色；五尺之后才是峰峦云树，坡石起伏，恽寿平称它“凡数十峰，一峰一状，数十树，一树一态，雄秀苍茫，变化极矣”！

吴静庵救出此卷后不久，经由当时极富鉴别能力和修复能力的古董商人吴其贞之手，将烧焦的部分细心揭下，发现还有尺许画卷完好，重新接拼后居然正好有一山、一水、一丘、一壑之景，几乎看不出是经剪裁后拼接而成的，真乃天神相佑。这尺许完好画卷，为吴其贞所得。另外一段长余6米，保留了原画的主体内容，重新修复装裱，仍是一幅恢弘长卷，归为吴静庵收藏。

从此，稀世国宝《富春山居图》分为两段，身首异处。

前段尺许画卷，画幅虽小，但比较完整，因是火焰焚毁的画卷所剩，所以被后人命名为《剩山图》；后段画幅较长，但损坏严重，修补较多。而且，为了掩盖火烧痕迹，原本位于画尾的董其昌的题跋被切割下来，挪至画首。跋中写明《富春山居图》是为“无用师”所画，所以此段被后人称为《无用师卷》。

“剩山”重现

650 多年前，《富春山居图》诞生；350 多年前，该图一分为二。画裂两卷，各表一枝。先说《剩山图》。

流落到古董商人吴其贞手中的《剩山图》，自然免不了被高价转卖的流离命运。1669 年，《剩山图》被清初大收藏家王廷宾重金购得，辑入《三朝宝绘册》。此后辗转于各藏家之手，长期湮没无闻。

《剩山图》再次面世，已是 200 多年后的 1938 年。

原浙江博物馆副馆长汪济英告诉记者，那时候的《剩山图》只是一张古旧的画作，上面无题、无款、无识，很难鉴定:“说起来也是机缘巧合，它被送到当时书画鉴定的大行家吴湖帆眼前。”

当世之时，吴湖帆在中国绘画界、鉴赏界、收藏界都是成就显赫的头面人物。

作为画家，吴湖帆早年与溥儒并称为“南吴北溥”，后与吴子深、吴待秋、冯超然在画坛有“三吴一冯”之称；作为鉴定家，他与收藏大家钱镜塘同称“鉴定双璧”。在上世纪三四十年代，吴湖帆有鉴定“一只眼”的外号，意即“触目立判真伪”，足以想见他在鉴定界的权威性。

而作为收藏家，吴湖帆更是家学渊源，家藏巨富。其祖父吴大澂就是清末知名的画家、收藏家，家学渊源，家藏丰厚。吴湖帆成年后娶苏州名门潘氏之女潘静淑为妻。潘静淑曾祖潘世恩为清道光时宰相，伯父潘祖荫为清光绪时军机大臣、工部尚书，其攀古楼所藏文物富敌东南。潘静淑嫁资中金石字画之巨一时传为佳话。后来吴湖帆的岳父潘祖年又赠之以极其珍贵的宋刻《梅花喜神谱》，吴湖帆居室别称“梅景书屋”，即由此而得名。

话说 1938 年秋，吴湖帆卧病于上海家中。一天，上海古董名店汲古阁的老板曹友卿前来看望他。吴湖帆既是曹的“大客户”，也是他的“顾问”，两人交往日久。曹友卿此行就随身带了一幅刚刚买到的残卷，请吴湖帆“掌眼”。

展卷之下，只见画面雄放秀逸，山峦苍茫，神韵非凡。吴湖帆捧画赏识良久，从画风、笔意、火烧痕迹等处反复研究，断定这就是黄公望的传世名作《富春山居图》的前一部分《剩山图》，当即向曹友卿提出购买。

曹友卿也是行家，一听吴湖帆要买，自然知道这幅画是至宝，不肯转手了。几番交涉，吴湖帆拿出家中珍藏的青铜重器周敦（敦，古代食器），这才换来了这幅残卷。说来稀奇，吴湖帆近一个月的大病，就此霍然痊愈，为此还专门赋诗一首。

不过，汪济英告诉记者，吴湖帆当时判断《剩山图》的主要依据，是凭一个画家和鉴定家的眼睛和见识，要确认无疑还需要相关实物、痕迹辅以佐证。事实上，吴湖帆虽然不惜大价钱换来了残卷，但也没有轻易下结论认定就是《剩山图》，他紧接着做了一系列求证工作。

据曹友卿所说，这幅残卷是从一个画册中拆页所得。这本画册即为王廷宾所辑《三朝宝绘册》，当时流落到江阴一户姓陈的人家，这家人却不识“金镶玉”，将画册拆页零售。

吴湖帆和曹友卿找到这家人，居然从其家中找到了被当作废纸的王廷宾题跋，文中详述了《剩山图》的由来和流转过程。

这篇文章虽然很有史料价值，不过单凭王廷宾为自己藏画所作的题跋，亦不能断定这幅《剩山图》就是当年“火殉”幸存的那尺许残卷。

最终让吴湖帆确认手中残卷就是《剩山图》无疑的，是《富春山居图》的另外一部分——藏于故宫的《无用师卷》。

书法家沈尹默，在其为《剩山图》题眉时注曰:“其后幅（《富春山居图》后半段《无用师卷》）久归清内府，晨岁余与湖帆共预故宫博物馆审查书画之役得寓目焉。”

《剩山图》摆到了吴湖帆面前时，他之所以能一眼将其认出，与他亲眼观赏过同属一卷的《无用师卷》真迹应该大有关系。

此后确认《剩山图》，吴湖帆又找到了这两幅残卷的“血脉联系”。

在吴湖帆装裱的《富春一角》卷上，有一张《富春山居图》前后段画卷连接照片的影印。这幅照片，就是吴湖帆为鉴定《剩山图》所摄。在分别了200多年后，《剩山图》和《无用师卷》以这种特殊的方式短暂重逢。

尽管被人为割裂，但《富春山居图》的神韵没有断开，本是一幅画作的《剩山图》和《无用师卷》，如一奶同胞，自有血脉互通。

《富春山居图》是用六张宣纸连接而作的长卷，每个连接处都有骑缝印章。《剩山图》和《无用师卷》连接处的上端，就盖着一枚吴之矩的白文方印。这枚印章加盖时，《富春山居图》尚是一幅完整的长卷。

虽然《剩山图》经过不同藏家装裱，经过截边，比《无用师卷》窄了 1.8 厘米，但两段画卷合在一起时，这枚印章仍严丝合缝。

那场“火殉”之灾，在《富春山居图》前后两段留下了共同的伤疤。吴湖帆在照片上勾勒出五处火痕。从《无用师卷》向右至《剩山图》，五处火痕几乎等距分布，而且越往右火痕越大。可以想见，当年《富春山居图》卷轴在火中被灼烧的惨景。

中间的一处火痕恰好就在骑缝章之下，两段画作各半。吴湖帆在旁加注：“下方石坡、小树、沙脚，除火痕空处各经补笔外，余皆一气连属。”

自此，《剩山图》归入吴湖帆的“梅景书屋”，他也有了一个新的自称：“大痴富春山图一角人家”。

假作真时真亦假

实际上，吴湖帆能够通过《无用师卷》影印本的比对确认《剩山图》，多少也有一些幸运的成分。因为那时候，《无用师卷》被确认为《富春山居图》真迹也不过四五年光景。此前，它作为乾隆皇帝“御批钦定”的“假画”在故宫存放了近 200 年。

清乾隆十年（1745），一幅《富春山居图》被征入宫。乾隆皇帝见到后爱不释手，不时取出来欣赏，并且在六米长卷的留白处加盖玉玺，赋诗题词。没想到，第二年，另外一幅《富春山居图》又被进贡到了御案上！

这一幅才是黄公望的真迹，即《富春山居图》后大半段《无用师卷》。自遭遇“火殉”之灾被分为两段后，《无用师卷》先后经历了张范我、季寓庸、王鸿绪等几位收藏家，乾隆年间辗转入宫。

而此前，乾隆已经得到的那一卷《富春山居图》，实际是明末文人临摹的《无用师卷》。后人为牟利，将原作者题款去掉，伪造了黄公望的题款。因为伪作题款中说是为“子明隐君”所画，所以这幅画又被后人称为《子明卷》。

事实上，《子明卷》的仿制漏洞并不难发现。元代书画上作者题款都是在绘画内容之后，而《子明卷》却将作者题款放在了画面上方的空白处，这显然不符合元代书画的特点。但乾隆皇帝还是在这个并不高明的伪作上“打眼”了。

有皇帝深信《子明卷》在前，《子明卷》和《无用师卷》究竟孰真孰假？这恐怕就不只是画作的真假问题了。最终，在翰林院掌院学士梁诗正、礼部侍郎沈德潜等几位大臣的附和下，乾隆认定《子明卷》为真迹。不过，他同时作了一个耐人寻味的决定：花了“二千金”把《无用师卷》留在了宫中，列入“石渠宝笈次等”。

此后，梁诗正受命代笔在《无用师卷》上题跋，解释了花大价钱买“赝品”的初衷：“……此卷笔力苶弱，其为赝鼎无疑，惟画格秀润可喜，亦如双钩，下真迹一等，不妨并存，因并所售以二千金留之，俟续入《石渠宝笈》，因为辨说，识诸旧卷……”

乾隆皇帝颇有风雅兴致，一大爱好就是把玩皇宫收藏的历代名画，之后在上面留下题画诗。而《无用师卷》画上，除了这段“御识”，再没有留下任何“乾隆御笔”。

再看《子明卷》，因为深受乾隆喜爱，每观赏一次就题诗一首，先后题了48年、50多处，把画卷上的留白处统统变成了密密麻麻的黑字。就是这样还意犹未尽，最后实在没有地方题字了，乾隆在前隔水题了一句“以后展玩亦不复题识矣”。

《富春山居图》真迹，却以赝品之名得以保全“清白身”，可谓离奇大幸。

乾隆逝后，翰林院编修胡敬等校阅石渠旧藏，《无用师卷》编入《石渠宝笈》三编，但仍无人为其正名。

就这样，这幅真迹不受打扰地在清宫里静静地躺了近200年。直到1933年，北京故宫重要文物南迁，万余箱珍贵文物分五批先运抵上海，暂存至1936年。《无用师卷》、《子明卷》都在其中。

1935年，故宫藏品赴伦敦参加国际展览，吴湖帆任审查委员并负责整理展品，有机会初见《无用师卷》的真容。

有一种观点认为，《无用师卷》、《子明卷》的真假是吴湖帆鉴别出来的。而记者查阅的《吴湖帆日记》、《吴湖帆年谱》、《吴湖帆传》等都没有谈及此事，相信这只是一个讹传。

最先看出两画真伪的，实际上是吴湖帆的弟子徐邦达。徐邦达现在是故宫研究室研究员，中央文物鉴定委员会常务理事，有“国眼”之称。

1933年，故宫文物停放上海期间，徐邦达在库房里看到了这两幅真假《富春山

台北故宫博物院收藏的元代黄公望《富春山居图》残卷局部。（图片来源：新华社）

居图》。《无用师卷》上明显的火烧和修补痕迹、《子明卷》不合规制的题款位置引起了他的注意。经仔细考证，徐邦达推翻了清宫对两幅《富春山居图》的真伪判断，《无用师卷》终于“验明正身”。

吴湖帆得到《剩山图》时，《无用师卷》已是举世公认的真迹。《富春山居图》首尾两段得以互为印证。设若世间仍以《子明卷》为真，则《剩山图》真迹只能是吴湖帆的眼力所判，与《子明卷》对照之下，恐怕真的会“假作真时真亦假”。

《无用师卷》与《剩山图》虽分隔数百年，却气息相通，正名、现世相隔不过几年。冥冥中，《富春山居图》自有神韵相继，画虽断，而魂未分。

此后的十余年中，《无用师卷》与近百万件故宫文物一起，历尽艰辛坎坷，行程数万公里，辗转运抵南京、四川、贵州……至抗战结束后，陆续运回南京，又于1948年底被运至台湾。

从此，将它与《剩山图》分隔开来的，就是那一湾浅浅的海峡。

入藏浙博

《剩山图》居于上海吴湖帆“梅景书屋”中十余年，直至1956年。这一年，吴湖帆将他装裱珍藏的《富春一角》长卷出售给了浙江省文物管理委员会。

吴湖帆何以舍得转让这幅“梅景书屋所藏第一名迹”？据说，当时在浙江省文管会供职的沙孟海获知《剩山图》藏于“梅景书屋”，心情颇不平静。他想：这件国宝在民间辗转流传，因受条件限制，保存不易，只有国家收藏才是万全之策。于是，他数次去上海与吴湖帆商洽，晓以大义。吴湖帆看到新中国政府相当重视书画文物，爱护不遗余力，深受感佩，终于同意割爱。

由于当时经手《剩山图》转让的几位当事人皆已作古，这一段文博界传奇的诸多细节已经无法重现。浙江博物馆副馆长汪济英当时也是文管会成员，他的回忆或可弥补一些片段。

汪济英告诉记者，文管会之所以能够成功收购《剩山图》，与其人员构成有着密不可分的关系。

1953年冬天，转业干部汪济英被分到文管会。作为一个参加过解放战争和抗美援朝的军人，初到这个终日与古物打交道的沉闷机构，汪济英多少有些不适应。但很快，他就被文管会聚集的众多饱学之士所倾倒，至今提起来，汪济英仍对当时一众学者、专家身上所特有的高士风范心神向往。

文管会主任邵裴子，是中国最早一代的留美学生，毕业于斯坦福大学，曾任浙江大学第二任校长，在江浙文化界声望极高，他把一大批文化名人召集到了文管会之中。

文管会成立后不久，因邵裴子身体不好，就由副主任郦承铨主持工作。郦承铨是名动江南的书画大家、鉴定家，20岁出头时就已成名。1949年春天，郦承铨正在台湾大学讲学。听说解放军要渡江了，立刻辞掉教职，冒着纷飞战火赶回来迎接新中国。正是他在任时慧眼识宝，力排众议，拍板决定收购了《剩山图》。

沙孟海先生更是传奇。他是当世中国书法巨擘，曾任国民政府总统府秘书，其二弟沙文求是大革命时期的广州市委秘书长，广州起义时牺牲；三弟沙文汉是新中国成立后浙江省第一任省长；四弟沙文威是中共地下党员，以国民党专员的身份在国民党营垒中隐匿了18年，利用沙孟海的掩护为革命作了许多贡献。

沙孟海与吴湖帆交情较深，收购《剩山图》就由他具体操办。而为了说动吴湖帆，沙孟海还请来了钱镜塘、谢稚柳等书画、鉴定名家从中周旋，还有著名书法家、文物鉴定家朱家济，著名学者、蒋介石“文胆”陈布雷的胞弟陈训慈……

汪济英说，这样一批深明大义的学者名流，都与吴湖帆有着或多或少的交往，在书画艺术、收藏鉴定上又与吴湖帆心有戚戚，这才能让他觉得，《剩山图》转让给国家保存是真正得其所哉。

没想到的是，吴湖帆虽肯出售，文管会要买还是颇费了一番周折。

首先就是价格。吴湖帆要价5 000元，这在上世纪50年代可算是一笔巨款了。

“就《剩山图》来说，吴湖帆的要价不高，甚至可以说是低价转让。”汪济英说，“虽然只是《富春山居图》的一角残卷，但它仍称得上价值连城。”

但对浙江文管会来说，这个价格就太高了。浙江省文管会的职责是调查与保护全省的文物古迹和古籍，但不属收藏单位，因此没有固定的购藏经费。一下子拿出5 000元，文管会全年的经费被占去大半，势必影响其他工作。

另外就是对《剩山图》真伪尚有争议，虽然主要专家都认定吴湖帆所藏为真，但仍有不少人怀疑。个人收藏家花大价钱买了赝品是“打眼”，只能自认倒霉，可要是花公款买到的却是赝品，这个责任由谁来负？

汪济英还曾听说过一个传闻，当时吴湖帆转让《剩山图》有一个条件，搭售一幅元代王蒙的《松窗读易图》。对这幅画的争议更大，几乎是众口一致认定为赝品，买这幅画几乎就会被看作“知假买假”。这又给文管会出了个难题。不过，这幅画此后没有了下文。汪济英说：“也许搭售一说本就是个传闻，也许最后是文管会做通了吴湖帆的工作，总之文管会还是用5 000元买到了《剩山图》。”

最终拍板作出购买《剩山图》决定的，是文管会副主任郦承铨。这个决定可以说是力排众议，当然，郦承铨也承担着极大的压力。汪济英说，他曾在郦承铨的一篇文章中看到这样的记录：“余力主购黄公望《富春图》残卷，谤议朋兴……”

虽然当时有非议，但《剩山图》终于入藏浙江博物馆，如今已成“镇馆之宝”。几十年后，《富春山居图》的这幅残卷公开大展，今人大众亦可近观赏鉴，传世名画也由此幸得其所。

廿年夙愿

前半卷《剩山图》在大陆的浙江博物馆，后半卷《无用师卷》在台北故宫博物院，《富春山居图》承载着太多悲欢离合，也折射着海峡两岸同胞骨肉分离的历史。

浙江省文化厅厅长杨建新从上世纪90年代就开始牵头力推两岸《富春山居图》

合璧，但一路波折，终未成功。

“那时候的两岸文化交流远没有今天这样热络和频繁。”时任浙江省台湾事务办公室主任的杨建新说。当时浙江曾通过各种渠道和台湾沟通，希望两岸《富春山居图》能合璧展出，但没有得到反馈。

于是，杨建新另谋他法，促成了一个“黄公望《富春山居图》圆合活动”——既然两幅真迹还不能走到一起，那就请两岸画家一起来临摹。

1999 年 7 月 13 日至 21 日，这个活动在当年黄公望《富春山居图》的原创作地富春江畔举行。30 多位海峡两岸著名书画家联手临摹了《富春山居图》长卷，一时成为两岸文化交流的盛事。

直到 2005 年，《富春山居图》合璧一事才出现转机。浙江博物馆通过凤凰卫视总裁刘长乐牵线，得到了台湾方面的反馈：浙江博物馆的《剩山图》先去台湾展览，台北故宫博物院的《无用师卷》来大陆展览的事先不谈。

杨建新当时表态，希望实现两岸《富春山居图》的交流，有来有往。浙江博物馆的《剩山图》去台湾展览没有任何问题，但希望台湾方面承诺，台北故宫博物院的《无用师卷》能在适当的时候赴大陆与《剩山图》合璧展出。

“但当时台湾方面连这样一个遥远的承诺都不愿意。”杨建新遗憾地说。

2009 年，两岸故宫博物院在台北故宫博物院合办“雍正——清世宗文物大展”。这是两岸故宫博物院 60 年来第一次合展，其中来自北京故宫博物院的文物有 37 件，包括多幅表现清宫生活的珍贵画像。这也被浙江博物馆视作《富春山居图》合璧展出的一个契机。

浙江博物馆常务副馆长陈浩与台北故宫博物院负责人有过多次书信往来，探讨两岸《富春山居图》合璧展出一事。他告诉记者：“目前台湾方面有些技术性的障碍。《富春山居图》作为台北故宫博物院珍藏的珍贵文物，是七十件限展文物之一，从来不能出馆；另一个方面，台北故宫提出了让我们匪夷所思的‘司法免扣押’要求。”

所谓“司法免扣押”是指台湾方面希望大陆能通过法律，免扣押在大陆展览的文物，言下之意，就是担心他们的文物到大陆展出时被扣留。对此，陈浩回应说：“我觉得台湾方面对这方面的担忧是多虑。我们有《中华人民共和国海关法》，文化部、国家文物局也有文物进出境的管理条例，保证境外进来的物品，包括文物，在六个月之内必须复（运）出境，所以不存在大陆扣押台湾文物的可能性。”

实际上，不要说被视为画作至宝的《富春山居图》，台湾官办的博物馆展品到目前为止还从未赴大陆展出过。而浙江博物馆一直表示可以送《剩山图》去台湾展出，但仍然希望台北的《无用师卷》能来大陆展出。“其意义不仅仅在于展览本身，更在于文化的交流是双向的。”浙江博物馆副馆长陈浩说，“我们希望台北故宫博物院能够走出这一步。”

杨建新介绍，去年台北故宫博物院艺术委员会主任林百里曾到杭州商谈《富春山居图》一事，这也是十年来他第一次和台北故宫博物院高层直接面谈。

杨建新说：“他说有难处，有些事不是台北故宫博物院可以决定的，我说做不了主没关系，我们一起反映，一起争取！”

《富春》合璧待有时

今年全国“两会”上，《富春山居图》再次成为万众瞩目的焦点，两岸《富春山居图》合璧展出之路峰回路转。

全国政协委员何水法在参加今年“两会”时，提交了一份提案，倡议让“分居”海峡两岸的《富春山居图》能回归故里，合璧展示。

全国政协委员、故宫博物院院长郑欣淼认为他的想法很好，有可行性。中国文联副主席冯骥才、中国美协主席刘大为、中国文联书记处书记冯远等政协委员纷纷在何水法的提案上签名。

很快，这成为今年政协会议上的一个热门话题。

3月14日，温家宝总理在回答台湾记者提问时也提到了《富春山居图》。一句“画是如此，人何以堪”，闻者无不动情。

接着，温家宝总理深情殷殷地说：“我去台湾的愿望依旧是那么强烈，因为我认为中华民族5 000年的文化，具有强大的震撼力和凝聚力，不要因为50年的政治而丢掉5 000年的文化。”

温家宝总理的谈话引起了两岸热议，也得到积极响应，给两岸《富春山居图》合璧展出带来了新的曙光。

3月15日，台北故宫博物院院长周功鑫也表示，《富春山居图》是台北故宫的

70 多件重要馆藏之一，每四年轮展一次，目前排定在 2012 年展出，届时将是两画合一的最佳时机。

就在上周六，来自海峡两岸的九位山水画家，在富春江畔共同将《富春山居图》临摹于长卷上，同时还体味古意，试补了原图的残缺部分。与此同时，他们再次发出了两岸《富春山居图》真迹合璧展出的邀约。

同日，以整幅画卷为蓝本的《富春山居图》特种邮票在原创地浙江富阳举行了首发仪式，《剩山图》和《无用师卷》通过这种独特的形式进行了“合璧”。

巧合的是，台湾诗人余光中的名作《乡愁》，也曾以邮票作意象。《富春山居图》的特种邮票，不知可借这幅传世名画寄去几分乡愁?

小时候 / 乡愁是一枚小小的邮票 / 我在这头 / 母亲在那头 / 长大后 / 乡愁是一张窄窄的船票 / 我在这头 / 新娘在那头 / 后来啊 / 乡愁是一方矮矮的坟墓 / 我在外头 / 母亲在里头 / 而现在 / 乡愁是一湾浅浅的海峡 / 我在这头 / 大陆在那头……

（选自 2010 年 3 月 23 日《北京日报》，作者：董少东）

王家岭的诉说

2010年3月28日14时30分左右，由中煤集团一建公司施工的华晋焦煤王家岭矿发生透水事故，153人命悬一线。生死大救援从此展开。

十多个日日夜夜里，无数人参与到救援之中，与时间赛跑，与死神抗争。

不幸之中的万幸：115人经过抢救奇迹般生还；万幸之中的不幸：截至4月11日12时，33名工人遇难、5人被困井下，令人扼腕落泪、悲痛哀伤。

如今，王家岭矿的搜救工作已告一段落。但让人们挥之不去的，是那一声声对生命的呼唤。

宁肯断臂也不能掉下去

不知为什么，这次王家岭矿难特别引人关注。

由于挖煤，因而危险。这句话本身就成问题，却又是残酷的现实。2010年3月28日，在山西南部王家岭煤矿，发生了严重的透水事故。当时，井下有261名矿工作业，中午透水突发，侥幸升井逃生108人，余下153人被困地层深处，极黑极冷，命垂一线。

王家岭上，黄土千层。人们惦记着地穴中生死未卜的矿工，追寻着酿成大祸的原因。王家岭成为一个焦点，网民观战发言，媒体蜂拥而至。据抢险指挥部新闻组长李福明先生相告，奔赴现场报名“挂号”的媒体单位多达63家。我供职的山西作家协会，这时也组建了一支作家小分队，以五名省城作家为主，奔赴王家岭。这五位作家中，我虚长几岁，其余都是中青年。一位鲁顺民，侧重纪实写作，颇多成果；一位李骏虎，小说新获庄重文文学奖；一位黄风，屡有优秀纪实作品问世；一位玄武，笔法新锐，常有非虚构写作。五个人彼此间并不陌生。这次我们采取尊重个性，分头采访，材料集中，由我统一撰写成稿的方法，合力完成这部作品而不是五个单篇。这样做，反映的事件或可全面些，可以更多地采集留存事件史料，有利于读者享读一部较为完整的文学报告。以前，这种合作方法似不多见，而创新尝试总是有益的。

这种合作也要建立在思想观念、文化品质、生活情感相互接近的基础上。山西的作家们，贴近民生悲苦，关注现实问题，有其共通性。你不妨一路读去，我想，你会融入这次沉重的合奏中。

吾等善书而忧于无人读书。在一个漠视诗文的年代，明知无人读书而继续写字，是我们的悲凉。明知无济于事而继续追问，更是我们的愚笨。

人在生死两界间，不过隔着一层窗户纸。灾难来临时，阴阳两界最难分。千米地层深处，事故突然爆发，大水横流，矿工们无法不慌乱。

作家鲁顺民采访了河南矿工李国宇，从而展开了残酷的历程：

我们正在那里打锚杆，水就突然涌来了，谁都跑不脱了。一个矿车罐突然冲过来，里面装着一车渣，让水冲得咣当咣当的。我的老乡张小坡领着我前后瞎跑，水在涨，我们只能往高处爬。水涨得离巷顶不到半米的空间，我只好抓住钢丝，把自己吊起来。张小坡说，你可要活着啊，你要是活不了，我也跳下去淹死算了。还有几个山西垣曲家，也抓住巷顶锚索，把自己吊起来。吊着吊着，就把裤子脱了，用裤带把自己绑在上边。这一吊就是好几天。总共13个人吧，前前后后见不到一个领班干部。

——他们是红旗队的人，显然被困在了一个气泡里。这批人与另外两条巷道的被困矿工不是一回事儿。

顺民采访的另一名矿工是武林果，河北藁城人，被困在另一个巷道中，他说：

我们运输队的人比较分散，那天中午突然停电了，打电话问上边，上边说没事儿，搞维修，一会儿就来电了。事实上那时已经出了事。在正式煤矿，一旦停风停电，肯定是出事故了，应该马上撤。他这个矿不正常，停风停电了，还说是搞维修，结果电没来，大水淹过来了，我们被水逼在后头的高地上。

——这40多个人被困在了运输巷道的底部。

在巷道另一处，还困着八一队的崔进存等人。崔进存讲述了他的险境：

28号那天，我和一个弟兄，潞城家，叫什么我一时忘了，还有一个广西人在一起干活。事故发生时，那个潞城家在后头蹲着，不知他是拉大便还是歇着，我还能看见他，我和广西这个兄弟在一起，他说话我也听不懂。

正干着，看见那水流下来了，我赶紧喊那个潞城家，一回头看不见他了。我赶紧往那个架子上爬，再看他，就是看不见，我估计可能淹死了。那水太大了，而且又是个斜坡井，水冲下来人站都站不住，一下子就把巷道涌满了。

我们和那个广西家在皮带上趴着。很快，皮带架子也淹了，水都到了腰上了。我们就抓住皮带架上面的风带一直往里移动。还有几个矿工，不知是几队的，也爬上来，大伙儿一直往里移动，最后被困在那里。

那个钢丝网不是一格一格的吗？我把自己的胳膊这样掏进钢丝网里面，时间一长，胳膊困得不行，掉下去一次，弟兄们拉我爬上来，穿的衣服都浸湿了，很重，怕跑不动，除了矿灯，东西都扔到水里了。到最后我就穿了一件秋衣。

挂在钢丝网上，又怕掉下去，我就干脆连秋衣秋裤也脱下来，用秋衣把上身和钢丝网绑死，用秋裤把下身跟钢丝网绑死，挽得紧紧的。就那么挂着，赤身裸体在上面挂了六天六夜。还算穿了一条裤衩，要不然就是一丝不挂了。

胳膊不是一直在钢丝网上钩着吗？两三天之后就已经麻木了，右臂还能钩个20多分钟，左臂就不行，一会儿就不行了。臂上的血脉憋得很疼，赶快换成右臂，往进送这个臂，就是直正填进去，直正拉出来，硬抽出来，血脉麻木得厉害，也不能乱动。宁肯断臂，也不能掉下去啊。

就那么挂着，掉下去就没活相。我们每天都眼巴巴地盯着那个水，看下不下去。估计到了第七天吧，看见水位下降了，把皮带架子露出来了。

大家这才从钢丝网上落下来，踩在皮带架子上，想想能逃生了。忽然，看见里面游出一个人来，往前游，结果他还是出不去，前面的水很深。

能从里面游出人来，我们才知道里面还有人，就踩住皮带架子向里面撤退，这才和上百号人聚在一起。我快不行了，就那样躺着，往身上盖了好些煤。你说啥？带班干部？没有，连一个矿上的干部都没有。

在那九天八夜里，我的体力损耗太大，是扶着出来的。再过一个半天，怕就完了。要说矿难，那真是残酷。

出来之后，这个右臂肿得可厉害了，不听使唤，“叭”一下就不知道它要甩到哪里去，它已然不是我的了，指挥不了，没个两三年估计是恢复不了。出来的弟兄，数我的情况严重，胳膊甩过来甩过去。幸亏当时下到皮带架之后，就把秋衣秋裤解开又穿上了。不穿不行啊，里面冷得啊，冻也冻死了，还光着脚。

——这一处的矿工是在六天后才和上百号人聚集在一起的。

作家李骏虎，采访了山西翼城籍矿工郭海军。骏虎说：

事故发生的前夕，郭海军他们处在巷道最前线，开掘进机。突然停风停电后，是责任心和经验让郭海军作出一个决定，他让五个干完活儿的老乡往出走，先上去再说，他带人收拾东西。他说了这话没两三分钟，就听见轰轰的水声，听见前面走的人在大喊，快跑，透水了，快跑！他们就赶快往出跑。这时候，他担心前面的五个人被水冲跑了。

真不该让他们先走！

他有一种绝望的感觉，认为那五个人肯定死了，他说他甚至都要放弃求生自救了。可是他看了看一直跟着他的于建华，还有郭会，又觉得必须把他们带出去。他凭着经验，判断哪个地方应该相对安全点。

水越聚越多，最终形成了一个气泡，恰好把他们包在里面。

太险了。气压和水压相等，他们有幸找到一个气泡区，获得了求生机会。

但水还在涨，涨到下巴了，只有仰起脸来，鼻孔才能露出水面，后脑勺全泡在水里。要是再涨就完了，空间越来越小，氧气已经不够了，一个个都憋得脸红脖子粗，眼珠子往外凸。于建华就说，死掉算了，死掉算了。

作家黄风，采访了来自河南商丘的年轻矿工蔡瑞卿。黄风讲道：

事故发生前后，蔡瑞卿接到队长的电话说：停风了，你们上来吧。于是他就往出走，大约走了二三百米，发现脚下有水了，而且越来越大。他意识到出事了，赶快跳上皮带架子，水也跟着涨过皮带架子，很快就齐腰深了。水越涨越高，他所在的位置，头顶上方，剩下一个20米左右长的空间，聚集了30多个工人，有的扒着锚杆吊在巷道顶上，有的站在皮带架上，还有的站在风筒上。他亲眼看到，一个矿工从风筒上掉了下去，哼都没哼一声就被水吞没了。

黄风采访的另一个被困矿工叫靳晋明，黄风说：

井下透水时，靳晋明刚接完皮带，和其余五个矿工正掏出饼子来吃。饼子是他们带的，下井时每人给带两个。靳晋明刚咬了一口，还没有咽下去，就听到一种奇怪的声响顺着巷道而来，听起来像水，但他并未意识到是水，接着巷道里就传来喊叫声："快跑，透水啦！"

水来势凶猛，像野兽一样，他们赶快往皮带架上爬，爬的时候六个人被冲走两个，一个挣扎着上来，一个不见了踪影。靳晋明吓坏了，拼命地呼喊：大哥快来救我，大哥快来救我！

大哥靳晋忠一过年就把他带来了。那天大哥没有下井。得知井下透水后，和井上所有的矿工一样，靳晋忠慌乱成了一团。大哥在井上呼喊着他，他在井下呼喊着大哥，但是谁也听不到谁。在他们的呼喊声中，水越涨越高。

靳晋明又从皮带架上爬到高处的风管上，然后抓着巷道壁上的铁丝，顺着风管往前爬。漂浮在水中的风管悠悠晃晃的，晋明十分害怕，不停呼叫前后的人，帮帮我，帮帮我！后来，他们爬到一处高地上，和另外的矿工会合到一起，总共有十几个人。人多胆壮，虽然没有最初那么惊惶了，但心仍像猫儿抓着一样，弄不清要被水活活困死，还是能捡一条命出去？

另外还有一对亲兄弟同时落难。老大不住地哭，哼哼嘤嘤的，后悔不该把弟弟带出来，是自己连累了弟弟。弟弟倒是镇定，说真要是出不去，该死就死吧，死哪儿都一样。

黄风采访到一个重要人物，他是王吉明，太原古交市姬家镇人，1987年当兵，1990年退伍，以前在太原西山煤矿打工。

王吉明去年7月底到王家岭，伺候浙江的一个吴老板，吴老板承包了四个队：综二、普二、综三和普三。王吉明在普二队担任副队长，那天他们队有14个人下井。

中午，停电停风了。电话就在他旁边，他给调度打电话，调度说等一会儿。等了一会儿，大约十几分钟，调度打来电话问他哪个队的，他说普二队的。调度说，你赶紧走吧，27队透水啦。

当时，普二队和综二队还有普一队相距十来米远。调度说27队透水了，王吉明便吆喝弟兄们撤离，一起顺着大巷道往出走。大约走了1 500米，就迎头碰上水了，

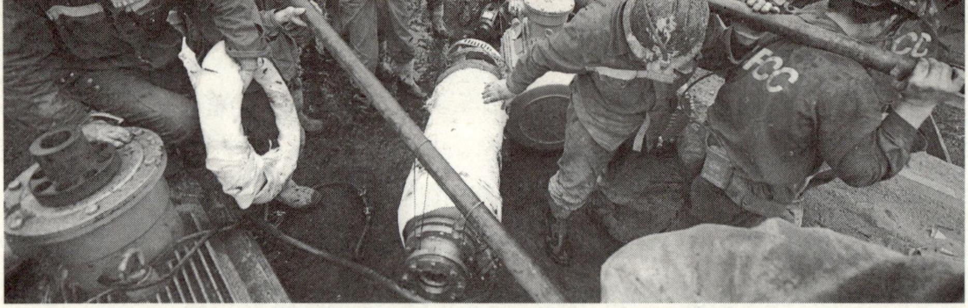

2010 年 3 月 29 日，山西王家岭煤矿透水事故救援人员在泥泞中搬运水泵。
（燕雁 / 摄，图片来源：新华社）

2010 年 4 月 5 日，救援人员将获救矿工抬出井口。（燕雁 / 摄，图片来源：新华社）

水上漂着好多杂物，来势十分凶猛。大伙赶紧爬上运输皮带，水也跟着淹上运输皮带，很快就漫到了矿工们的胸口。王吉明见前边的人出不去，就大声吆喝，说出不去了，赶快往回撤吧。最后撤至他作业的一个左边比右边高两三尺的地方。

王吉明很有经验，还有点儿江湖老大的意思，后来的故事实在出人意料。

作家玄武，采访到来自河南的时关中。时关中对玄武说：

透水时我跑得最快，我们队 30 多个人我跑在最前面。前面水没顶了，又返回来，几个人挂在顶上。有个矿工的帽子漂过来，我用脚踩了一下帽子，帽子沉，当时就觉得不光是个帽子，实际上是个人。

我当时很绝望。心想正好是清明节了，要在清明节里做个鬼，我把遗书都写好了。上面写请工友们见到遗书后转交我队长，通知我家属。我写了两份，一份漂在水上，一份塞在自救器下面。

我给队长这样写的：队长，我尽心尽力地干，你想让我们赚钱，我们不怨你，但请通知我们家属。

我给老婆也写了一句话，我写：老婆，这辈子就这样了。

我以前下过矿，知道矿主黑心，人死了不通知家属是常见的事，也担心我死后别人认不出我。我就在身上写自己的名字，在脸上、胸口、胳臂、自救器下面，能写的地方都写满了。

记不清第几天的时候，有两个人去取水，我听见一声喊叫，说你踩住个死人脸。再就是我和一个二十出头的小伙子去取水，矿灯一晃，那小伙子说快看水里漂的那是啥呀。我一把把他搂在怀里不让他看，他还是个孩子呀。我也不看，但是眼睛的余光还是瞥见了，雪白雪白的，是死人腿。

还有一位遇险矿工任喜忠是当地人。他对玄武说：

在水中坚持 50 多个小时，这期间我落水两次，喝水的声音我自己都能听到，是别人把我拉了上来。

队里的毛忠开，因为其他人占满了位置，在水里站了五个多小时，我和另一个队友把他拉了上来，帮他脱掉湿衣服。

两天后，有个人掉进水里，咕咕地喝水，连叫也没叫一声就没了。他刚沉下去，水就下退了一米多。他叫马六小，太原人，光棍，将近 40 岁。当时我们三四个人伸手拉他，他在下面也伸手，但是够不着。

后来巷子炸开，我们 100 多人会合了。虽然出不去，但是起码不用在水里泡着。

玄武还采访到一位重庆人，叫胡千海。和胡千海一起的，原先有 21 个人，有几个人跑了。胡千海说，也不知他们跑出去没有，活了没有。剩下的人有四个会水，还向前游一下看能不能出去，游了几十米，不行。

水不动时还暖和一点；水一流动，身上冰凉冰凉的。几个人死死把住靠近顶子的什么东西，三四天以后，水退了一米左右，水面漂来一辆矿车，四个人先上去了；一会儿又漂来一辆，另五个人也挤上了矿车。“别睡着！”大家不时地互相提醒，一睡着掉下去，人就完了。又饿又冷，特别冷的时候，他们知道是晚上了，几个人抱在一起取暖。饿了就喝巷里的脏水，水难喝，喝了起口疮。

“看我这脚，”胡千海撩开被子，“刚上来的时候，脚泡得白了，像死人一样白。现在起了老厚一层皮。”

他脚上的皮肤像老树皮一样糙。

玄武还采访了一位来自湖南的矿工王新国，是井下被困矿工中年龄最大的一位，今年 53 岁。玄武从王家岭返回省城太原后，在省人民医院高干病房采访了这位幸存者。当时，住院矿工只剩下王新国一人，其他人已全部出院了。因为有基础性疾病乙型肝炎，他被滞留在医院里继续治疗。王新国 1976 年高中毕业，在矿工中间算个有文化的人，居然还干过七八年村长，而且有写写记记的习惯，字迹端正。住院期间，王新国一条胳膊吊着输液，另一只手执笔，在一个笔记本上写了一份朴素而又珍贵的回忆，讲述了自己亲历事故的过程，甚至还谈了一些大难之后对生命的认识。王新国是这样写的：

我干的是清理巷道浮煤。这个活看起来不重，但实际上很消耗体力。你想，一个班不间断挖锹，老出汗就消耗体力。所以我每天都要带上三斤水下井，到下午就没水喝了。那天干到 12 点到 1 点之间，我将中午饭也就是十个太谷饼分给弟兄们，那天上班，本应该是五个人的食品，有一个老乡没上班，这样五个人的食品四个人吃，我比平时多吃了一个饼。

工作面突然停风停电，我穿上棉衣，带上水瓶杂物一路向出口走去。走了不到300米的样子，脚下就有水一下子漫过膝盖，又一下子上了皮带传送带。游吧！大家就踩着下面的风筒布向前游动。有些人游起来吃力了，将身上的衣、鞋都丢掉了，自救器也都扔了。水漫得很快，整个巷道不到20分钟时间就灌满了。我们这一路20多人，游到一个上顶棚打得比其他地方高出一米的地方，不能再动了。黑暗之中，非常可怕。

我这时用两根皮带、一个上衣，也做成了一个套子，将自己吊离水面。因为只是坐着一根带子，时间一长就勒得屁股发麻胀痛。

我轮流变换各种姿势，缓解身上的麻痛感。这三天三夜，我没有喝井下的水，全部喝自己的尿，凡是排出来的尿，我都不浪费地喝下去。

大概在30日的中午，有一次大的退水，一个小时内水退了80厘米以上。

这时有人用油桶做成筏子，从我们后面的平巷划出来，往前面探路看能不能过去。通过探路，前面还不能过去，于是我们决定转移，重新游回去。大概在31日下午，我们游回到高出水面的平巷，这里已陆续聚集了90多人，都集中在这个平巷里。

有了休息的地方，还有一定的空气（注：有一个用铁管供的高压风始终没有停），我们的求生意识更高了，我自己定下目标，最少要顶上12天！

这样耗到九天八夜，到4月5日下午，我们迷迷糊糊地被呼叫声惊醒……

轮到我坐皮筏子出来。我被放上担架、用被子包好。抬走时，听到一个声音说:“102个啦。”

平时，我这个人爱评判、爱唠叨，言语尖锐，好触及他人痛处，使人难堪，因此知心的人很少。这是我一生的遗憾。我这样的性格，总有叛逆表现，得不到领导重用，因此政治上坎坷，本来年轻时有条件上去，最终落下了。现在想通了，人的一生中，相处各种人，要相互理解，使自己的生存质量提高。

我认为人还是吃点苦好，遇到特殊环境才能熬得住。这次被救出来，医生们都很佩服，毕竟我54岁了。还有一个想法，人要学会一些本领，如游泳、爬山、抓举、跳跃，这些基本功在突发事件中都能派上用场。如在这次事故中，一个山西人由于不会游泳，当转移时，跳下水想游过去，结果被呛了一口水，游了不到三米，就在原地手举了那么两次，沉了下去。这可能是我队里唯一牺牲的人。

最后一个心愿，就是愿所有人都积极面对人生，做一个好人，做一个善良的人，感谢所有的人们！

王新国写得挺好。

这里没有战火硝烟，只有在沉寂无声的宁静中与死神对峙。

矿难，往往比其他灾难更可怕。只因为死神不是瞬间来临，而总是长时间地围困你、折磨你，并且不见天日，无比黑暗。

王家岭矿井走向纵深，并非一味地下坡，而是起伏不平。巷道顺着煤层走，呈上下慢坡形态。当低处灌满水之后，人在里头被堵死了路，根本就出不来。唯一可行的做法，是长时间地等待抽水救援。

矿难极其凶残。无论是冒顶、火灾，还是瓦斯爆炸、煤尘爆炸，包括常见的透水，都可以轻易夺取人的性命。现在，这么多人被困在地层深处，他们的命运实在令人牵挂。

可以铭记的矿难往事

在通往王家岭坑口的山路上，挤满了无数车辆。抢险驰援，刻不容缓。大批交警上路疏导，车流仍旧行驶艰难。即便力保抢险供电的山西电力公司人马，在事故当晚从太原驱车赶来，也被堵在沟壑中了。而29日凌晨2时，国务院副总理张德江将在事故坑口组建抢险指挥部，并召开第一次各方协调会议，具体部署抢险战役，极端重要。因此，许多人不得不弃车步行，在漆黑暗夜中，在山梁小路上，深一脚浅一脚，展开急行军。山西电力的几位头脑，就是在凌晨1时许，大喘着粗气，跑步到达指挥部的。

回看车流拥堵，绝大多数车辆挂着山西牌子，夹杂着一些北京车牌。它们要么是抢险者的，要么是媒体人的，闲杂车辆不得驶入。而偏有一辆“鲁”字头旅行车，来自山东，却屡被关照放行。那车上早已涂遍了泥浆，显系长途奔驰而来。再看车里头，端坐着一位高大的老人，面色凝重，颇多威严。路人相问:“这是惊动了哪一位大干部啊？他会是谁呢？”

这其中的故事可就深了。他曾在深井中被困11个昼夜而生还，他是一位老矿工。

老者名叫高润泽，1935年生，此前在山东淄博地区洪山煤矿就职。他还是一个12岁的少年时，就跟着父亲下井挖煤了。那口井叫作车七井，日军侵华，从这里抢走不少煤。1945年鬼子投降后，国民党军政接管此矿，井上井下已是一派凋零。在持续的战争中，中共大军历经三大战役，剑劈长江以南。“宜将剩勇追穷寇”，一个“追”字，尽显战局紧迫，许多大中城市正处在被大军攻占和待攻占之中。中共几十年来“农村包围城市，最后夺取城市”的宏伟战略已经奏效。这时，车七煤矿拥来众多老八路，如今叫解放军，要求多出煤、快出煤，确保前方大中城市有电输用，建立和巩固新生政权。1948年8月，车七矿井经过简略整修，在新政权领导下迅速开工出煤。一年中，矿山由百十人猛增至五六百人。前方炮火向着海岸线迅猛延伸，后方挖煤不可有一丝懈怠。这是最大的政治。经过农村土地改革闹翻身，经过矿山奖励办法再升级，矿工们挥汗如雨，铁锹翻飞，工作积极性异常高涨。1949年7月，车七矿管理者紧急推行奖励办法：矿工一个工作日可得小米10斤以上，月勤干满25个班，奖励煤炭500斤。凡8月1日这天下井挖煤，发双份工资。

下井工人在高峰期达到300多人。日产煤炭直逼700吨。

可怕的是，一种巨大危险，一场灭顶灾难，正在逼近——还是透水！

灾难没有预兆吗？透水没有迹象吗？有。

有预兆有迹象，矿工没有提早报告吗？报告了。

有报告，没有采取措施吗？没有及时撤离工人吗？

很不幸，领导者没有这样做。还是那句话：工人忽视安全，出小事故；领导忽视安全，出大事故。

8月1日8时30分，车七矿井发生大透水，300多名矿工中，只有60余人侥幸脱险，剩下242人被困井下，经11天抢险之后，211人死亡，只有31人生还。大事故震荡着新生政权。

这重见天日的31人，在井下坚持了11个日日夜夜，也就是说，比王家岭的八天八夜还要漫长三天整，简直不可想象。其中，就有今日从山东疾驰而来的高润泽老人。那一年，他只有13岁。

高润泽老人历经这场大惨剧得以生还，记忆刻骨铭心。以后数十载，他不停地前往矿难发生地，献爱心，谈教训，警示后人。此番王家岭矿难，他送来两万元现金，也带给我们无尽的深思。

根据高润泽老人的痛切回顾，加上诸多原始资料的记载，我将“车七矿难”形成原因向读者作一简述。回顾这场矿难，对于我们认识今日的王家岭，也许有一种特殊作用。

这是中共在全国大部分地区执政之初，从长期战争转向和平建设所处理的第一起大矿难。“车七矿难”首开沉痛纪录。

在出事前20天，即7月10日，出水点已发现裂缝滴水，长近一米，并逐步加大。已有工人向领导反映：距离前方老空区越来越近，应引起注意了。而“矿井领导没有听取工人意见”。出事前三天，看泵工明确报告“今班增加两英寸水”，一线工人反映“水鸡子叫，要发水啦”，领导们却没有采取任何有效措施——这么多天来，领导们没有下过一次井。经营采矿13个月来，领导们从未总结过一次工作。当水险迹象十分严重时，有一位名叫陈洪石的新闻记者，直接向主要领导反映“井下水大”，矿工们不得不“发展到集体反映，甚至拒不下井”，而两位最主要的矿井领导干部，却“主观武断地认为没有问题”，说“水是万万过不来的，我敢保险”！并且威胁工人说：“谁再讲（险情），就是造谣！狗屁！”其中一位主要领导在后来的“反省”中解剖自己说，当时“工人已有的不下井，我只听反映是出于工资比新博煤矿低，以及发放工资买不到粮食，因之只研究增加计件工资及补发粮食等问题……我认为不懂技术，也可以领导工程工作。一切都是盲目的”。

更为严重的是，领导者头脑中，认为我党我军占领新区时间不长，“技术管理人员是日伪时期的留用人员，工人队伍也不稳定”，阶级敌人随时随地都会破坏煤矿生产，因此在工作方法上，沿用长期战争年代所养成的简单粗暴作风，革命者就是要敢于斗争。在出事前一天，即7月31日，领导者们在井口搭起了召开斗争大会的席棚，宣布“谁造谣就斗争谁”！当时，矿工徐世安和徐世训公开讲过“实在不能干了，井下空水不小”的话，即遭到斗争，并将这两人扣上“造谣破坏分子”的帽子，公开抓起来惩办，不许人们讲话。一位幸存者名叫周明仪，他回忆说：“工人们预感到井下有水，空水不小，人心惶惶，生产不安心。我也看到淋水很大，一派活儿心里就发憷，而我是一名团员，只好硬着头皮去干！”他看到领导们“只是凭着热情去指挥生产”，担心“谁说有水谁就是造谣，就是破坏生产”。当时的区委书记名叫姜新民，也在回忆中说:“为了支援刚解放的大城市发电用煤，支持新解放区……任务紧迫，从而忽略了安全工作，终于导致了事故的发生。”

事故突发，井下的情景万分凄惨。五万立方米冰冷的老塘水在巷道中横冲直撞，一瞬间便将运煤铁道拧成了麻花。恶水夺走一条又一条生命，矿工头上那一盏又一盏古老的电石矿灯相继灭掉。13岁的高润泽无处躲藏，他只有惊恐地扑向父亲的怀抱。老父亲先是拼命躲水，继而靠着煤壁瘫坐下来，长久地将儿子拥在怀中，用最后的体温向儿子输送毕生的爱。小润泽时常昏迷过去，复又冻醒。几天后，父亲的身躯最终变成了一个冰凉冰凉的物体——他在饥寒交迫中坚持给儿子保温，直至自己死去。小润泽用尽力气，一遍遍呼喊父亲醒来，一位垂危者则以微弱的声音回应他说：别喊了，他们都死了！是的，在这场灾难中，高润泽一家就有父亲、伯父和三位表叔——五位成年人惨死于井下。有一个小村庄，一下子死掉了10口人，最大的42岁，最小的12岁，全村人的悲痛可想而知。矿工谭厥友，这一天领着两个儿子下井，爷仨同时受困，坚持了几天后，首先是大儿子在连惊带吓之中疯癫起来，大喊大叫，力竭而死。谭厥友见状伤痛欲绝，也在饥寒中死去。齐如春兄弟俩同一天下井遇险，哥哥眼睁睁看着弟弟疯癫哭叫，“满地打滚，活活急死了”。袁家庄的孙继义，不想在冻饿中忍受煎熬，解下红腰带上吊而死。一个名叫翟觉友的矿工，也在绝望中用拉炭的绊绳上吊而死。年仅14岁的小矿工徐金山，爬到团员周明仪跟前说:“哥啊，我肚子疼哩。”周明仪回忆道:“我使劲儿抱住他，给他揉肚子，安慰他，慢慢地他不动了，再听一听，没气了，这个小矿工就这样死在我的怀里。”北大巷一米来高的台阶上，拥躲着一批矿工，焦渴之中，有20多人先后爬到台阶下去找水喝，结果“下去就上不来了”，一个个耗尽体力而死。幸存者王珂回忆道:“我和弟弟王五子拥在一起，他坚持不住也要下去找水，当时我心里知道，他爬下去就回不来了，可是我自己根本挪不动，无法救他拉他，只有眼看着兄弟死去。”

高润泽这一边，幸存者们竟然在暗夜中凭着嗅觉，找到了逃生者丢弃的一点山东煎饼。高老回忆说:“大伙儿面对着两个半煎饼，还能相互推让，每人分了一小块吃，那个好吃可就甭提了！”就凭着这点吃食，他们试图顺着流水，寻找古井通道爬出去，灯火灭绝了，伸手不见五指，他们便只凭一位王瞎子在前带路，因为瞎子本来就不用灯！几位大人把小润泽夹裹在中间，用腰带将各人串连起来，慢慢挪动前行。结果，王瞎子在前探路，险些被“恶气”憋死，众人只好艰难退回。为了避风抗寒，小润泽不得不钻进死尸堆里，静静地昏睡、等待……

车七重大事故发生后，中共华东矿局、淄博特委、山东矿务局、淄博专署、总工会、淄川县委县政府、解放军淄川独立营和整个洪山矿区，迅速组织抢险救护队伍达2 000多人，总负责人是淄川县县长晏兴堂。这位老八路提着手枪，像指挥一场与强敌遭遇的险恶战斗那样，统一指挥抢险。从时间上说，这是中国共产党在全面夺取政权和新中国成立的前夜，第一次组织有关工矿生产的大规模抢险斗争。

当时，矿山条件极其简陋，兼之雨水昼夜飘落，井下排水异常困难。机电设备落后，三台老水泵比玻璃棒还容易坏，排水进度十分缓慢。晏兴堂县长心急如焚，他曾经举起手枪指着一位技工领班，用嘶哑的嗓音喝令他：“必须限期修复水泵，快速连续排水！”

一连11个昼夜，天地同悲。高润泽，一个只有13岁的“小筐头”，终于获救。

诚实地讲，那时的共产党人有着铁打一般的组织纪律性。对老百姓、对苦难矿工们有着深厚的感情。谁都知道，在战争中，军队是靠着老百姓才打了胜仗的。最终迎来革命成功，依靠的还是人民群众。两者之间是大树与泥土的关系。车七井口摆放着一些白酒，为了井下驱寒防疫，每班抢险人员下井都要喝上几口。但是，一轮到党员干部时，却没有一个伸手舀酒来喝，他们自觉地把酒留给了更多的工友们。直到60多年后，矿区仍在流传：追悼大会上，抢险总指挥晏兴堂以一个执政党新任县长的身份，带头为死难矿工披麻戴孝，真情祭奠亡灵，亲自扶棺送葬。他在讲话中挥泪高呼：共产党员们，咱们要做人民的儿子啊！肺腑话语，响彻云霄，感天动地。只可惜到后来，人们很难听到这样的声音了。这句话，说得何等好啊！

晏县长他们真正和重情重义的山东人同心同德了。当时政府宣布：对于31位幸存矿工，每人补贴“北海票”4.2万元。这在当时当地是一笔不小的款子，可以买到四亩好地。而31位矿工却表示，是共产党把俺们救了上来，俺们要为新政府和死难者家属分担痛苦，大伙儿坚决不领这份补贴。经过晏县长和工会同志们反复劝慰，31名幸存者包括13岁的高润泽一致决定，为了尽快养好身体建设新国家，“俺们每人只留下一根指头的钱”，即10 000元，将其余的32 000元，合起来有百万元，平均捐献给死难工友的家属们，以便帮助他们早日渡过难关——这一来，又把这个晏县长感动得泪如雨下。

以上叙述，当地史志文献均有确切的记载。

1949 年 9 月 12 日，中共山东省委《大众日报》发表社论，明确指出：“招致这一惨痛事件的原因，主要是该矿领导爱护祖国财产和人民生命的观念十分淡薄，官僚主义作风非常严重。”社论要求，“必须反对官僚主义，依靠群众。实行工厂企业管理民主化的制度。”殊可怅叹，早在 1949 年即已发现的许多问题和弊端，到了七八年之后，尤其是到了大跃进运动中，反而变得更加严重、更加疯狂、更加恐怖起来。

“共产党人要做人民的儿子。”这话如雷贯耳。

一场大难，211 条鲜活的生命，以形形色色的死法，永远地告别了这个世界。

高润泽先生以 75 岁高龄，远程驱车奔赴王家岭，他要告诉抢险者们：“车七矿难”惨死 211 人，并非全部死于井下。一位已经升井脱险的幸存者，因为饿极了，偷偷多吃了一点饭——小润泽眼看着他“一瞬间就咽气了”！可叹这位矿工在井下大难不死，却死在了出井之后的饮食中。令人扼腕叹息。

令人深思的是，高润泽老人还向抢险组织者真诚进言：矿难发生了，而惩罚责任者不宜过急，首先是一切为了抢险，应当充分发挥责任者对矿山矿井十分熟悉之长，让他们参加抢险并发挥作用，这样更有利于救人。当年“车七矿难”两位主要责任者，也是两位特别坚定的革命将士，他们面对手铐与严惩，冷静地表态说：就是明天枪毙我，今天也要让我救人！后来，在一连十几天的持续抢险中，两位责任者拼死工作，果然发挥了实际作用——这样更有利于救助生命。

高润泽老人奔赴王家岭，带给我们的一段矿难往事竟是这般沉重。

要在自救中直面死神

井下，顽强的自救开始了。一切都在黑暗中进行，要么死，要么活，100 多名农民工直面死神，为生命而战。

被困矿工时锦涛对作家鲁顺民说：包工头胡而广就是我们的队长，普一队。当时我们这个班一下子困住 11 个人，有 6 个是信阳老乡，有 5 个是南阳的。

我们困在高一点的巷道里，井下一个干部都没有，弟兄们只好自己领导自己，自救吧。有人说旁边有个支巷可以打通，那个王吉明和我们领班肖启旺领着人用炮药炸。大家想把旁边的大巷打通，急着逃出去。这个支巷黑咕隆咚的，离我们的工作面不远，炸了几炮，又是烟又是尘，空气很不好。有人就把风管接进来通风，这样放了好几炮，大概五炮，因为水涨得快，他们怕时间来不及，一炮连一炮地点，最后一炮把肖启旺崩倒，摔得他直到出来还浑身疼。放最后一炮的时候，空气已经非常不好了。平常通风好，放完一炮还得等好长时间，这时就十分危险，万一引发瓦斯爆炸了，没一个人能活得了。当时，我把那个矿灯开到强光，眼睛都看不出半米远，空气恶劣到了极点。

好在炸通了，挤一个人能通过去，过去摸着黑一看，对面也有几十个人。哎哟，两边的人高兴地欢呼，都以为是救援队过来了，后来才发现都是被困住的人。这样，那边的人就聚到这边巷道里来了。

巷道炸通之后，这边的空气回流到那边了，突然一下子，那边十分钟水降了一米多。实际上那边已经快憋死了，死胡同，人没处退，这才知道打通那个巷道是多么重要。他们也听到这边炮响了，炸通后，水突然就下去了。如果晚通一会儿，他们很快就会缺氧，非常危险。炸炮把那面被困的人救了。

我们捞了一部电话，进水了嘛，没电了，过来晾干，等有了电就可以往外打。第二天看见有电了，高兴得不得了，不停地往外打，我还打了两次，可就是没有信号。打那个800、801，能试的电话都打过，可惜就是不通。

衣服全都给打湿了，躺在那里抖得不行，在身边找了一些干煤盖在身上，这才暖和了一点。他们有脱衣服的，我没敢脱，谁知道在里头待几天？有的把上头的风带剪开，铺在身子底下。我们五个南阳老乡聚在一块，底下铺的就是风带。

我们又把风筒割开，两边用铁丝拧起来，用通风管往里充气，做成气筏子，骑在上面往外划，看能不能跑出去。

有人骑个风筒出去绕了一圈，又回来了。划出去的可能性太小了。除了救援，谁也出不去。电话还是不通，便很绝望，躺在那里胡乱猜疑，上头是不是不救我们了？

第四天，跟我们领班出去看水位，矿灯一晃，水面上白晃晃的，一看都是死人，仰面躺着。我们除了看水位开一下灯，平常就在黑暗里头，所以矿灯一照，特别清楚。

当时他们几个走在前头，看到了，没出声。我看到时，死人已经离我一尺多远，手和脚都伸着，把我给吓得非常恐怖地叫了一声。他们几个拍了拍我，悄悄说别叫

2010 年 4 月 3 日，王家岭煤矿透水事故救援队员在向井下运送抽水设备。
（燕雁 / 摄，图片来源：新华社）

别叫，怕我影响别人的情绪，他们之前也没跟我说这里有死人。第二次探水，知道那地方有死人，就别过脸去不看。

到第七天，我很饿，就是喝水。后来学他们吃了一块煤，吃的时候就是担心拉不出屎，会出事。领班说煤吃多了会胃穿孔，要少吃这个，让我吃纸箱。我吃的是锚固剂包装盒，有人吃那个炸药箱。我吃了一点，还撕了两片放在头两侧，揪了几片装在口袋里，考虑时间长了动不了的话，随手可以拿得到。

我上来的时候，衣袋里还装着纸箱片子，医生发现里头有东西，我说你给我留着，我要做个纪念，结果让医生给扔掉了。

当时就吃纸箱片，吃一口，喝一点水送下去，站起来就头晕。有两个老乡已经起不来了，有一个老乡还搞了一大壶水，用装机油的那个壶，也搁在头旁边，预防万一没力气动不了，手还可以够得着。

到了第七天吧应该是，我的精神有些绷不住了。认为活着出去不可能了，现在是活一分钟赚一分钟。

被困矿工刘学军说：我们不能等死。我和我们领队设法启动井下的泵排水，我们想着把前面的水排到后面去，后面有一个洼地。摸着黑把管子也接好了，干了半天累得不行。两三天了嘛，力气不大。那个泵是用高压风来驱动的，自己搞了两台，排了一个多小时，显然不起作用。

我们和综二队都在井下拼命打过电话，黑暗中有信号灯亮着，却打不通，没用上。我们还绑了三个筏子，一个坑木扎的，一个油桶做的，还把风筒割开，做了一个气筏子，可以坐两个人。坐筏子可以出去看水位，如果水落下去我们还可以自救，但水就是下不去，没用上。

运输大巷那边放炮过来之后，两支队伍会合，欢呼，闹了半天都是逃难的，难兄难弟，都困在里头了。

上来之后，知道上面确实投过食物了，但我们没有捡到。

有些老工人下井带干粮，也是个人习惯，他们不吃或吃不了也带，没有硬性规定。想想还是有好处。

我就是喝水，没吃其他的。我一天能喝两三罐水。自救器那个东西的壳子，我们打开来盛水。喝的是水退下去之后的积水。

我们在井下也恨，恨这家国有大矿，却没有一个带班干部下井！出了事故，井下全是我们农民工，连个领导都没有。但是，大家在里头没有混乱，都主动去看水。想喝水了顺路出去看一看水，谁醒了谁去。

另一处被困的矿工李国宇说：我们为了保存体力，说话都很少，在水里泡着，就眯着，黑对黑呗！开始几天神经高度紧张，有一个水珠掉下来都知道，一下就睁开眼了。那个水温就几度，泡过我们四天四夜，坐在那里不动，像泥雕一样，凉啊。捆了两个坑木筏，那是我们绑的，一头用红裤带，一头用腰带。有个垣曲的小伙子，是叫史风雷吧，他不会水，我们会水，怕我们走了把他丢下，自己也动手绑了一个。我说，我们会游泳都出不去，你就是绑这个你也出不去。他最后还是被大伙儿带出来了。

水一落，矿车罐漂过来四五个，里头有半罐水，我们用帽子一点点把水舀出去。那罐也不行，底下窄，不好驾驭，容易翻。刚开始矿车漂近了，有锚索挡着过不来，我们就游过去爬进去。

总共坐在矿车里有十来个人，后来翻了几回，坐着不能动啊，一动就翻车。我们这个矿车里待了五个人。人进去无立足之地，没地方站。本来四个人斜躺着就有些挤，那个矿车不是翻了吗，我们把老乡捞上一个来，成了五个人。

那个垣曲家史风雷，也在矿车上，黑暗中他发神经病了，说胡话，我也听不懂。有一天喊他爷叫他哩，他爷和奶接他来了，他崩溃了。吓得我们那个伙计抱他的腿啊，不让他动，不然他就蹦下去了。他乱动动矿车一翻就完了。我们那伙计就安慰他说，上去了我给你暖脚，给你脱衣，我是你的亲人啊，你不用怕啊。

我们坐在矿车里头一连好几天，史风雷还是不安生，后来他迷迷糊糊也没劲儿了。我们挤在那里头，窝着坐，脚和头是齐的那样。上来的时候，屁股上都是印儿，坐麻了，但你也得坚持。

同一位置的被困矿工赵新选补充说：在上面吊着，开一下头灯，能看见水往下落，最慢的一天，落了还不到十厘米，心里有些慌。后来水下得快些，从上头漂来矿车，好几辆，我们陆陆续续跳到矿车里头坐下来。

13个人，坐了三辆矿车，李国宇他们那个大一些，把史风雷拉进去了，又把一个落水老乡拉进去，坐了五个人。

在矿车里坐了也有四五天，史风雷精神错乱，不停地乱叫，说谁救我出去呀，谁救我出去，我给你当牛做马报答你啊！就这样喊。

他乱动，一连搞翻三次矿车。但我们最痛心的是那四个伙计，已经坚持到5号，是救我们出来的前一天了，结果四个人要拼一下，最后脱了衣裤往外游，都没有回来。我们把两根坑木绑起，送出去，结果他们没抓到，累得回不来，在水里死了。他们刚死时间不长，水落下去了，救援队来了，救了我们九个人。要不然，这一批可以救出去13个人。

小史搞翻三回车，三次把他弄进车里，其他人只好按住他。史风雷有一天给他车里的人说，他活不了，可是他在上头还欠人家500块钱，上去之后千万给人家还起。欠了谁？没记住。反正他那么喊，矿车里的人摁住他腿不让他动，摁了两天吧。

我们四个人挤在矿车里，很难受的，面对面坐着，一个要动，别人都得一起动。吃啥？喝水，把自救器打开，用那个东西舀水喝。反正自救器我们都不会用的，一来了就下井，没有人教。后来才想起把它掰开舀水。一弄开自救器，还发热。后两天舀水，就舀在死人头上了，一个人漂起来，死得真惨。

这样坚持到水落下去，打矿灯看到前面顶子露出来一点点，我们两辆矿车开始往前挪，就是手抓锚杆，把车帮压下一点，那样一点一点往前挪，直到看见救援队。我出来的时候，浑身的衣服都粘在一起了，起了毛。裤子、袖子都和皮肤粘在一起，到了医院，才知道大腿根、小腹都沤烂了，现在还没有好，一块斑一块斑的。

另一处被困的矿工武林果说：当时躲在高地上有 40 多个人，离巷底面只有三米多，然后我们在那里搭架子，怕水涨上来，幸亏综二队他们和我们这边打通了。

我们把两个风筒绑好之后，上面放一个网片，人坐在上面摸着黑往出划，但划了 100 多米，水位高，离顶板很近，又返回来，等到第三天，又下去划。

还是过不去。有人脱了衣服游，往回返的时候没力气了，眼看着就沉底下了。这样死了好几个，死了三个吧，都是亲眼见的。他们游出去游不回来，我们干瞪眼，没办法施救，谁要下去救谁就死，多少人救他，死多少人。为什么？衣服重，没力气，那个水下面都是淤泥。

还有挂在网片上的三个人，有一个实在支持不住了，掉下去再没上来。这都是我亲眼看见的。

我们几个人硬撑着抬水泵，就是那种一插上风就能用的水泵，想往后排水，不起作用，水从底下往上冒。办法都想尽了。

我在底下吃煤，吃了大概有半斤多，嚼碎了慢慢往下咽，一顿吃一二两，在底下还排出来了。也吃木料，咽不下去。有人吃纸板，我没吃。

被困矿工杨甲国说：出事之后，我们就在那里吊着，有掉下去的，好像是那个姓崔的沁县家，掉下去我们把他拉上来。后来用衣服把自己绑起来，我把灯的皮带卸下来，把灯保护在秋衣里，就那么吊了五六天，像蝙蝠侠那样吊着。

就感觉渴，打开自救器的壳壳接尿喝。我一手拉着网片，一手接尿喝。

水下去一些，有一个队长说你们都不想出去啦？

我们说谁不想出去？这话说的！

他说，用矿灯照照，看到巷道边上平铺的管道了吧？要是敲管道外边可能听得见。他喊说，谁过去敲管子，外面如果有信号，我出去给他100块钱。

大家在那里吊着，都没有力气，露出的管子离我们也很远，不想游过去，我说：不要说一百，我给你二百，你去敲。

这是钱的问题？是拿人命开玩笑嘛。我这样一说，他不吭气了。

有一个人站着站着，扑通掉下去了，我们好不容易把他拉上来。过了一会儿，又掉下去了，又拉上来。估计他思想乱了，他不跟我们站一起，挪了一个地方，结果又掉下去了。他站的那个地方人少，再一次掉下去之后没上来，死了。

可能到了第六天，水浅了，我们站在风带上摸黑转移，跟后边的人会合了。

有那么几天，大家还说话，骂下边没有一名正式的带班干部，骂上边怎么不抽水，还出主意说该用多大的泵才能抽得快。后来听见下面忽忽响，可能是抽水了吧。

我这个人，别人打呼噜怎么也睡不着。跟后边大部队会合后，好多弟兄睡下打呼噜，我没法儿睡。那个地方还算干燥，有30多米长，6米宽，都睡满人了。

会合之后，上边钻管子下来我们知道，有人说有动静了有动静了，我以为上面打下管子往上吊人，一看才那么粗一点，怎么能吊上人去？

作家李骏虎采访了被困矿工郭海军，了解的情况比较细。

郭海军他们闷在气泡里，每个人还背着自救器。自救器打开能提供氧气一个半小时，但凭人手是打不开的，得有专门的钳子。他们挂在那儿，快憋死时，于建华想打开自救器，说是手指都快扳断了，还是打不开。自救器成了负担，只好把自救器扔掉，要用的时候用不上，说明这个东西设计得不够科学，要改进。

郭海军口袋里有个小的钢钻头，5.8毫米的。挂在洞顶之前，得先把顶层薄薄的水泥刨掉，里面会有钢筋，他打开矿灯，用钻头抠开水泥，把钢筋露出来，这样就可以把八号铁丝缠在上面。于是小钻头一个个传过去，大家都这样抠开水泥，再用皮带把自己挂在了铁丝上。小钻头成了一个救命工具。

他怎么会有这种小钻头呢？他是习惯性地下井带一个小钻头，装一支钢笔。是为了万一，有那种潜意识。我还专门问过他。

从岔巷里游过来五六个河南籍的矿工，和郭海军这帮山西翼城人聚到了一块儿，共同寻找地势高点的地方。都学郭海军往墙上挂。

郭海军很有脑子，挂在那里时，在大灾大难面前表现很冷静，出奇的淡然，他们没有慌乱。这也许是当地民风文化的熏陶吧。反正出去就是命大，出不去死就死了。郭海军呢，用随身携带的钢笔往墙上划了一道线，每日刻记着水位变化，看见水位下降，他就有了信心。

水位下降了一米左右，他们终于脱离水面，不用在水里泡了。

郭海军仔细观察洞顶的网片，那是用八号铁丝编成的，有一些铁丝垂在那里，就招呼几位同乡捞起一段漂浮的帆布风筒，两头用铁丝挂起来，做成一架秋千，几个人竟然并排坐到了上面，使肌体稍作一些放松，慢慢喘气。河南人张志强也想办法移动过来，坐到了帆布秋千上，又有几个人向这边爬过来，都想上这个诺亚方舟歇一歇。

秋千上人太多了，铁丝恐怕会断掉，但在这个时候，谁也不能把别人从这个避难所赶出去。一部分人坐不到秋千上，便将自己绑好，像蜘蛛那样挂在洞顶。郭海军说，谁也不要动，能睡就睡，要保持体力。万万没有料到，有个河南人可能意志混乱了，本来他的位置是最好的位置，离水面很高，但他躁动不安地爬来爬去，爬到于建华和郭会的中间，掉下去了。于建华一边说你爬啊，一边和郭会把他捞起来再挂上，让他别动。但过了一会儿，他还是爬来爬去，又掉下去了，其他人又把他捞起来，问他为什么爬，他惊恐地说，我总觉得那个位置不保险。

用老百姓的话说是，该死不由人了。第二次把这个河南人捞上去后，他又往远处爬，这次爬得离大家比较远，最后掉下去死了。眼看着就淹死了。翼城的六个人都很理智，非常坚定地待在那里。

第二次水漫起来，又到了下巴这儿。这对他们打击很大，觉得必死无疑。幸亏水不久退了下去。郭海军领着这拨人在黑暗的巷道里慢慢转移，终于找到了王吉明他们那一处高地，找到了大部队。这次矿难无形中造成了许多救命恩人，大家互相救助。有的掉下去了，喊上一声，老哥拉我一把！拉上来人就活了。

他们总算摸到了王吉明他们大部队那里，经过五六个昼夜的生死相依，他们和几位河南人成了一拨，大家无力地躺在那里。从一开始，郭海军就告诉大家，只亮一个矿灯，节省了电，他们这时才用掉两个矿灯。当时几乎所有自救成功的班组，第一时间想到的就是节约用电。让一切都淹没在黑暗中，静默不声。

作家黄风采访的一位被困矿工叫彭广仲，今年 38 岁，湖南新邵县人。他是那位带领炸炮的头头王吉明的连襟，也是王吉明把他叫到王家岭的。在被困的几天几夜中，彭广仲比较镇定，没有慌乱。黄风就问他，你为啥不慌不乱呢？

彭广仲说他受过培训。2005 年在古交市马兰矿打工时，他接受过两次培训，一次培训一个月。原以为学学而已，矿上也只是个形式，对自己来说并无用处，没想到竟用上了。当初学的主要是事故预防、自救知识，要紧的是镇定。他说："王家岭如果也对工人按规程培训一下，保持这种形式，肯定会多活几个人。"

彭广仲还记得一件事，说王吉明曾在一块铁皮上用剪铁丝的钳子刻了字："我们有 80 多人，电话打不出去，用倒卷皮带送食物。"落款是"普二队王吉明"。

那块铁皮是库存锚杆的标志牌子，宽一尺，长不到两尺。王吉明是在背面刻的，然后绑到皮带上，希望通过皮带捎出去。之所以绑到皮带上，是因为皮带动过两次，大家以为皮带还能运行。

彭广仲说，可是牌子绑上去，皮带就再也没动。但这毕竟是一种知识，说不定

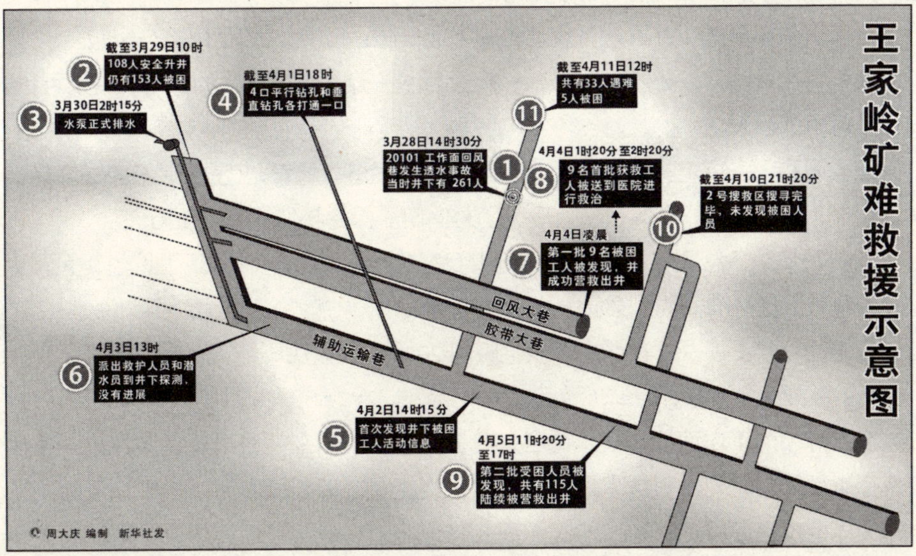

就能发挥特殊作用。

黄风采访王吉明，得知了炸通支巷的具体情况。

困住以后，王吉明和大家紧急商议出路，得知此处另有一个支巷，因为暂时没用又封上了，情急之下，他们先打开口子，钻进去用炸药与另一条巷道炸通。因为没有支护，怕顶板塌下来，用的都是威力小一些的试爆药，一连放了五六炮。

王吉明干得好，如果不把巷道炸通，那一边大巷里的几十号人，很可能会因空气稀少而憋死。那边的巷道炸通后，两边的人汇聚到一个洞里，有利于生存，有利于后来集中救援。

后来，有的矿工在暗夜中绝望了，说上面不会救咱的，只有死路一条了。每当这时，王吉明就安慰大伙说，咱们都是下煤窑的，要懂得保存体力，等待机会。

就是这位王吉明，随后还有更突出的表现呢。

作家玄武采访了被困矿工李六六，他是闻喜县东镇人。同样说明经过培训的人，有下井经验的人，处理险情会大不一样。这位李六六快人快语，十分豪爽：我下过13年矿井。看到水上来了，我首先想到最高点，有人像没头苍蝇一样乱跑。我就骂：透你妈的乱跑个啥，眼睛瞎了看不见前面没顶了？

有个家伙在那里吓得不动，我过去踹了他一脚：傻啦？快死了你还不动！

我们待在最高点上，水一直涨，那种看着水一点一点逼上来的感觉，特别可怕，真正是钝刀子杀人。

王吉明和大家决定打炮，炸开巷道。我先进水里找风管，先关了综三队的阀门，拿走管子，走一截关一个阀门，最后关了总阀门。保持我们管子有压力。

王吉明带头，总共打了五六炮，呛得我喉咙干。三四炮后发现了希望，大家更有劲。我喊：这是唯一的机会呀，大家快来撬！

打炮的时候看了一下瓦斯表，表上瞬间20多。但是决不能停，反正是要活大家一起活，要死大家一起死！

当时综二的工作面已经被水淹了，我抓紧进去拉出来一根风管，多拉出一根风管特别重要。当时，一根坑木差点儿没砸在我腿上，砸到就完了。如果在下面受了伤，哪里能撑到最后。在综二的工作面我特地拴了一根铁丝，心想万一里面有人游出来，在这个地方他可以拽住铁丝喘口气。

王吉明最后一炮，轰隆一声，风呼的一下子涌进来，我一下子就晕了，啥都不知道了，别人给我戴上自救器后才清醒。

结果那边巷子出不去，那边的人过到我们这边来了。

为了保温，我割风筒布裹在身上，包在风筒里暖和些。

在下面我们不让开灯，再黑再怕也不能浪费电，有人开灯费电就骂。

饿得厉害，就喝巷里的水。矿灯一照，见水里漂着油花，打水时我用嘴吹一下，其实屁用不顶，前面的油吹开，两边的油盖过来，没办法，喝吧。

我觉得肚子里的肠子像扭麻花一样，扭啊扭啊，扭成一团了。肚子饿得发痒，越挠越痒，我估计与肚子自动吸收营养有关系。第三天，皮肤开始麻木，我用指甲抠胳膊都感觉不到疼。

在井下，人一动不动也耗费体力。人在井下有一种毛病，浑身没劲，越睡越想睡，越睡越起不来，最后人就完蛋了。所以要时常振作一下，保持清醒。

在下面算时间，以为快十天了。最后有个人开始不停地叫唤，啊，哦，噢，很低的声音拉长了叫，分明是他熬不住了。不知道他多大岁数，若不是那时候获救，他肯定很快就不在了。

四位作家采访到的内容惨烈而又细致，是许多小说家和电视剧的编剧难以想象的。矿工们珍视生命，顽强自救，感天动地，最值得记述，值得赞叹。在有记载的井下坚守中，中国人之坚忍令人叹为观止。前头讲过的淄博老矿工高润泽，井下坚持了 11 个昼夜；王家岭上，我和国家安监局政策法规司彭玉敬司长有过交流，彭先生说：2009 年，贵州晴隆县新桥煤矿发生透水事故，三名矿工被困井下，竟然坚持了 25 天；而个体生命井下生存最长者，是 1998 年内蒙古乌海煤矿事故中的普通矿工杭平。这位杭平在井下居然坚持了 33 天 13 个小时。当时，大水将杭平和拉矿车的一匹骡子冲上一个小高地。时间一长，他试图用皮带自杀，却找不见上吊的地方，便想在骡子的脖子上吊死，那骡子偏不听话，他一勒绳子，骡子就跑掉了，杭平想死死不成。没想到，那骡子在下面也孤独得不行，竟然又绕回来与他做伴。最后那骡子也没有力气了，他便把骡子摁在水里淹死它。骡肉是好东西，可以吃，可是他没有刀具，用牙啃，啃不动，忽然想起自己戴着个眼镜，使用眼镜片将骡尸剖开，一条一条地，慢慢地吃骡肉，喝井下的渗水。就这样，杭平吃掉了这头骡子，直到被救上来还瘦了40多斤。这件事成为世界奇闻，上海吉尼斯总部在1998年授予他“被困矿井下生存时间最长者”称号，颁发了证书。杭平现在是乌海市人大代表，儿子都10岁了，全家活得好好的。

当然，彭司长说，我们宁肯不要这样的奇迹。

我说，中国矿工创造出这般纪录，实在是太恐怖、太残酷了。

不过，有了这些惊人的先例，王家岭的被困者和抢险者们都增添了信心与希望。

中国历史上最早的矿难记载，见于《史记》中。凑巧的是，司马迁就长眠在王家岭附近那黄河对面的高岸上，不知他伟大的魂灵在2000年之后是否仍可感悟到大河对面这场灾难的痛楚？

司马迁在《史记·外戚世家》中写道：公元前179年，也就是汉文帝初年，河南宜阳有一个名叫窦广国的穷小子，在山中为富豪主子挖煤。同劳动者100多号人，皆为富豪家奴。白天，大伙儿采炭累极了，夜宿矿井旧窑中。突然间矿井发生坍塌事故，将熟睡中的100多人全部埋葬，唯窦广国一人“独得脱，不死”。

司马迁写出这段惨剧，证明中国早在2 000年前的汉初便开始了较大规模的煤炭开采史。这100多名死难者，似乎也可以视作中国煤炭史上第一代矿工殉难者。不过，司马迁老先生撰写这段故事，本来要说的是：这位侥幸逃生的窦广国不是一般人哩！果然，不久后，窦矿工成了汉文帝的小舅子，也就是说，窦的姐姐做了皇后娘娘。大难不死之人，他的命该有多么硬啊！于是，在司马迁之后不久，东汉思想家王充，也在《论衡》中对此事津津乐道，他说：“夫积炭崩，百余人皆死，广独脱，命当富贵。”哦，命好命大，命硬命贵，命中注定，命中当分富贵贫贱，谁争也没用，咱就认命吧！“人的命，天注定”，这一古老说法，终于找到了源头——源于一场2 000年前的煤矿事故。而这种“听天由命”的思想流传甚广，进而成为中国发展科学技术的一大障碍。中国本是世界上最早开发和利用煤炭的国家，到后来，我国煤炭科学技术包括预防矿难的科学技术却远远落后于西方发达国家。

历代统治者无不推崇这种认“命”思想，并逐步强化于域内臣民，教人不必珍视你卑贱的一生，不必抗争命运，你们不必向上索要什么人的权利或者尊严。还看煤炭业，历代窑主矿工都将道教教主太上老君奉为大小煤窑的“司命窑神”，建庙呈香，传之久远。记忆中，我所熟悉的山西长治、晋城地区，凡开煤窑，诸事先不说，总需先给“窑神”把小庙修起来，把高香点起来，把头磕起来，祈祷平安保生灵吧。在各省市广阔的产煤区，均无例外。

可叹眼下，任你烧高香磕响头，也救不出人来呀。

迹象与真相都瞒不了我

我们记录农民工的身世，联想到农村仍是那么艰难，大伙儿挖煤都是为了挣一点现钱。昔日黄河船工有句唱词，叫“穷苦人讨生活拿命换”，何以至今仍然如此？又想到我们的工业化和现代化，确是以愁苦农民的血汗垒作基石，一步一步发展起来的。

倾听男子汉诉说，尽管悲歌沉重，令人心寒，但是你的神经尚能坚守，你的理智尚可容忍，你的心绪尚且镇定。当我们采访了前来矿山寻夫的乡村女性之后，人性软肋屡遭触动，心理情感的阵线便被一举摧垮了。

我们在家属聚集的宾馆里见到了陈秀芝，她是平顶山人，原在淮北服装城打工。28日接到电话说出事了，她就要动身去王家岭。陈秀芝对作家玄武说：

当时，我谁也不要，我就要我老汉，你再拉我，我就挖你。我和我姐姐、我老汉的姐夫打车过来，怎么走的，从哪过来，我现在都记不住。在车上我一想到老汉没希望了，我就哭，哭着哭着就过来了。

中煤三十一处的善后人员把我们安排在宾馆，偏偏不让我们去矿上。哪有这个道理，抢险还保密呀？我偏要去矿上看看，不让我去，我就死！他们就哄我说好好，明天去，明天去，明天又哄我。

每天每天看电视，下面有了敲管子的声音，我敢肯定是我小孩他爸敲的！他还活着。第一批九个人救上来后，里面没有我老汉，我哭着哭着又昏过去了。我大儿子也在，他劝我，别哭！我爸福大命大没事的。我当时就想，万一我老汉有啥不测，我要全心全意照顾我孩子。

后来救出的人中有我老汉，我抱住人高兴得乱蹦。我要请客，三十一处的善后小组死活不让。

医院也不让矿工见家属，说是怕他们太激动，我就叫了几个姐妹去住院部楼下瞅。我老汉在楼上晒太阳，远远地看见他，我就瘫了。

第一次允许看我老汉，一上二楼我就迈不开步子，见我老汉我又哭，我老汉对着我笑，我也笑了。

那些天我一直没咋吃饭，这两天我才上膘。

最难受的时候有人劝我，说你专门去想想他的坏处，过几年也就把他忘了。我就想，想来想去也想不到我老汉的坏处，越想他越是好人。我老汉懂得关心人，过年回去都是他做饭。他是个孝子，削苹果先给他爹，然后是我，最后他才吃。削根甘蔗，把最中间那截给我吃。我咋能说他坏呢？

玄武采访陈秀芝时，有一位名叫王文的女性也在房间。王文绷着脸，不吭声，就那么干干地坐着，玄武便问她：你也说说吧。

王文一撇嘴：我说啥哩。人家老汉好，我丈夫对我可没有人家那么好。我在太原打工十多年了，丈夫下矿。29 日我正在太原医院里排队给孩子挂号看病，一个女老乡打电话说你回来一下吧。我说，排队排了一个多小时，两点就开始看病了，我不用回，你就说啥事儿吧。她光说你快点回来，不说啥事。又换了一位男老乡接电话，说矿上有点事。我心里咯噔了一下，说我马上回。

电视上开始报道王家岭，可是我只知道我丈夫在河津，哪知道个王家岭。

见到我男老乡，我说，你就直接给我讲吧，我丈夫是生是死，死的活的，在哪个医院，我不怕!

反反复复打我丈夫手机，手机开着，一直没人接。我心里想，这就麻烦了。我和我侄女、我表哥三人一起来河津，我丈夫兄弟三个后来也来了。夜里 1 点到河津，早晨直接打车上矿。快到的时候，我说你们先走，我一个人步行走在后面。有警察封路拦我，说你干啥去？我说我回家呀。他们就放过我了。

我在矿上住下，就住在工人们空下的床铺上。别的家属哭闹，我对着人不哭，躲在屋里偷偷哭了几次。

家属们围打央视记者，闹指挥部，我也在场。我觉得用不着这样，就劝。有个女人骂我：下面没有你的人你站着说话不腰疼。

我一下子恼了，我说：你这人咋不知好歹？下面是你什么人？她说下面是她妹夫。我说，你知道下面是我什么人？是我丈夫，丈夫亲还是妹夫亲？那女人一下子不哭了，拉住我说，对不起。我一把推开她：你去哭吧，哭死也没人管你！就是男人死了，我们女人也要活！

当时央视报道不准确，我们都气得不行。明明当时还没有抽水，你报事实就行了，哪里有五台水泵抽水？我最恨造假，救人也造假！当时还有三个外国记者在场。

我心里着急，就自己专门找到水口去看，水不大。我抓起水闻闻，不臭，没味。尝尝，能喝。我心里又有些指望了。

我两个哥也来了，没吃的，我们就去矿上排队拿吃的。有个工作人员说：怎么家属也在这吃？我说，不在这吃在哪吃，不让吃我揍你！

后来电视里说管子上缠过铁丝。开始我心里琢磨，是不是又造假呢？我要动脑筋分析嘛，分析以后，我认为是真的。后来知道都是真的。当时，怀疑造假的人多，我还警告过现场指挥人员，我说，迹象和真相都瞒不了我，你们看着办吧！

善后小组把我送到翼城住。那天晚上，我心里乱，就想着出去弄点酒喝。我已经出去了，忽然担心善后小组找我，就又返回来，人家也不容易啊。路上撞见善后小组，他们三个人一个小组，各管一家。这时见人丢了，正急得到处找人。我说，我又没远走，想喝酒不喝啦，我就在这附近坐坐。

我孩子在太原，给我来电话哭着说，就是我爸死了，也要看我爸最后一面。那时我想，不行我明天就回太原把孩子接来。要不火化了孩子啥也见不着了。

我丈夫出来以后，医院管得严，姐妹们叫我一起去医院偷偷看看，我就去了。他正在医院四楼晒太阳。我在楼下冲着他喊：你吃了点啥？他说：吃了点香蕉。后来允许和他见面。我见了他不知说啥好，就问他：你好几天不给我打电话，把我忘了？他就像个陌生人，没有什么反应，变得很麻木。我说你可不敢在下面待傻了。

我丈夫比我小两岁，35了。他对我挺好的。他唯一的缺点就是小气，挣下钱存到银行，不给我。我这个人大手大脚，拿100块钱上街，看的都是200块钱的东西。

这个王文真有性格，别人抓打闹事，她还会规劝，遇事还会分析、警告，半夜还想“出去弄点酒喝”，还敢接孩子来见死去的爸爸。她们都有足够的坚忍，有饱满的人性，有聪颖的头脑。她说的那句话，“迹象和真相都瞒不了我，你们看着办吧”，让作家们警醒。我们手中有笔，可要端端正正写字。

玄武采访陈秀红和王文时，一个女人出现在门口，不知什么时候，她往门里挪了一点，她就那么一点一点往里挪，没有声音。她有些胆怯，脸上有一种受惊吓的表情，多半时候她的头发半披下来，像一个幽灵。当人们注意她的时候，她已挪到了房间里，上身稍微向前弯着，眼睛深处有着莫可名状的惧意。

没有声音，她慢慢挪到床边坐下，用手拿住床上一个枕头，拧枕头上的带子，泪一滴一滴往下掉，洇开在枕头上。

屋子里突然没人说话了，变得异常安静。

她叫董志芬，山西壶关县人，丈夫董友红已被救了上来。但是，同村的四位乡亲不幸遇难，其中一人还是董志芬的亲弟弟。董志芬嘟囔着说：过完年才叫我弟弟来，说你来挣个钱儿吧。结果没挣到钱，把命送了。

董志芬呜咽起来，她抬起胳膊用手捂嘴，头发披散在一边，几丝头发被泪沾在脸上。她满脸的泪水往下流，淌过鼻子、嘴巴，顺着下巴滴落下来。

一连多日，她压根儿不吃饭，每天眼睛直勾勾地盯着新闻，期盼着丈夫生还有消息。她的叔叔不让她看电视，她不听，叔叔便急：不吃饭就把你送回去！

当叔叔告知她，丈夫已经获救，她还不敢相信，以为是叔叔怕她不吃饭，故意安慰她。对于丈夫的获救，董志芬并没有笑，因为相继得知，她的四位乡亲全部遇难，其中有她的亲弟弟。

对于董志芬来说，一个村子里死了这么多人，她和她的丈夫却活着，他们该怎么办？夫妻俩回去以后如何面对全村的人？不如自己死去，反倒轻松些。那几位死难者，又是董志芬丈夫领出来的。夫妻俩如何承受内心巨大愧疚感的压迫和折磨？

董志芬的精神状态很不稳定，她语无伦次，把在壶关、在翼城、在河津和在王家岭的事全部混在一起了，甚至把事故当天和后来发生的事也混在一起，再也说不清楚。

突然，她将身体向前倾，眼睛极亮，问作家们：能不能帮帮我们，不要火化咱村的人，让我们把老乡的尸体运回去？

我们无以回答，谁也没想到她会提出土葬之类的问题。

见我们摇头，她的眼睛迅速黯淡下去，随即又开始亮，亮的是泪，是泪在浸洇而出。她的嘴动了几下，传出呜咽声，夹杂着含混不清的上党方言：我们也不能活了。

——战士的责任重，妇女的冤仇深。

这一次，玄武忍不住默默地哭泣。

现在又要提到王吉明了，准确地说，是王吉明与妻子以及两个妻妹的故事。

这个王吉明，十几年前在太原古交娶了湖南打工妹肖石红为妻，二人南腔北调，合在一起还挺美。他和这位辣妹子常回湖南探亲。肖石红姐妹四人，生活都很贫困，老二叫肖太红，老三叫肖巧巧，最小的叫肖伍星。去年，在王吉明的带领下，肖太红的丈夫和肖伍星的丈夫也来到王家岭挖煤。不知什么原因，老三的丈夫没有跟来。王吉明三个连襟拧成一股劲儿，要多挣一些钱。如此一来，老大肖石红照旧在太原看家，二妹和四妹便把孩子放在湖南乡下，脱身去了东莞，在同一家毛织厂打工。想不到，“3·28”这一天，三个连襟同时被困在王家岭井下。大姐肖石红等不及两位妹妹，急忙先赶到王家岭去了。

二妹和四妹在东莞，每月挣得一样多，都是1 500元钱，两姐妹和东莞老板同时从电视上知道了王家岭的险情。老板当即批准两姐妹请假，即赴山西。两姐妹先乘大巴到广州机场，没赶上当日航班。她们抓紧抢购次日飞往太原的机票，最早一班是早晨8点半，却只剩了一张票。售票员和机场领导也知道王家岭出了大事儿，就劝她们别哭，并特地为她们找来第二张票。两张飞机票花了3 500多元，到了太原一落地，接着又花了1 200元钱，打出租车赶赴王家岭。3月30日，姐妹俩终于和大姐肖石红相聚。一见面，三姐妹长久地抱在一起，自是一场嚎哭。天下哪有这么悲惨的事啊！

三姐妹齐刷刷地跪在井口，同声央求老天爷保佑，央求救援队员快快抽水，一时间感天动地。女人们的衣服黑乎乎的，简直变了个人样，就像落难逃荒的一般。

她们强烈要求住到一起，就姐妹仨死也要死到一块儿。三个人同样的悲苦合在一起，那悲苦便翻着番，更加悲苦。善后小组只能表示同意。

姐妹仨整天守在电视机前，从早上守到晚上，从晚上又守到天明，瞌睡了只打个盹。4月2日，从电视中看到井下有人敲管子，三个人高兴得跳了起来，可是第二天又没人敲了，三颗心又悬了起来，而且比最初悬得更紧。她们哪里知道，阻止敲管子的人就是姐夫王吉明呢？三颗心一直悬到4月5日，115名矿工从井下被救上来，三位丈夫俱在，姐妹们又是一顿大哭。这回哭得痛快啊！肖石红说：我们姐妹仨，睡了这辈子都没有睡过的好觉，三个人都睡得非常香，一觉睡到东方大亮。

姐妹仨去了医院。老二肖太红见到丈夫只问了一句话，你身体怎样？小妹肖伍星也一样，只问了丈夫一句，你身体感觉好不好？两个人说，我们很激动，却不好意思有所表示。只有大姐肖石红，当着那么多人面敢于拥抱王吉明，她胆子大，还能说会道哩。

这故事就像一部悲苦的电视连续剧。

中国妇女们在矿山的一声声哭泣，再一次警醒我们，每一个矿工的生命安全都牵连着一个大家庭，也牵连着更多柔弱的心。真应该让那些负责煤矿安全的指挥者，到这些家属们中间去谈一谈，走一走，想一想自己的责任。

悼词里删去了咱的姓名

170 多个小时过去了，全国观众久久期盼的心早已万分疲惫。

4 月 3 日中午 1 时，山西省水利厅所属 12 名潜水员和河南新密前来增援的四名潜水员会合一处，其中六名潜水员奉命下水摸探。试图潜过巷道低洼水域，深入到里面去探知生命境况。可惜在大约四个小时后，潜水员回到地面，报告：井下施工机械和大批垃圾堆积起来，而且水质浑浊，路程太长，潜水员强行下水危险极大。无奈放弃潜水方案后，又有人提出派工业机器人下水侦察。这一方案同样由于井下水质污浊，能见度极差而被弃用。

抢险指挥部决定：4 月 4 日晚间只要排水接近目标，就强行下井救援！这天白天，指挥部对井口的两个广场进行清场，地面通道全部打开，三条井下救援线路均已确定，各救援队全面熟悉图纸，具体分析被困人员可能所处的位置。医疗救护各队也作好了全面准备。晚 10 时 20 分，指挥部接到紧急报告，搜救队员在回风巷中看到对面有灯光晃动！听到这个消息，指挥部里的人顿时激动得全部站了起来。王君省长立即用指挥部电话与井下队员直接通话，果然是潞安集团负责监测的救援队员郝喜庆等人，首先发现了大巷深处依稀可辨的矿灯灯光。当时，水面距离大巷顶部不过半米，郝喜庆他们发现灯光后，怀疑是自己头顶矿灯的反光，几个人听取了唐德茂老总的意见，相约把头顶矿灯关闭后，再度进行观察，终于确认灯光是由被困矿工发出的，于是立即向井上报告。王君省长在电话中问：你们的发现可以确定吗？郝喜庆回应道：完全可以肯定，当时不止一个人！开始是一个灯光，后来发现了三个，当时还在晃动。

指挥部命令：立即下井救人！

23时15分，阳泉救援队员、汾西救援队员和潞安救护队员王凯，分乘两只皮筏艇向矿井深处前进。王凯在接受采访时说：当时，水面离顶板仅有40厘米左右，水深4.8米，我们躺在皮筏艇上，用手扒着顶板往里进。阳泉队乘坐的皮筏艇发现前方一辆漂浮的矿车上有四名被困矿工，我们发现另一辆矿车上有五名被困矿工。这时，皮筏艇被卡住，再也进不去了，而矿车也被卡在里面出不来，中间相隔六七十米的水面。我急忙携带三只救生圈、两件救生衣，从皮筏艇上跳入水中，奋力游向矿车。游到矿车跟前时，车上的五名被困矿工都很激动。我说，大家都不要着急，不要乱，乱了不好施展。

矿车上有人哭喊：我这一辈子也忘不了你！有两个人还没说话就哭。我说，大家别哭，大难不死，必有后福，应该高兴！大家要按顺序来。我问他们会不会游泳？回答有三人会游。我便让会游的三人套上救生圈，搀扶他们爬出矿车和我一起游向皮筏艇。第一次送一人，第二次送两人。然后我返回来，给两位不会游泳的矿工穿上救生衣，扶出矿车，先拖拽一人游向皮筏艇，又回来把第五个人拖拽过去。我来回游了四趟，只觉得水冰冷冻得腿疼。但是我很兴奋。在我单人救助的历史上，一连救了五个人，是最多的一次。另一辆矿车上的四个人，被阳泉队友救了出去。

凌晨5点上井后，我换了一身干衣服向指挥部作了汇报，8点钟再次下井。这时候井上打电话让我直接参加新闻发布会，但是我们估计，将有更重要的救援行动等待着我们，今天大巷里还会见到活人，上午10点左右，已经开始了侦察准备，就没有上井。结果真是这样，四个侦察队员乘坐皮筏艇首先救出一批人来。一只皮筏艇救上三个人，两只皮筏艇救上六个人。我急忙跳上一只腾空的皮筏艇进去，往来三次，每次救出四个，又救出来十二人。井上指挥部电话指示说，要把井下秩序组织安排好，把被困矿工安抚好。我又一次摆渡过去，让大家不要着急，告诉大家要按秩序排成队。一只皮筏艇只能运走三四个，这样，被困矿工们在水边一排一排地站着，四只皮筏艇往来运送，整整干了三个多小时。

一般来说，应该先救活人，先救出生还可能性大的人，先救出体力好的人。这时我注意到一名被困矿工体质比较弱，他已经不能走了。我扶他躺倒，本想第一个送他，正准备张嘴，底下矿工心急乱哄哄的，我就没敢说，怕大家情绪一下子乱了，抓紧先把体力好的人运出去。还剩三四十个人的时候，我对一名救援队员说，你再来的时候给我拿个担架。其他人全运完后，我们救援队的四个人，抬着担架，把刚才那个人最后抬了出去。

当时，井下的人见到我们，感情丰富的人容易哭，感情幽默的人还谈笑呢。我们忙着救人，没顾上跟他们说笑。

我从事十多年救援工作，说老实话，绝大多数抬出来的都是遇难矿工的尸首，而不是生还者。这是我特别激动的一次。

回首警戒线外的山坡上，一大批当地村民跪在地上，朝着井口方向不停地磕头，他们以最朴素、最原始的方式，祈求上天保佑！

作家小分队奔走在王家岭现场，沾了李福明先生的光，新闻组那间极简陋的小屋子成为我们一个落脚点。中央电视台等媒体记者们出出进进，忙个不停。正巧，有西山煤电集团的一位笔杆子，名叫景五更——想来他是在深更半夜出生的吧，他详细采访了西山救援队发现和营救上百名被困矿工的过程。景五更兴奋地把采访细节讲给我们分享，正好是王凯诉说的补充。

最早发现大批矿工是咋回事儿？4月5日10点，西山煤电救援大队副队长孟全福带领一个小队共十人，在皮带巷内集结待命。等水位下降到距离顶板约50厘米以后，勉强可以进入皮筏艇了，盯在现场的杜建荣、全智新、白培中、武华太等多位煤炭老总们，立即指挥救援大队下水搜寻。救护队长孟全福带领张金、孙海青、闫俊分乘两艘皮筏艇划水前行。通过150米长的水坑后进入上坡巷道，他们弃舟上岸，步行搜寻前进。忽然，他们发现湿地上有脚印，随即又发现巷道顶上挂有工作服，地上还有一个木筏。挂衣服是为了让人看见，木筏是为了渡水，这里可能有人。快，他们赶紧向前搜寻，一边搜寻，一边喊："有人吗？有人吗？"搜寻了大约200米，回报他们的却是黑暗中一片可怕的沉默。他们又一次呼喊："我们是西山救援队的！"这时，张金忽然听到有微弱的求救声："这里有人！"他们立即高举矿灯，四处搜寻，最后发现求救声是从巷道对面一个打开的支巷里传来的。对方这时也认出了他们，有人问："你们是来救我们的吗？"等听到肯定的回答后，支巷内的矿灯"哗"地一下亮起一大片，将地层深处死寂的黑暗一扫而光。

支巷内一片欢腾，有的人高声大喊，有的放声大哭，有的往外跑，有的往外爬。四位救援队员让他们保持冷静，不要着急。这时，有一个被困矿工问："你们能把我们救出去吗?" 张金坚定地说："只要我们能进来，就一定能把你们救出去。" 随即，孟全福、闫俊在前面带路，孙海青在中间维持秩序，张金断后往外撤。

来到皮筏艇的停放处，全体大难不死的矿工们停下来等待救援。一只皮筏艇能乘三四人，最多能乘五人。这时，队伍又有点乱，有些被困工人抢着上皮筏艇。四位救援队员赶快维持秩序，要大家一个一个地排队上，保证把大家都救出去。这时有两位被困矿工站了出来，主动帮着维护秩序。

这里一片灯光，巷道水面上，皮筏艇来回穿梭。为了不让被困工人掉下水，梁改彦、孙海青跳到水中，一个一个扶着他们上下。

张金的任务是和潞安队员王凯等人一起，负责收尾和清点人数。当张金最后一个登上皮筏艇时，106 人！这个被困矿工的数字便深深地铭刻在他的记忆中了。

52 岁的救援队员李效汤感慨万千："我干了 28 年矿山救援，一次救这么多人，这还是第一次。"

一辆辆救护车呼啸着奔向医院，马路边，河津市民打出了一幅朴素的标语："一名矿工活命，全国人民高兴!"

被困矿工们在地狱门口困了九天八夜，人人都能复述被救时的情景——

矿工杨甲国说：救援队一下来，他们喊：有人没有？喊第一声没有人吭气，我们还在黑暗中观察，不敢相信嘛，接着喊第二声第三声，最后一说是西山救援队的，真是救人的，我们把灯一下子都打开了，大家都高兴起来，站起来哇哇哇喊。我蹦起来就向前跑，我和我的三个老乡，有两个灯坏了，一个有灯的拉一个没灯的往出跑。皮筏艇一次接四个人。出来时蒙着眼睛，就听见有人鼓掌一个劲喊好好好，我身上软了，但脑子特别清醒。

矿工时锦涛说：第九天，躺在那里，听见救人的来了。救援队员身上那个颜色，在黑暗的地方特别醒目，橘黄色的闪光。这时候我想过，你就是有再大的能耐，你能活十天，能活一个月，上面不救你，你再能耐也不行。他们把我扶出来，我就哭了，我说你们真是救命恩人。我看见所有的救援队员都是一脑门子汗。皮筏艇摆渡过水面后，救援队员就两个人抬着担架上井，我知道那个路途有多么遥远，我们上班从井口到工作面，走一趟都累。上到井上，脑子还清醒，耳朵还能听见周围的声音，真想把蒙眼的那个东西揭开，看一看是谁救的我。接着就昏迷了。在井下还能扛住，不知道为什么一升井就不行了。

矿工李六六说：当时我也快绝望了，迷迷糊糊听见喊声：有人吗？我们是西山救援队的。不少人当时就哭了。走到水边，皮筏艇摇过来，一开始大家都急着上，乱得不行，我就骂：都他妈乱了？谁再乱我把你摁到水里淹死！救援队让排队上，就要排队等着，等了这么多天，还在乎这一下？有个年轻人不懂事，看到别人先坐上，他急得坐在地上大哭，只害怕把他落下了。结果，一个上了皮筏艇的人又主动下来，让他坐上出去。上艇的时候，也能看出一个人的品质。我一直昏睡到河津医院。护士问：你哪儿不舒服？我说我就是想睡觉，麻烦你用你的手机帮我发个短信，就说李六六平安。一会儿护士告诉我，对方回短信了，我一下子又睡过去了。

真说不清，这是人间莫大的哀伤，还是隆重的欢乐。矿工们总说这样一句话借以自嘲自慰：反正追悼会活动没有咱的份儿啦，悼词里删去咱的姓名了！

（选自2010年第14期《中国作家·纪实》，有删节，
作者：赵瑜、顺民、骏虎、黄风、玄武）

唱响在雪域高原的铁血壮歌

2010 年 4 月 14 日，青海省玉树州发生 7.1 级地震，超过 2 200 人遇难，当地多处山体滑坡、大量土木结构房屋倒塌。地震发生后，解放军和武警部队官兵立即投入抗震救灾，青海本省及其他省区市组织的多个医疗队和救援队火速奔赴灾区参与救援。

历史将永远铭记这一刻。

2010 年 4 月 14 日 7 时 49 分，一场里氏 7.1 级的强烈地震降临在了我省玉树藏族自治州。顷刻间，山崩地裂，墙倒屋塌。隆宝镇、结古镇、拉秀乡等地三万平方公里以内的 20 万名各族群众的生产生活几乎陷入绝境。

这是一次磨砺，更是一种考验。

当危难来临的时刻，共产党员们挺身而出，他们用实际行动为我们在雪域高原唱响了一曲壮歌。

我不知道你有没有去过玉树，去过巴塘草原，去过唐蕃古道上那个美丽的小镇结古。

作家唐韵曾经这样说:“玉树地处高原腹地，所说腹地，就是无论从哪个方向，你都无法轻易抵达的地方。”于是，玉树在我的眼里是遥远的，甚至是神秘的。

同时，玉树地处三江源头，长江、黄河、澜沧江这三条哺育了亚洲东南部最重要的三个文明板块的江河，都源于这片极地高原。从这个意义上说，玉树又是圣洁的。

玉树同时又拥有个性鲜明的人文风景，玉树的歌舞享誉世界，玉树的《格萨尔王》说唱是世界上最具传奇色彩的活着的史诗，甚至玉树的藏獒也带有一种睥睨天下的王者之尊。所以，玉树显然又是多情的。

我曾多次去过玉树，我为玉树这些独特的自然和文化气质深深吸引。越是这样，此刻每每想到玉树我都会不由自主地心痛。

一、悲情玉树

我是在 4 月 15 日，也就是在地震发生后的第二天晚上到达玉树的。坦白地说，那天晚上，当我乘坐的越野车穿过玉树的主街道时，地震的概念在我的脑海中依然是那样模糊。

地震过后，结古街头的主建筑大部分没有倒塌，夜色中，我看不清密布在它们身上那些被地震撕裂的令人心惊的伤痕。虽然街道上停满了各种各样的救灾车辆，虽然也有不少建筑物的残骸时刻提醒我，这里是地震灾区，可是对于汶川地震的惨烈景象有着刻骨铭心记忆的我，实在是不能将眼前的一切与地震两个字联系在一起。

第二天，我徒步外出采访，采访的第一站是扎西科。

扎西科是坐落在结古镇外一个山坡上的古老村庄，密密匝匝的房屋布满了那个山坡。那些房屋都是藏式的，房屋造型简洁又不乏细节上的华美，在房屋的四角都插着美丽的风马旗，大风过处，风马旗便会“呼喇喇”地迎风招展。在房屋与房屋的夹缝间，时不时地会闪现出经幡和白塔，这是藏族人民信仰的寄托。

藏族是一个善于使用色彩的民族，他们总是将对生活的全部热情都寄托在五颜六色的物象之中，他们将那些热烈纯净的色彩装饰在自己的生活里，装饰在自己的身上，于是扎西科便呈现出了一派无比绚烂的风景。当一片建筑以平面的形式出现在我们的视野中时，也许你还发现不了它的美，如果这片建筑借助地势，呈现出一种立体的风貌时，它的美便有可能得到最大的体现，扎西科就是这样。伫立在扎西科村下的马路上，仰望这座美丽的村庄，我曾暗自认定，这里就是世界上最美丽的村庄。

如今我依然在公路上仰望扎西科，昔日曾让我无比心动和着迷的那个五彩云霞般的村庄已经不见了，取而代之的是一片瓦砾，是满目疮痍。蓬发垢面的受灾群众、穿着袈裟的喇嘛、部队官兵和救援人员在废墟上奋力地扒人，他们的表情是凝

2010 年 4 月 15 日，四川消防铁军官兵在青海玉树地震灾区搜救。

（肖洪环／摄，图片来源：新华社）

重的，他们的呼吸是急促的，他们的步履是匆忙的，他们是那片土黄色背景上唯一的点缀。我被眼前的一切惊呆了，站在扎西科的脚下，脑海一片空白：扎西科，你这是怎么了？

我无法向你讲述大片大片的废墟带给我的心灵震撼，山崩地坼，天塌地陷，房倒屋塌，一片狼藉。灰色的或是土黄色的瓦砾堆上，横七竖八地躺着、立着、歪斜着一根根粗重的木质的椽梁，有些地方隐约可见一些诸如棉被、书本、家具等物什，这是人类曾经生活过的痕迹，可这样的痕迹往往最能泄露出废墟的恐怖。那里曾是我们的家园呀。

除了废墟，我更心惊于生命在自然灾害面前的脆弱和无辜。

记得有一天，我随一支医疗志愿者队伍去赛马场采访，赛马场是玉树受灾群众最多的安置点。医疗队到达后，一个神色紧张的藏族汉子抱过来一个包裹在皮袍中的婴儿，婴儿出生刚刚24天，他是被家人从废墟中扒出来的。许是太小的缘故吧，他的脸上没有恐惧，有的只是结了痂的灰尘。那是一个多么漂亮的婴儿呀，眼珠黑黑的，小手不停地在空中抓来抓去，浅黄色的头发在阳光中散发出一种柔和的光泽。可是因为地震，婴儿的母亲受到惊吓，已经断奶好几天了，他的家人只能用袋装牛奶喂养他，结果小婴儿当天就开始拉肚子，以至于严重脱水，生命垂危。

当医生将补水的药物用注射器滴注在他的嘴里时，这个可怜的孩子就连咂巴嘴的力气都没有了。我抱着婴儿使劲地晃，我希望这样能阻止他走向死亡的脚步，婴儿躺在我的怀里，用乌溜溜的大眼睛定定地看着我，他甚至还冲我挤出了一丝笑容，可是十几分钟后，他的眼皮就耷拉了下去……

我深爱的土地在受难，我深爱的同胞在受难。

二、"只要我活着，就不能离开工作岗位"

"只要我活着，就不能离开工作岗位。"说这话的是玉树州公安局政治处29岁的年轻民警拉巴东周。

拉巴东周的家是一个传统的藏式四合院，地震发生时，他正打算起床。此时，拉巴东周年迈的外婆已经在厨房里准备早饭了。拉巴东周从小和外婆相依为命，对外婆有着极为深厚的感情。

就在拉巴东周准备起身穿衣的时候，他突然感到大地在剧烈震颤。"地震了！"拉巴东周心头一颤，拉起妻子向屋外跑去。

大地仍在战栗，拉巴东周的外婆刚刚跨出门槛，又返回了屋中，因为拉巴东周两岁的儿子还躺在床上呢。

拉巴东周家的院子里有两排房屋，一排是混凝土结构的平房，另一排则是年代久远的土木结构平房，拉巴东周的外婆和儿子恰好住在那排土木结构的平房中。当拉巴东周的外婆回到屋内时，房子"轰隆"一声坍塌了。

拉巴东周的心猛然一紧，他哭喊着向那排倒塌了的平房扑去。

时间过得真慢呀，泪水模糊了拉巴东周的视线，他的脑海里一片空白，双手机械地在瓦砾中扒拉着，他甚至丝毫没有觉察到手指已经磨破了，而指尖的鲜血又将破损的椽梁和残旧的砖块染红了。

时间一秒一秒地过去了。拉巴东周首先看到了外婆的身体，白发苍苍的老人伸展着身躯，扑向床铺，仿佛是想竭力保护正在酣睡的孩子。拉巴东周费了很大的劲才将外婆拖出废墟，可是外婆已经离开了人世。

就在离老人不远的废墟下，平躺着拉巴东周的儿子。拉巴东周说，放下外婆的遗体后，他就和妻子一起奋力扒出了儿子，儿子的口鼻灌满了泥沙，可身体却热乎乎的。拉巴东周心想：儿子一定还有救。他一边小心地抠出儿子鼻孔和嘴巴里的泥沙，一边大声地呼喊着儿子的名字，可是儿子已经没有了声息。

拉巴东周的心都碎了，妻子呆望了拉巴东周几分钟后，突然爆发出撕心裂肺的哭喊，而拉巴东周的父亲则僵立在孙子的遗体旁，说不出一句话。

拉巴东周紧紧地抱着儿子的遗体，泪水夺眶而出，他怎么也不相信眼前的事实。

就在这时，拉巴东周听到不远处的废墟里传出呼救声。拉巴东周这才发现，邻居家的二层小楼坍塌了，呼救声正是从小楼的废墟里传出来的。

如梦初醒般的拉巴东周迅速放下手中的孩子，向那栋倒塌的楼房冲去。

“你干啥，你不要丢下我不管，我害怕。”拉巴东周的妻子一把拉住他的袖子哭着说。

看着伤心欲绝的妻子，拉巴东周偷偷地别过了脸。

“我是党员呀……”拉巴东周说。

废墟中的呼救声越来越弱，拉巴东周奋力地搬开废墟上粗重的木料和笨重的预制板，汗水不知不觉地打湿了他的额头。

拉巴东周从呼救声中听出，被困在废墟中的人正是邻居桑杰的母亲和孩子。拉巴东周一边奋力扒开废墟，一边大声地呼喊桑杰母亲的名字，安慰她不要害怕，一定要挺住。就在这时，急促的警笛声传来，拉巴东周抬头望去，发现是玉树州特警支队的战士赶来了。此刻，拉巴东周心里充满了希望，他一边大声喊：“这里还有人活着。”一边搬开一块沉重的混凝土块。在拉巴东周和特警战士的努力下，桑杰的母亲和儿子终于获救了，拉巴东周长舒了一口气。

拉巴东周说，地震发生后，人们惊慌失措地哭喊着。看着悲痛欲绝的妻子，拉巴东周的眼睛又一次模糊了，他抹了一把脸上的泪水，迈步向玉树州公安局跑去。

救灾任务一日重似一日，从地震发生的那天起，拉巴东周就再也没有回过家。他说，不是不想去看看那个已然成为废墟的家，不是不愿去看一眼伤心的妻子，而是他实在没有时间。

回到了工作岗位，拉巴东周就和同事投入到抗震救灾工作中，救援、抢险、维持秩序。哪里有危险，哪里就能看到拉巴东周和其他公安民警的身影。

4月16日，我们在玉树州政治处处长才措的帮助下，找到了已经三天两夜没有合眼的拉巴东周。小伙子黝黑的脸庞消瘦了许多，手指上结满了血痂。拉巴东周说，此刻他最想要的就是一顶帐篷，这样他年迈的父亲就不用在寒风中过夜了。不过，上级又布置了新的抢险任务，他实在是顾不上家里。

三、一种精神就是一组群雕

采访玉树州职业技术学校的吉格勒校长并不是一件容易的事。吉格勒实在是太忙了，学校里的几十位老师刚刚搬进帐篷，几十名学生还没被家人领走，学校的重建工作马上就要开始了，哪一件事都要这位55岁的老人操心，哪一件事交给别人办，吉格勒都会放不下心。

在处理了一大堆的公务后，吉格勒终于挤出几分钟时间和我们聊了起来。吉格勒说，地震发生时，他正在西宁开会，学校的教导主任打电话告诉他这个消息时，他一下就蒙了。他怎么也不相信离开不到两天，玉树居然会遭遇这样的灾难。

教导主任在电话中告诉吉格勒，学校的女生宿舍坍塌了，数十名学生被埋在废墟下。听了这话，吉格勒感觉眼前一黑，他想，自己必须马上赶回去。

稍稍镇定后，吉格勒嘱咐教导主任，无论如何也要把废墟中的孩子解救出来。放下电话，吉格勒在西宁街头找到了一辆车，向玉树方向飞驰而来。

就在吉格勒从西宁赶往玉树的时候，玉树州职业技术学校的老师李艳也向学校飞奔而去。

李艳的丈夫吕渊是一名警察，地震发生时，她和丈夫刚刚起床。大地颤动，楼房摇晃，李艳和吕渊惊呆了。几分钟后，大地终于恢复了平静，李艳和丈夫对视了一下后，没说一句话便慌忙跑到楼下。

李艳和吕渊都是党员，他们深知在这个关键的时刻，一名党员的责任。

跑到楼下后，李艳和吕渊分别向各自的单位跑去。没跑几步，李艳突然听到吕渊在她身后大声喊道:“老婆，你要小心。”听了这话，李艳的眼睛一下就湿润了，此后，李艳和吕渊一直忙碌在救灾一线，她再也没见过丈夫的面。

学校的情景让李艳感到痛心。

宿舍楼已经扭曲变形了，四楼和三楼甚至还发生了严重的坍塌，楼板的夹缝中传来了孩子们的哭喊声。李艳班里的几名同学哆嗦着看着这一切，一时间不知所措。

听到孩子们的哭喊声，李艳泪如泉涌，她冲着被吓呆了的学生大声喊道:“救人呀！”话音未落，她便奋不顾身地向那栋岌岌可危的楼房冲去。

余震不断，仍然有砖瓦在不停地落下。“老师，你不能去，你要是死了，我们咋办呀。”18岁的昂江求措拉着李艳的衣袖哭喊道。

看着昂江求措稚嫩的脸，李艳一阵心痛。“都是我的学生呀，我不能眼睁睁地看着他们被埋在废墟中不管。”李艳说完后，便迅速组织班里的几名男同学向废墟冲去。

没有任何工具，李艳便带着孩子们用手扒、用肩扛，搬去压在孩子身上的砖瓦。正在这时，李艳突然听到一块预制板下传来几名女学生的哭喊声，李艳和昂江求措试着搬了搬那块沉重的预制板，可是那块预制板就像是焊死在了墙体上，无论李艳和昂江求措怎样使劲，就是纹丝不动。

李艳急中生智地说:“赶紧用椽子撬。”

昂江求措急忙找来了一根椽子，他和李艳一起奋力地撬着那块沉重的预制板。

“一、二、三，不成，再来。”李艳喊道。

“一、二、三，加油呀。”

预制板终于被撬开了一条缝，可是缝隙实在是太小了。看到这种情况，昂江求措说:“老师，我体形小，我下。”

李艳扶着昂江求措，把他小心翼翼地从那条缝隙送进了即将坍塌的楼体。

周围静极了，李艳说她紧张得能听到自己的心跳。

许久，李艳终于听到昂江求措在预制板下兴奋地喊道:“老师，一共四个，都活着。”

李艳说，听到这话后，她腿一软，重重地跌坐在了废墟上。就在李艳和昂江求措救出四名女学生的同时，玉树州职业技术学校的李天晓老师正扛着两根椽子向女生宿舍楼的废墟冲去。李老师身材矮小，他扛着两根粗重的椽子，跌跌撞撞，可他的步伐却是坚定的。救人！救人！救人！这是李天晓老师此时唯一的想法。在这两根椽子的帮助下，几名被困在废墟里的女学生终于得救了。

地震发生时，玉树州职业技术学校的刘应护老师正打算上班。刘应护的家在学校附近的一排平房中，地震发生后，他的家变成了一堆瓦砾。刘应护和刚刚脱离险境的妻子缓过神后才发现，和自己同住在一排平房里的老师们都被埋在了废墟中，几乎没有太多的思考，刘应护转身便扑向了废墟。这一天，他和妻子一起从废墟中救出了近十位老师。

4月14日晚10时许，吉格勒终于回到了学校，他惊异地发现，所有的学生都被组织在了操场上，除了几位已经罹难的老师外，学校的所有老师都坚守在工作岗位上。看到这一幕，吉格勒的眼里溢满了泪水，吉格勒说："李艳、李天晓、刘应护有一个共同的名字——共产党员。"

2010年4月22日，在玉树地震灾区结古镇，一辆救灾物资运输车覆盖着积雪。
（侯德强/摄，图片来源：新华社）

四、"再穷也要完成赈灾任务"

果洛藏族自治州玛多县统战部部长旦巴一脸的疲惫，他和战友们已经整整三天两夜没合眼了。

听说玉树州发生地震的消息后，玛多县县委县政府及时召开了赈灾会议。玛多县县委县政府决定，一定要在第一时间赶赴玉树，不惜一切代价帮助玉树的受灾群众脱离困境。

玛多离玉树州委州政府所在地结古镇只有300公里，是离结古最近的一个县。作出组织人员到玉树抗震救灾的决定后，玛多县县委县政府迅速在全县范围内招募医护人员和公安民警，赶赴玉树抗震救灾。

听到这个消息后，23岁的靳亚东坐不住了，他找到了县长，央求县长让自己去玉树参与抗震救灾。

靳亚东是一位退伍军人，他曾参加过汶川地震的抢险救灾任务。

“县长，我是一名军人，又有救灾的经验，您就让我去吧。”看着靳亚东焦急的样子，玛多县县长默默地点了点头。

这天中午，作为玛多县抗震救灾指挥部副总指挥的旦巴，带领着由医疗人员、公安民警以及后勤保障人员组成的39名抢险人员赶赴玉树。

和抢险队员们一起抵达玉树的还有玛多县各医院临时筹措的价值50万元的药品。

“玛多是全国闻名的贫困县，50万元对于玛多县来说可不是一个小数字，可是我们再穷也要完成赈灾任务。”旦巴说。

中午1时许，玛多抢险队终于抵达了玉树。根据玉树州委州政府的安排，玛多抢险队被安排在了玉树州结古镇赛马场从事医疗和治安保障任务。

玉树灾情的严重远远超出了旦巴的预料。此刻的赛马场早已没有了平常的安宁，数千名受灾群众被集中安置在了这里，更有不少伤员在这里等待治疗。

“灾情实在是太严重了，说实话，当时我对我们这些人能不能顺利完成救灾任务心里还真没底。”旦巴说。

旦巴了解到，在玛多抢险队中，有16名是党员，他就决定成立一个临时党支部，处理救灾过程中的各种突发事件。此后几天，玛多县抢险队的各项工作都是在这个临时党支部的领导下开展的。

玉树震后的天气恶劣到了极点。天空风沙弥漫，气温骤然下降，这对抢险救灾工作造成了很大的障碍。

抢险队中的22名医务人员克服重重困难在寒风中设立了一个医疗点。当天晚上，医疗人员就医治了数百名伤员，并为十几名伤员做了接骨、缝合手术。

因为救灾物资还没有运抵灾区，不少伤员接受治疗后只得躺在露天广场上。看到这种情况，旦巴便和玉树州人民医院取得联系，希望他们能接收这批伤员，可是玉树州人民医院早已人满为患。旦巴决定用自己携带的三顶帐篷给伤员做病房，半个小时后，三顶救灾帐篷就搭建在了赛马场上，第一批伤员有了安身之地。

时间一分一秒地过去，就在旦巴忙着抗震救灾的时候，他突然接到了玛多县县委县政府打来的电话，玛多各界群众为玉树灾区募集了六万多元的善款，而玛多县的有关部门也从所辖的乡镇筹集了五万元的药物。听到这个消息后，旦巴和临时党支部的成员们震后第一次露出了开心的笑容。

4月15日晚，玉树州抢险救援工作走上正轨，受玛多县抢险队救助的40多名重伤员终于被送上了开往西宁的飞机。看到那些被成功救治的伤员，疲惫不堪的旦巴和玛多抢险队的队员们感到了一种从未有过的幸福。

临时党支部成员无私奉献、服务大局的精神深深地感动了靳亚东，4月16日，这个朴素的小伙子火线请命，向临时党支部迫切地表达了自己入党的心愿。

小伙子深情地说道，在抗震救灾的现场，他被深深地感动着，共产党人的无私精神，无疑是一次对自己灵魂的洗礼。

没有什么力量比信念更能凝聚人心，没有什么比理想更能鼓舞士气。奋战在救灾一线的党员们，用实际行动默默地激励着我们、鼓舞着我们，也感动着我们。

五、废墟上，她书写着坚强

她身形消瘦，远远望去，单薄的肩膀似乎担不起任何风雨。她笔直的鼻梁，上面支着一副镜片厚重的眼镜，看人时总喜欢眯着眼，这让她的目光透着几分亲切。她的嘴上布满了燎泡，眼底布满了血丝，她说话时总会不时地瞥一眼放在一旁的手机，生怕错过什么重要信息。她就是玉树藏族自治州副州长、玉树抗震救灾卫生防疫组副组长王秀芹。

2010年4月23日，阳光灿烂的上午，我在玉树藏族自治州体育场见到了王秀芹。这几天，她一直在为建立方舱医院的事忙碌着。如今，方舱医院已经投入使用，王秀芹长舒了一口气，她说，有了方舱医院，灾区百姓看病的问题就有保障了。

王秀芹是玉树地震的幸存者，提起地震发生时的情景，她的眼中溢满了泪水。

王秀芹的家在结古镇红卫路上的一栋两层小楼中，地震时，她正在一楼餐厅吃早饭，这一天原本是她下乡的日子。王秀芹的丈夫是玉树州经贸委的干部，刚刚起床的他正在二楼洗漱。

地震在刹那间吞噬了这个宁静的早晨，天崩地裂，墙倒屋歪，王秀芹家的楼房轰然坍塌了。后来，王秀芹才知道，丈夫在地震发生的刹那被重重地甩出了楼外，而王秀芹则被压在了废墟中。

很快，王秀芹醒了过来，她在黑暗中摸索着。不经意间，王秀芹摸到了自己的手机，手机在不停地振动，电话是王秀芹的妹妹打来的。

"姐姐，你在哪里？你还好吗？"妹妹在电话中急切地问道。

"姐姐，你要挺住，我一定会把你救出来。"在详细地问了王秀芹被压的方位后，妹妹这样安慰她。

紧接着，王秀芹就听到头顶上有人在不停地刨挖瓦砾。

王秀芹的心安定了下来，她突然想起了丈夫。王秀芹通过电话询问妹妹："你姐夫怎么样了？"

"姐夫好着。"妹妹的话语中透着犹豫。

"那让你姐夫接电话。"王秀芹感到隐隐不安。

妹妹支吾着，王秀芹的心凉了半截。正在这时，王秀芹通过话筒隐约听到丈夫在妹妹的身边哭喊着："救救秀芹，救救秀芹！"

王秀芹悬着的心这才放了下来，此刻的她并不知道，这喊声是受伤的丈夫为了安慰她喊出来的。

剧痛袭来，王秀芹感到了绝望，她想，自己千万不能残疾，不能再给丈夫添麻烦了。王秀芹说，这么多年来，因为工作忙，她根本没有时间照顾丈夫，她欠丈夫的实在是太多太多了，她想如果自己能活着出去，一定要好好地照顾丈夫，弥补心中的愧疚。

时间一分一秒地过去了，王秀芹头顶上的废墟终于出现了一条狭窄的缝隙。缝隙很小，只能勉强钻过王秀芹的头，她勉强探出头向外面张望，看见满脸是血的丈夫正在废墟上奋力刨挖着。

余震袭来，大地又一次痉挛，刚刚挖开的缝隙又有了重新被闭合的危险。王秀芹的亲人拼命将她拉出了废墟，王秀芹的身上多处被划伤。

死里逃生的夫妇抱头痛哭。王秀芹这才发现，丈夫佝偻着腰，好像一下子老了许多。

丈夫告诉她，他的腰很疼，已经无法直起来了。

王秀芹一阵心酸，说不出一句话。

当天，王秀芹的丈夫就被送到西宁治疗。临行前，丈夫对她说："你是党员，要好好工作，多为老百姓办点实事，我的身体不成了，你就替我多干些工作吧。"一席话说得王秀芹泪水涟涟。

送走了丈夫后，王秀芹迅速赶到州政府办公地，开始了紧张的抗震救灾工作。

作为主管卫生的副州长，她首先通知州属各医院抓紧时间救治伤员。

地震发生后，玉树州的医务人员奇缺，王秀芹又逐一通知州属各县，火速组织医务人员支援灾区。

伤员实在是太多了，现有的医务人员根本就不够用。在王秀芹的建议下，州卫生局迅速组织起结古镇个体诊所的医务人员，全力投入到抗震救灾的工作中。

时间就是生命。在王秀芹看来，那分明就是一场战役。

第一个伤员得到了救治。

第一批药物分到了伤员的手中。

第一个重伤员被送到了后方医院。

……

许许多多的第一，在废墟之上创造着奇迹。

王秀芹实在是太忙了，她根本没有工夫去想丈夫的安危。当丈夫的电话打来时，她才意识到自己不仅仅是一个领导，还是一个妻子。

王秀芹的丈夫被送往青海省人民医院治疗。丈夫入院的消息带给王秀芹的不仅仅是宽慰和感动，更多的是一种自责和内疚。她说，在丈夫生死攸关的时刻，自己理应守护在他身边，但救灾工作任务重，实在是太忙了……

六、"艰难的时刻，党员不上，谁上？"

4月19日，玉树震灾已过去了五天，可玉树结古镇扎西大同村依旧没有从那场可怕的梦魇中解脱出来。站在扎西大同村村后的山坡上放眼望去，昔日繁华的村子如今已是一片瓦砾，满面疲惫的乡亲们在瓦砾堆中抢救着为数不多的财产，狭窄的街道上，穿行着各种各样的赈灾车辆。

40 岁的治扎才仁默默地看着一辆满载着矿泉水、方便面等物资的赈灾卡车驶进了扎西大同村南街上的木器加工厂，心里充满了无限的感慨。治扎才仁是扎西大同村的党支部书记，虽然这位有着 13 年党龄的老党员自从地震发生后，每天只睡三四个小时，可是当他看到又一车赈灾物资送到木器加工厂时，布满血丝的眼中焕发出一种令人心动的神采。他身后的木器加工厂是扎西大同村的受灾群众临时安置点，是扎西大同村 200 多位村民临时的家。像这样临时设置的受灾群众安置点，在扎西大同村还有五个。扎西大同村和扎西大同社区的 5 000 多名受灾群众，在这些临时的安置点里，开始了重建家园的历程。

地震发生时，治扎才仁正在村里检查卫生，突然间地动山摇，房塌屋倾，治扎才仁一个踉跄扑倒在了地上。等他从地上爬起来的时候，治扎才仁被眼前的一切惊呆了，他视线内的建筑物已经全部坍塌。

治扎才仁掏出手机，想给家人打个电话，可按完号码后才发现，手机已经没了信号。于是，治扎才仁疾步向结古镇跑去。

余震不断，不断有残垣断壁在治扎才仁的身边坍塌。

手机信号终于恢复了，治扎才仁接到的第一个电话是结古镇镇长打来的，镇长在电话中嘱咐治扎才仁赶紧到结古镇镇政府召开紧急党委会议。

就在治扎才仁赶往结古镇的时候，他又接到了一个电话。电话是扎西大同村三社社长才哇打来的，治扎才仁在电话中叮嘱才哇，尽快组织村里的党员救人。

结古镇一共有六个党支部，镇长在紧急党委会上强调，各村党支部要发挥模范带头作用，在第一时间抢险救人。“艰难的时候，党员不上，谁上？”镇长的这句话深深地印在了治扎才仁的脑海中。

回到扎西大同村时，村里的党员们已经集结待命了，治扎才仁迅速把党员分成几组，分别到扎西大同村救人。

“党考验我们的时候到了，越是艰难，党员越要冲在最前列。”治扎才仁对党员们说，他的眼睛里泪光闪闪。

临行前，治扎才仁才知道，其实村里党支部的大部分成员都有亲人罹难了。治扎才仁沉默不语，因为他知道自己的侄子也不幸罹难了。

扎西大同村和结古镇扎西大同社区连成一片，散会后，治扎才仁和村长尕玛文次、三社社长才哇、老党员谢尕商量后决定此次救灾绝不能局限在扎西大同村。只要还有人被埋在废墟里，不管他在哪里，党支部的成员都要不遗余力地将他们解救出来。

谢尕已经 73 岁了，这位有着 28 年党龄的老人曾是扎西大同村的老村长。

谢尕沿着面目全非的街道向扎西大同村走去，正在这时，他突然听到身边的废墟里有人在轻声喊着救命。

“来人呀，这里有人！”谢尕冲着身边的几名村民大声喊道。

这是一栋完全坍塌的土木结构的平房，一根粗大的椽子斜搭在一面倾斜的土墙上，呼救声就是从椽子和土墙之间的三角区内传出来的。

谢尕试着搬了搬那根椽子，可椽子纹丝未动。几名村民一路小跑赶到了这片废墟前，他们和谢尕一起用力，椽子下露出了一个勉强可以钻进一个人的缝隙。谢尕探头一看，椽子下面压着两名中年妇女和三个男孩，大家齐心协力将他们救了出来。

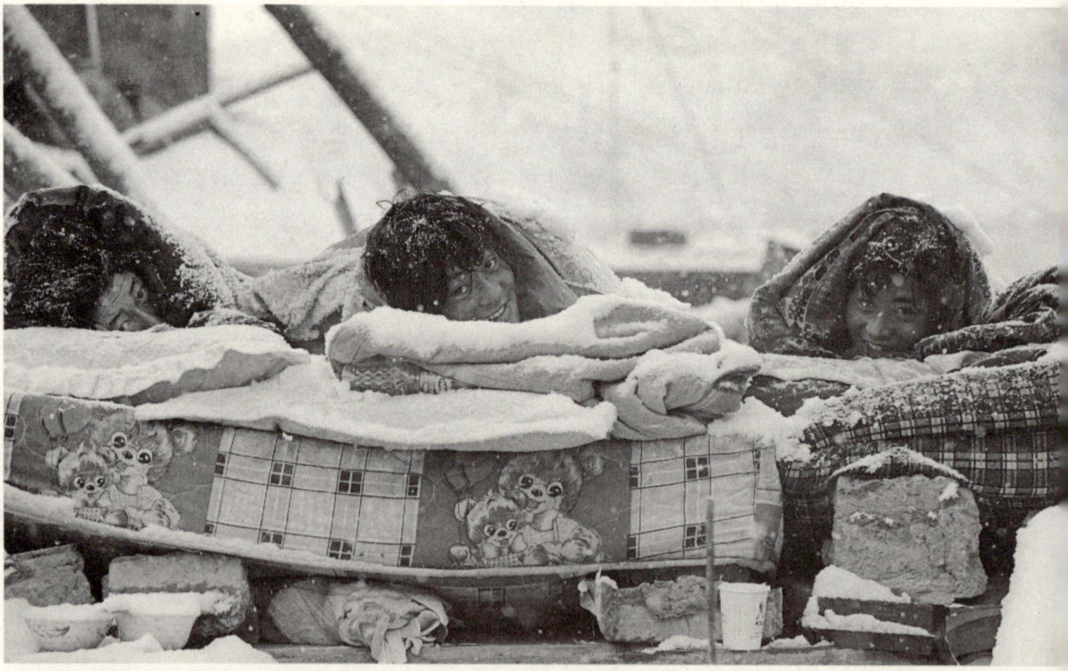

2010 年 4 月 22 日早晨，三名藏族青年一起睡在家里的废墟上。

（郭磊 / 摄，图片来源：新华社）

这是扎西大同村的党员们解救出来的第一批被埋群众。

根据事先的安排，才哇负责解救扎西大同村靠近山坡的被埋群众。接到任务后，才哇就和几个小伙子往废墟深处赶去，他们大声地呼喊:“有人吗，有人吗?”废墟中一片沉寂。才哇抄起一根木棍，不停地敲打着裸露在废墟外面的房梁，“咚、咚、咚”，他希望那些深埋在废墟之下的乡亲们能听懂自己这种特殊语言。

终于，在一片废墟下传来了一声微弱的呼救声。“有人!”才哇的心头猛地一震。

才哇的胳膊在地震中受了伤，他试着扒了几块砖块，一阵钻心的刺痛袭来。才哇大声喊来附近的几名村民，他们奋力搬开了一根房梁，又一名村民被解救了出来。

党员们的行为深深地鼓舞着扎西大同村的村民们，村民们开始自发地加入到救援队伍中。治扎才仁说，到4月14日晚9时许，这支由党员带队的救援队，成功解救了40多名被埋的村民。

夜幕降临，扎西大同村迎来了地震发生后的第一个夜晚。气温骤降，看着无家可归的乡亲们在寒风中苦苦煎熬的样子，治扎才仁的心里很不是滋味。他再次召集党员开了个简短的会议，在这次会议上，扎西大同村的党员们经过商议后决定，将乡亲们集中安置在村里的打麦场等待有关部门的救援。

又一个消息传来，扎西大同村村后的一座土山出现了巨大的裂缝，随时都有坍塌的危险，不少乡亲露宿在山下。听到这个消息后，治扎才仁和才哇迅速组织起村里的党员和年轻人组成了一支巡逻队，并嘱咐巡逻队员们一定要劝说那些露宿在山脚下的乡亲们赶往打麦场，并确保灾后乡亲们的财产安全。

夜色浓重，巡逻队冒着危险在村里党员的带领下，在苍茫夜色中向山下挺进。

这天晚上，治扎才仁、才哇和扎西大同村的党员们没有一个人合眼。

次日下午，第一批救灾物资终于运抵扎西大同村，治扎才仁和才哇开始组织受灾群众搭建帐篷。治扎才仁说，扎西大同村600多名村民中，除了62人死亡、5人失踪外，其余的村民全部住进了帐篷，他们将在这里迈出重建家园的第一步。

七、鲜红的党旗高高飘扬

平均海拔4 300米的玉树藏族自治州玉树县隆宝镇，不仅因为有黑颈鹤自然保护区而闻名，更因为留下过美丽女孩熊宁的足迹而被世人熟知。可是如今，一场大地震让这里变得满目疮痍。面对这场罕见的自然灾害，隆宝镇的党员干部身体力行，用实际行动在废墟上竖立起了一组令人震撼催人奋进的精神群雕。

39 岁的久文是隆宝镇的党委书记。他说，隆宝镇离结古镇 70 多公里，中间还隔着一座海拔超过 4 500 米的红头山，村民居住得比较分散，其中最远的一个村子距离镇政府所在地 50 公里，这给救援工作造成了极大的障碍。

地震发生时，久文正带着几名干部在玉树县开会。罕见的自然灾害，让久文蒙了。

正在这时，他接到隆宝镇君秦村党支部书记的电话，他在电话中告诉久文，隆宝镇也遭灾了，“站在自己家门口，看到村里的房子全都倒了。”久文听到这个消息后，脑子顿时清醒了。他在电话中嘱咐村支部书记，一定要想办法把人救出来。余震不断，电话信号也是断断续续。几番周折后，久文终于联系到了玉树县县长才仁公保，才仁公保在电话中告诉久文，抗震救灾的关键时刻，党员必须要坚守在工作岗位上。放下电话后，久文立刻驱车赶往隆宝镇。与此同时，隆宝镇镇长扎西文江也从结古镇赶往隆宝镇。

“关键时刻，党员必须坚守工作岗位”

从结古到隆宝的公路里程为 70 公里，但其中一段坍塌了，路上堵满了车辆。时间就是生命。看到这种状况，久文急了眼，他跳下车，和车上的另一名干部一起推开横在路面上的一辆车。其他司机不再观望，主动开始疏导交通，从结古通往隆宝的生命通道就这样被打通了。

路很长，路况很差，从结古到隆宝，久文走了两个多小时。

回到隆宝后，久文立刻投入到救人当中。好在紧邻镇政府的几个村子的党支部书记都平安无事，在党组织的领导下，隆宝震后救援行动在红头山下展开了。

地震发生时，在隆宝镇政府值班的五名党员死里逃生，他们迅速组织群众开展了各种形式的救援工作。

地震发生后，隆宝镇中心医院院长、党员吉拉迅速组织全体医务人员到各村展开巡诊，第一时间里展开了医疗救援工作。

隆宝镇寄宿中心学校有 1 000 多名学生。4 月 14 日，玉树发生地震后，校长洛增扎西火速将同学们组织到了操场上，寄宿中心学校无一人伤亡。

4 月 14 日晚 9 时许，隆宝镇副镇长驱车赶往离镇政府最远的一个村子指导救灾工作。晚 12 时，隆宝镇人员伤亡情况已基本摸清楚了。第二天，伤亡情况就上报到了县里。

“在整个救灾行动中，隆宝镇的党员干部以及六个村的村党支部书记，关键时刻没有一个掉链子的。”久文说。

“我是党员，这个时候绝不能退缩”

地震发生后，隆宝镇的党员干部迅速投入到抗震救灾一线，在抗震救灾的行动中发挥了巨大作用。

地震发生后，镇政府干部巴桑的母亲在地震中遇难。第二天，巴桑的身影却出现在了隆宝镇设置在结古镇的一个移民村里。巴桑在村党支部书记的支持下，第一时间统计出这个移民村的人员伤亡和财产损失情况。“我是党员，这个移民村又是我的扶贫点，在这个时候，我绝不能退缩。”巴桑说。

党员才仁达娃的一位亲人在地震中去世了，他强压着悲痛投入到抗震救灾的行动之中。

久文有十个亲人在地震中遇难，他至今没有回家看一眼。

“情况越是危急，条件越是艰苦，党员干部就越要发挥模范带头作用。”久文说。

玉树地震发生后，隆宝镇因为抢险及时，将损失降低到了最低限度：隆宝镇 8 700 多位村民，死亡 49 人，受伤近 200 人，无一人失踪。12 个小时内，镇政府就摸清了人员伤亡情况。

八、他失去了 18 位亲人，却始终奋战在一线

在这场罕见的震灾中，尕松达杰失去了 18 位亲人，但他没有倒下，而是在平凡的工作岗位上，以惊人的毅力和勇气实践着党的宗旨，他的人生价值在与灾难的拼

搏中得以升华。

一

巴塘河宛如一条洁白的哈达，萦绕在一片平坦的草原上。草原上，矗立着几排红瓦白墙的平房，这里是尕松达杰工作的地方——玉树藏族自治州玉树县巴塘村九年制寄宿学校，尕松达杰是这所学校的校长。

巴塘寄宿学校一共有412名学生和31位老师，巴塘学校的师生们都寄宿在学校里。2010年4月14日早晨5时许，玉树县地区发生了4.9级地震，因为开会留宿结古镇的尕松达杰从睡梦中惊醒，他迅速穿上衣服，走出门向四处张望。周围一片混乱，尕松达杰想起了远在33公里外的学校，他准备了一下，便发动汽车上路了。

此时的尕松达杰心急如焚。

而巴塘寄宿学校此刻也不宁静，学校副校长多杰才丁感觉到地震后迅速叫醒了宿舍里的老师，他们将孩子们集中在学校操场上。

寒风猎猎，空气清冽，一切看似并无异兆，可是多杰才丁没想到，一场更大的灾难正在地底酝酿。

7时49分，一场7.1级地震降临在了玉树草原，顷刻间地动山摇，大地震颤。多杰才丁步履踉跄地跑到了学校操场，他看到学生们慌作一团，个别胆小的学生已经昏倒了。地震发生时，尕松达杰已经驱车赶到了学校门口。

大地在几分钟之后就恢复了平静，仅仅相隔了几分钟，巴塘学校就已经变得面目全非，原本整齐的校舍已经严重变形，墙壁上出现了裂纹，瓦片落了一地。看到这一幕，尕松达杰惊呆了，他迅速掏出手机想向上级求救，可是他发现手机已经没有信号了。尕松达杰下车后，迅速向学校跑去。

“学生们怎么样了，有没有人员伤亡？”见到多杰才丁后，尕松达杰焦急地问着。当听说学校无一人伤亡后，尕松达杰长舒了一口气。

巴塘寄宿学校坐落在巴塘草原深处，这里前不着村后不靠店，手机一旦没了信号，整座学校就像是一个和外界失去了联系的孤岛。巴塘学校的师生们深知这一情况，见到尕松达杰后，师生们马上围拢过来。尕松达杰深知此时此刻他就是师生们的主心骨，他在心里暗暗告诉自己千万不能乱。尕松达杰想了想后决定，先将孩子们集中到一个更加空旷的草原上，然后再搬出食堂中的灶具和粮食，为孩子们准备早饭。“孩子们都吓坏了，千万不能再让他们挨饿。”尕松达杰说。

二

时间一分一秒地过去了，尕松达杰和师生们在那片空旷的草原上苦苦等待着救援人员的到来。因为无法与外界取得联系，救援队一时还来不了。

尕松达杰知道，五点钟的那场地震已经破坏了从巴塘到结古的道路，为了了解更多有关地震的消息，尕松达杰先后派出五位男教师骑摩托车外出打听，可是教师们始终没有带回准确消息。

9点半左右，一名家住文成公主庙附近的学生家长骑摩托车来学校接孩子，他告诉尕松达杰，地震发生后，文成公主庙附近大部分民房都倒塌了，一个孩子还被压在了废墟下。

这名学生家长还说，地震后他还专门爬到山顶向结古方向眺望，结古被一片烟尘笼罩。

尕松达杰听后心头一紧，他的眉头皱成了一团。

手机依然没有信号。

学生家长陆续来学校接孩子，他们带来了各种各样有关玉树地震的消息，学校里人心惶惶，尕松达杰决定让多杰才丁去结古打探消息。

多杰才丁赶到结古时，已是中午13时许，他看到结古镇已是一片狼藉。多杰才丁得知他的家人都平安的消息后，便火速赶到尕松达杰的家。在尕松达杰家，他看到，尕松达杰的妹夫已经在地震中罹难了，尕松达杰的奶奶也受了重伤。多杰才丁帮助尕松达杰的亲人简单收拾了一下废墟上的家具后，便驱车赶往巴塘学校。

一路上，多杰才丁的心里七上八下，他知道尕松达杰是一个重感情的人，他该如何将这个噩耗告诉尕松达杰？

三

多杰才丁回到巴塘学校后，看到尕松达杰的脸色非常不好，而他的妻子永阳正在一旁抹眼泪，原来，尕松达杰已经得知妹夫去世的消息了。多杰才丁是尕松达杰十几年的老同事，他劝尕松达杰回家看看，可是尕松达杰长长地叹了一口气说："人已经去了，我回去也没什么用，再说还有那么多学生需要我照顾。"

可多杰才丁看到尕松多杰的眼里闪动着泪花。

"你不替妹妹想，也要替奶奶想想呀，奶奶可是伤得不轻。"多杰才丁这样说。

尕松达杰的泪水终于流了下来。奶奶跟他过了十几年，这份亲情尕松达杰如何能够割舍？

在多杰才丁的劝说下，晚19时许，尕松达杰决定回家看一看。

又一个夜晚即将到来，但还有72个孩子的家长没有出现。临走前，尕松达杰嘱咐师生，趁着天亮赶紧搭建帐篷。

牛毛帐篷中亮起了一盏酥油灯，这盏小小的酥油灯宛如一粒希望的种子，在每个人的心中播下了一片小小的温暖。

四

晚22时许，尕松达杰回到了学校，他的脸上写满了悲哀。

事后，尕松达杰的同事们才知道，尕松达杰的好几位亲戚都罹难了。"校长的脸色当时难看极了，谁看见了都会替他担心。"巴塘学校的老师闹布战斗这样说。

"谁家出了这样的事，都会痛不欲生的，我们都在替他担心。"卓玛老师这样说。

回到学校后，尕松达杰一句话也没有说，可所有的人都看到他的眼圈红红的。

当听说还有70多个孩子没有被家长接走后，尕松达杰对老师们说："一定要照顾好孩子们，不要让他们受冻挨饿。"

这是一个难熬的夜晚，尕松达杰和他的同事们呆坐在帐篷里，夜色中传来永阳为亲人祈祷的声音，声音充满了凄凉。

黎明的曙光照亮了巴塘草原，尕松达杰原本黝黑的脸色变得更加阴郁了，大伙都知道，这位善良的人内心深处正在经历着怎样的煎熬。

手机终于有了信号，尕松达杰接到亲戚打来的电话，他的18位亲戚已经在地震中罹难。

听到这个消息后，永阳哭晕了。

尕松达杰心里也很难受，可他咬着牙硬挺着，他也想回去看一看，回去料理一下亲戚的后事。可他知道，只要还有一个孩子没被家长接走，他就不能离开工作岗位。

第二天，又有30多名孩子被家长领走了，在许多人看来，这似乎是一件好事。可是尕松达杰的心里沉甸甸的，他知道，到了这个时候，没被领走的孩子们的亲人大多凶多吉少。

等待，再等待，整整一天过去了，学校里依然有30名学生没被家长领走。

尕松达杰的心情更加阴郁了。

他开始主动和家长联系，可是大部分孩子的家长都没有消息。

"校长，要是孩子们都成了孤儿，我们咋办？"司机扎西来周担心地问道。

听了这话，尕松达杰想都没想便答道："那学校就把他们养大。"

从那天起，尕松达杰便和他的30个孩子一起开始了抗震救灾的历程。

五

4月20日，尕松达杰又一次回到了结古镇，这是他的亲人罹难的地方。这一天，政府发放给学校的第一批救援物资终于到位了，尕松达杰是赶到结古镇协调这批物资的运送的。看着尕松达杰忙碌的身影，永阳的心里很不是滋味，几天的煎熬让尕松达杰整整瘦了一圈，作为妻子，永阳知道他心里有多苦。

如今，巴塘学校还有21名学生没被家长接走，其中有七个孩子已被证明成了孤儿。尕松达杰说，他还没有把这个消息告诉孩子们，因为他害怕孩子们承受不了这样的打击，但他保证，孩子们虽然失去了亲人，但依然能享受到人间最珍贵的幸福，因为他就是这七个孩子的爸爸。

九、党员尼玛的故事

这里是海拔4 000多米的巴塘草籽场，因为离震中较远，这里的房屋没有太大的损伤。玉树地震后，这里便被当地政府临时安排成了赈灾物资配送中心，运往玉树的赈灾物资，大多先送到这里，再根据不同的需要发放到灾区各地。45岁的玉树藏族自治州公安局特警支队支队长尼玛，已经和他的战友在这里坚守好几天了。

提起震灾，尼玛队长的眼眶湿润了。他说，如果不是回族兄弟在地震中伸出援手救了他，他可能已不在人世了。

尼玛和他十几年前收养的藏族老人才才住在结古镇结曲北路的一栋二层小楼里。地震时，尼玛正在睡觉，那天他刚好要去单位开会。尼玛隐约记得，那天早晨才才走进卧室，对睡眼惺忪的尼玛说："你咋还不起床呀？"尼玛迷迷糊糊地答应了一声，就又昏昏睡去。就在才才走出房门时，地震了！尼玛突然感觉整栋楼在剧烈地摇晃着，摆放在大立柜上的小摆设"哗啦啦"地掉了一地。尼玛裹紧被子，顺势从床上滚落到床和大立柜之间的狭小缝隙里。

房屋在瞬间坍塌了。不知什么东西重重地压在他的背上，尼玛被压得喘不过气来，周围一片漆黑。尼玛想起有不少战友就住在自己家附近，他想打个电话向战友求救，可他摸了半天也没摸到睡觉前放在床边的手机，周围触手可及的全是瓦砾，尼玛绝望了。可就在这时，尼玛的手指突然碰到了一支悬在半空的话筒，他拿着话筒放在耳边听了听，话筒中没有一丝声音。

背上越来越重了，尼玛用双肘支在地上，奋力向上撑了撑，背上的重物似乎轻了许多，可是他的双脚依然不能动弹。他希望能在黑暗中找到哪怕只有一线的生存的可能。忽然，在倾斜的大立柜上，尼玛摸到了一根装饰条，他狠狠地拽了一下装饰条，没想到这一拽，竟让他获得了生的希望，一片亮光出现在了他的头顶。尼玛心里一热，他将装饰条顺着这片亮光塞出去，拼命地摇晃着。

尼玛终于听到头顶有人在喊："有人吗？"

尼玛大声地喊道："有，我还活着。"

尼玛听出，喊话的人是在自己家附近开饭馆的回族兄弟奴海。

"你别慌，我马上来救你。"奴海说。

没过一会儿，尼玛就听见有人在头顶扒土。尘土直往下掉，呛得人喘不过气来，尼玛顺手扯过一条毛毯掩住了口鼻。

时间一分一秒地过去了，奴海终于在废墟上扒出了一条缝隙。在奴海一家人的帮助下，尼玛终于逃出了险境。

想起死里逃生的那一幕，尼玛十分感慨。他说，当他从废墟里被奴海一家人救出时，身上只穿着背心、短裤，善良的奴海见状，便把儿子的鞋子和裤子送给了尼玛，那双鞋至今仍穿在尼玛的脚上。

脱离险境的尼玛首先想到的是救人，他不停地对着眼前的废墟大声喊："有人吗？有人吗？"正在这时，尼玛看到特警队的一辆警车正好经过他眼前的这片废墟，他跌跌撞撞地向警车跑去。

警车上拉着七八个警员，他们七嘴八舌地告诉尼玛，队里的警察无一人伤亡。听到消息，尼玛将车上的警员分成两队，赶紧去救人。

尼玛和特警大队队长刘海春分到了一组，尼玛想起自己家楼下还住着一户从四川来结古做生意的汉族夫妇，便拉着刘海春往自己家的方向跑去。

尼玛听见一楼的废墟中有个女人在大声呼救，他赶紧跑上去，通过废墟上的缝隙喊道："不要着急，我来救你。"

对方听到喊声，安静了下来。

尼玛和刘海春蹲下身，奋力扒着废墟上的瓦砾，粗糙的瓦砾将他们的手指磨得鲜血淋漓。

余震不断，每一次余震都让尼玛心惊胆战，他不知道压在废墟下的女人还能坚持多久。他试图和废墟里的人再说说话，可是嗓子眼干得直冒火，已经发不出任何声音了。

半个小时过去了，又过去了半个小时。尼玛终于将女人从废墟中救了出来，可是她已经奄奄一息了。尼玛的心揪成了一团。他赶紧让刘海春背着那个租房户向医院跑去，因为埋压的时间太长，她大小便失禁，尿了刘海春一背，尼玛的心揪得更紧了。可是尼玛不敢懈怠，他侧耳一听，发现废墟中还有一个人。尼玛说，那人姓黄，是女租房户的丈夫。尼玛冲着废墟大声喊道："别怕，我就来救你。"说完后，他便奋力刨挖着小黄身上的瓦砾。压在小黄身上的瓦砾很多，尼玛挖得很费劲，小黄在废墟中大叫起来。

"小黄，你不要喊，要注意保持体力。"尼玛嘶哑地喊道。

又是半个多小时过去了，小黄终于被尼玛从废墟里解救了出来。

尼玛说，地震发生当日，他和战友从废墟中解救了九名受灾群众。

中午时分，尼玛带着特警队员们回到了玉树藏族自治州公安局，他看到玉树州公安局已经成立了抗震救灾指挥部，尼玛被调往玉树州职业技术学校抢救被埋压的学生。临行前，尼玛借同事的电话，给远在西宁的父母打了电话。尼玛的父亲在电话中说："儿子，你是警察，你要赶紧救人。"尼玛的眼睛湿润了。

尼玛始终战斗在抢险救灾的第一线，他说，在抗震救灾的过程中，最让他高兴的，就是救出了那名姓黄的四川邻居；他最大的遗憾，就是没有救活小黄的妻子。尼玛别过头去，眼角溢出了点点泪花。

十、尾声

在玉树灾区，“共产党好”“党中央好”是我每天都能够听到的两句话。每当我看着那些竖起大拇指、满眼热泪的受灾群众喊出这两句话的时候，我就想，或许只有身临其境的人，才能体会到这两句话的内涵，只有感同身受的人，才能听出这两句话中蕴含着怎样的真切。

地震发生后，党和国家领导人先后抵达灾区，看望慰问受灾群众和救援人员，我们的省委书记和省长常驻灾区，指导抗震救灾的各项工作，他们带给玉树灾区的是希望、是力量。

地震发生后，在党的领导下，一支支救援大军挺进玉树，开展了一系列的救援活动；一支支医疗队在废墟之上搭起了简易的帐篷，不遗余力地救治灾民，他们象征着无私，象征着团结。

地震发生后，各级党组织迅速组织群众，开展了一系列自救、互救的活动，他们克服高原缺氧、克服余震的威胁，在海拔 4 000 米的雪域高原创造出了一个又一个生命的奇迹，他们昭示了党的蓬勃活力和党与人民休戚与共的坚强决心。

地震发生后，许许多多的党员驰援玉树，在雪域高原书写着大大的“责任”两个字。

天灾无情，人间有爱。在玉树灾区，我深刻地意识到，在整个抗震救灾的过程中，我们的执政党反应迅速，处置得当，不遗余力，殚精竭虑，真正体现了全心全意为人民服务的立党宗旨，与人民患难与共的不朽信念。这是玉树灾区带给我的最大震撼。正如在采访中，一个普通牧民说的那样：“如果没有共产党，玉树完了。”这话发自肺腑呀！

（选自青海人民出版社《玉树大营救》，2010 年 5 月出版，作者：李皓）

浦东开发 20 年

站在百年外滩临江东望，20 年前还是旧棚简屋、苇塘阡陌的浦东大地，如今一群群气势非凡的摩天大楼破空而立。浦东 20 年走过的路既辉煌也曲折。

过去 20 年的经验和教训值得总结。有别于其他地区板块发展模式，“浦东模式”是指由中央政府发动、地方政府推动，开发与开放相结合，内外联合，相互促进的区域经济发展模式。重点发展以金融贸易为核心的第三产业，吸引以跨国公司投资为主体的高新技术产业，进而塑造以金融贸易为核心的区域化、国际化集聚性增长中心。

继珠三角崛起之后，浦东模式的创造和贡献，引领、影响了中国近 20 年的奋斗、前行的路程。

未来 20 年的方向和战略需要运筹。有专家指出，浦东曾有的比较优势近年来逐步弱化，甚至有些“故步自封”。中共上海市委书记俞正声更是直言不讳地表示，“上海目前发展有个弱点，就是冲劲、闯劲不如浦东开发开放初期，想当老板的劲头弱了点。”

20 年过去，上海和浦东又站到了一个新起点上。

浦东曾是邓小平手中“王牌”

上个世纪初期，浦西已是举世闻名的“十里洋场”“东方巴黎”，浦东却是一片荒凉。黄浦江两岸风貌迥异，落差巨大。

孙中山曾考察浦东。在《建国方略》(1919)中，他作如此设想：“故创造市宅中心于浦东，又沿新开河左岸建一新黄浦滩……亦惟为此垂死之港，新造出有价值之土地，然后上海可以与纽约港争胜也。”

上图：1990年5月拍摄的黄浦江畔的上海市。近景是浦西城区，江对岸是即将开发的浦东地区；下图：2010年4月5日拍摄的上海浦东陆家嘴金融贸易区。（图片来源：新华社）

孙中山的设想在国民党政府时期差点成为现实。上个世纪40年代，国民党政府酝酿“大上海计划”，在浦东建立大港区，在和外滩对望的陆家嘴建一个新城。为此，国民党政府专设“越江工程委员会”，拟定了三种跨越黄浦江的方案，并拨款2亿元，作为设计费用。但在随后严重的通货膨胀中，这2亿元迅速贬值蒸发，只够买几十斤茶叶，开发浦东的计划只能作废。

到上世纪70年代末，上海，这座几十年前就曾雄踞远东的大都市重新睁大眼睛看世界时，猛醒到自己已处于内外夹击之中：与发达国家城市差距日益拉大，珠三角一夜崛起，特区发展更是一日千里。

国家战略

上世纪80年代初的改革开放，鉴于历史和地理的因素，首先从广东、福建起步，由深圳、珠海、汕头、厦门4个经济特区，相继扩大到沿海14个开放城市。上海在改革开放的战略态势图上，始终处于“后卫”的位置，脚步有些沉重和迟缓。

经1989年国内政治风波及“苏东风波”后的中国，面临重大抉择。国内外都对中国改革开放能否继续表示怀疑。

邓小平在同中央负责同志谈话时指出：现在国际上担心我们会收，我们就要做几件事情，表明我们改革开放的政策不变，而且要进一步改革开放。他还明确提出，“关门可不行”，“要体现出大开放，比过去更开放”，“要进一步把开放的旗帜

1994年8月，上海浦东一条正在建设的大道。（图片来源：新华社）

打出去”。

就在国家面临战略抉择的时候，1990年，中共上海市委领导向邓小平表示：“我们准备再打一场淮海战役，打过黄浦江东岸，开发浦东，再造一个上海。”国家意志与地方愿望在此不谋而合。

此时的浦东开发被看成是一场保守和改革之间的拉锯战。在中国同世界的博弈中，上海成为分量最重也最难打出的牌。

但是，在爱打桥牌的邓小平眼里，上海是“王牌”，需要考虑的是怎么出，什么时候出。他曾如此解释“出牌顺序”：“为什么我考虑深圳开放？因为它面对着香港；开放珠海，是因为它面对着澳门；开放厦门，因为它面对着台湾；开放海南、汕头，因为它们面对着东南亚。而浦东面对的是太平洋，是全世界。”

可以说，当年浦东的开发，意味着中国拿出最发达、最富庶的区域，来继续改革开放的路线，证明中国推进改革开放义无反顾的决心和信心，也是对国内外疑虑的有力回答。

的确，全世界都听到了这个声音。

“中国正在建立亚洲的金融中心，同时向世界证明，它仍然未关闭对世界的大门。”1990年7月15日，中国决定开发浦东三个月后，美国《纽约时报》记者纪思道在他的文章中这样写道。这名普利策奖得主还敏锐地观察到，“中国正在将它的经济发展中心从珠三角移到长三角”。

邓小平力推

1990年2月，邓小平来上海过春节。上海市委、市政府于1990年2月26日上报了《关于开发浦东的请示》。

春节后回到北京，邓小平对政治局的领导说了一段语重心长的话：“我已经退下来了，但还有一件事，我还要说一下，那就是上海浦东的开发，你们要多关心。”“上海是我们的王牌，把上海搞起来是一条捷径。”

1990年3月28日至4月7日，由时任国务院副总理姚依林带队，对浦东进行专题调研，并迅速形成《关于上海浦东开发几个问题的汇报提纲》。

仅11天后的4月18日，上海安亭，时任国务院总理李鹏即在大众汽车公司成立五周年大会上郑重宣布：中国政府决定开发开放浦东。

开发浦东终于走上前台，变成了国家意志。

1991年，也就是浦东开发的第二年，邓小平又一次来到上海过春节。2月18日，农历大年初四的上午，邓小平兴致勃勃地登上了上海新锦江饭店41层的旋转餐厅。

“和他一起来的有杨尚昆，此外是邓小平的家人卓琳、邓朴方等人，是一次家庭式的视察走访。”李佳能，时任浦东新区开发办公室副主任，他告诉《中国新闻周刊》记者，这是他第一次直接接触邓小平，当年场景仍历历在目。

据李佳能回忆，当时邓小平穿着灰色夹克衫，精神很好，笑容满面，只是头发稍微有些稀疏。时任中共上海市委书记、市长的朱镕基引着邓小平到事先准备好的圆桌前，大家围着圆桌坐下，进行家庭谈心式的汇报。

圆桌是事先布置的，浦东新区开发的大模型放在圆桌当中，还有一个放大了的浦东地图和上海地图。“大年三十，我接到通知，当天下午我们就开始准备。为了更直观地汇报浦东开发，我们自己动手做的模型，又到浦西南京路上的王升照相馆放大照片。”

听完朱镕基等人的汇报，邓小平透过玻璃窗眺望浦东，嘱咐道：“我们说上海开发晚了，早几年开发就好了，要努力干啊！”

那次在上海，邓小平不停地施压和鼓劲，作了不少指示，诸如：“开发浦东影响很大，影响上海，带动长江流域，辐射全国，面向世界”，“中国取得金融地位首先要靠上海，靠浦东，金融搞好了，一着棋活，全盘皆活”，“胆子再大一点，思想再解放一点，步子再快一点”。

李佳能至今清晰地记得邓小平说过“浦东开发晚了，我有责任”，在他看来，“邓小平是通过自己承担责任，来激励上海市领导的勇气”。

邓小平还告诫在座的干部：“发展不是乱来，要按照规划进行。”李佳能当时插了一句话：“浦东开发刚开始，还在初期，在做规划。”邓小平说：“规划一定要高起点，要瞄准国际大都市定位，要做得好，做到高水平。”

同时，邓小平勉励大家，开发中会碰到风险、困难，一定要顶住。李佳能后来才明白邓小平的言下之意。

1991年3月2日、12日和4月12日，上海《解放日报》在头版头条位置，以

“皇甫平”的署名，连续发表了三篇评论，转述邓小平在上海的讲话。即使如此，《求是》1991年第9期发表了一篇《问一问“姓资还是姓社”》，在文章末尾，严厉地质问：“对于那种不许问姓社姓资的观点，人们也不妨问一问：它所代表的思想倾向，究竟是‘姓社还是姓资’？”

时隔一年，1992年1月，邓小平带着全家老小“南巡”，途中多次发表讲话，为当时争论不下的路线之争基本画上了句号。一锤定音式的“南巡”讲话也使得浦东开始了一段飞速的发展。

1993年末，89岁高龄的邓小平又一次来到上海。12月13日，上海寒风细雨，邓小平视察了新建成的上海内环线浦东段和浦东罗山路、龙阳路两座立交桥，并上了新建成的杨浦大桥。眺望热气腾腾的浦东，邓小平含笑吟道：“喜看今日路，胜读十年书。”

到江的那边去

“宁要浦西一张床，不要浦东一间房”。20年前，黄浦江把上海分成了两个世界。浦西是繁华的十里洋场，而浦东只是外滩遥遥远眺的一片农田菜地，荒凉没有生机。

当1990年4月18日中国政府向世界宣布要开发开放浦东时，这片农田菜地在不少人眼里成为创业的梦想之地了。

渡江难

1990年10月，计算机工程师张浩到浦东开发办公室报到的时候，开发办大概有60多人。当时开发办没有审批权，只是个“空办”，一个协调机构，但办事效率非常高，协调能力特别强。“开发办设在浦东大道上的浦东文化馆，另外三个开发公司办公地点在浦东南路的由由饭店，‘由’是‘田’字出头，浦东的人希望浦东开发了，要出头了。”

渡江难。当时，黄浦江上没有桥，人流、物流的往来都依靠轮渡，效率很低，遇上恶劣天气交通就要阻断。1990年来开发办的人，大多住在浦西。张浩当时就住在浦西的曹杨新村，要坐一个半小时的223路、隧道五线等公交车到浦东上班，“挤得肋骨都要断了，新买的随身听的线都拉断了，特别心疼。”

1990年9月11日，陆家嘴金融贸易区、金桥出口加工区、外高桥保税区三个开发公司挂牌成立。“刚开始大家都很茫然，是去开发办工作，还是去三个企业？陆家嘴，是中国第一个金融贸易区，好像不错；外高桥，太远了，在芦苇荡边上；金桥根本就没听说过。”张浩还记得他当年带外宾去外高桥保税区，大片的芦苇把外宾的凯迪拉克汽车划得都是道道，司机心疼得不得了。

“那个时候在浦西感觉到‘洋气’，一到浦东就很‘乡气’。”当时，浦东最高的建筑，一是五层的救火观察楼，还有就是民国初年的一处旧居，几乎没有一个像样的建筑。陆家嘴地区有条路叫烂泥渡路，每逢暴雨就“水漫金山”，积水到膝盖。

1993年1月1日，浦东新区工作党委和管理委员会正式挂牌成立。“从不到100人变成800人，800壮士。”张浩笑着说。

时任浦东新区管委会副主任的李佳能也向《中国新闻周刊》记者回忆了管委会挂牌的那一天，“有浦东的农民，自告奋勇说我家里有几亩地、几栋房子可以捐出来。还有小学生捐压岁钱，有捐党费的，家具厂送家具的。”

张浩也告诉《中国新闻周刊》记者，当时，开发办的一位处长从东海舰队借直升机拍宣传片；来浦东参观的船，也可以得到海监局的特批，不一定按照规定的路线上岸。

“那是一个上下拧成一股绳搞开放的年代。每个人都真诚、激情、有信心。”张浩如此评价当年每个“过江的人”不辞劳苦、全身心地投入。

历风险

从1993年到1996年，浦东以基础开发为主。当时，浦东有3 000个以上的工地在同时施工。到处是机器轰鸣，施工车辆穿梭往来，开发强度之大、速度之快让世界惊叹。美国前国务卿基辛格在东方明珠上看到浦东工地塔吊林立时，曾发出惊叹：世界上五分之三的塔吊在中国，中国的塔吊一半在上海，上海的塔吊绝大多数在浦东。

时任联合国秘书长的安南访问浦东时，也发出过同样的感慨。他说，自己终于理解了为什么有人说上海的市鸟是“仙鹤”（Crane，同时有吊车和仙鹤之意）。

当时浦东新区与外国公司有项目融资的合作，在新区外办工作的张浩参加了外方专家组，在伦敦永道会计师事务所做了六个多月的项目咨询。两年后，张浩拿到了1997～1998年的志奋领奖学金，赴英国学习。

也正是这一年，亚洲金融风暴爆发。以金融贸易为主业的陆家嘴，还很稚嫩。“当时《参考消息》在头版报道，陆家嘴的商务楼只有20%的租售率，偌大的地方，灯亮不起来。”

时任浦东改革与发展研究院院长的姚锡棠给时任上海市市长徐匡迪写信，建议把以上海房地产交易中心为代表的要素市场迁往浦东，通过要素市场的转移发展浦东现代服务业，带动人气。这个建议马上得到了徐匡迪的批示。在政府的强力推动下，当时很多设在浦西的要素市场，如商品交易所、粮油交易所、产权交易所以及上海市房地局等都随之东迁浦东。

据浦东改革与发展研究院院长万曾炜回忆，他在陪同时任上海市副市长、浦东新区管委会主任赵启正接见外国友人的时候，对方调侃说，陆家嘴的房子看起来造得太多了，空置得厉害。赵启正笑着回应，在中国，聪明的母亲总是把孩子的裤子做得长一些，以备孩子长大了还可以穿。

金融危机过后，陆家嘴的灯逐渐亮了起来。即使是当年做得大了不少的“裤子”，现在看起来也小了。为此，上海市规划把1.7平方公里的陆家嘴金融城，扩容到3.2平方公里，以容纳更多的金融机构入驻。

如今，已坐拥包括甲级写字楼、商业中心、高星级酒店、国际社区、都市科研等各类商业地产的陆家嘴，正逐步向外延伸。原来的荒地上，是492米高的中国第一大楼以及556家中外金融机构的华丽楼群。

“如今的陆家嘴，将要在方便生活、交通、消费等方面下工夫，让十几万金融白领的生活更便捷。”上海陆家嘴（集团）有限公司党委书记、总经理杨小明对《中国新闻周刊》记者说。

当年，不只陆家嘴，浦东的大部分建设都过于注重产业功能，而忽视了城市功能。“陆家嘴就像一个独立的孤岛，路看着就在眼皮底下，走过去却很麻烦。我们在陆家嘴报纸买不到，买包烟都很难，办公楼吃饭也难。”杨小明说，他的希望就是能使在陆家嘴工作的白领，15 分钟以内有 20 处就餐地可以选择。

向上升

做好配套设施，把投资者留住的理念，一直贯穿杨小明在浦东的 20 年。

1990 年 5 月 2 日清晨，时任上海市委宣传部文化基金会工作人员的杨小明匆匆赶去外滩市府大楼参加上海市委、市政府召开的一个重要会议。此次会议的一个议程，就是宣布开发开放浦东进程中第一批到浦东任职的政府工作人员。在简短的名单中，毫无思想准备的杨小明听到了自己的名字。

这次会议，改变了他此后的人生。

被任命为浦东开发办信息处处长的杨小明也成为浦东开发办的第一任新闻发言人。“当时的信息处类似于公共关系部，后来改为对外联络处。那时工作分工还不像现在这么细致，除了对外宣传外，中外访问者接待、招商引资、信息管理等工作也都归信息处做。”

1995 年 4 月，作为浦东新区第一个“主动下岗”的局级干部，杨小明赴任外高桥保税区新发展有限公司党委书记、总经理。两年后，刚刚在外高桥做出成绩的杨小明被调任至金桥开发区担任上海金桥（集团）有限公司总经理、上海金桥出口加工区开发股份有限公司董事长。

作为国家级开发区，成立于 1990 年的上海金桥出口加工区当时已基本完成从农业化向工业化的转变，基础建设初具规模。但在招商过程中，杨小明发现了一个问题。

“一个美国公司要到金桥建工厂，他们的外籍高管要找一个环境好一些，孩子能就近上学的小区租房。可放眼浦东，竟然没有一个小区能满足这两项基本要求。如果这些基本的生活需求都无法满足，不管我们招商来的企业多么优秀，他们的员工都不会安心在上海工作。”为此，身为集团总经理的杨小明，曾亲自给外籍高管请过保姆，为他们的孩子找过家教。

经过细致认真的调研，杨小明决定在金桥建设一个各项服务功能完备的国际社区。

两年后，在金桥出口加工区西侧，参照国际标准和惯例建设的碧云国际社区让人眼前一亮。这里有亚洲最好的橄榄球场，有英国布莱尔首相的母校德威国际学校，还有两座外国人周末作礼拜的教堂……如今，碧云国际社区已成为上海和浦东新区外籍人士家庭集聚度最密集的国际社区，成为众多外籍人士到金桥投资、工作的坚强后盾和留在金桥的一个重要因素。

“冷班子”谋划浦东新局

“如果说，前20年浦东的发展，我们记住了1990年，那么20年后再回望，将记住2009年。”中共上海市委副秘书长、浦东新区区长姜梁在接受《中国新闻周刊》采访时，着重强调了2009年之于浦东的重要意义。

姜梁所言不虚。2009年，浦东迎来了数个关系长远发展的大好机会：首先是《加快推进上海国际金融中心和国际航运中心建设意见》的出台，浦东是主战场；随后，国务院批准将原南汇区划入浦东新区。

浦东迎来了二次创业的新起点，着眼于在全区范围内优化生产力布局，提出了“7+1”布局。

“‘7+1’既是生产力布局，也是浦东在制度安排上的新探索。”姜梁解释说，浦东要探索特大型城市、特大区的管理模式，“两句话，上面轻型化、下面扁平化”。

有专家指出，面对深圳特区在“试水改革”上的“义无反顾”，面对滨海新区“先行先试”上的奋起直追，上海浦东在中国改革中的地位面临着“前有古人，后有来者”的尴尬局面。

“上海目前发展有个弱点，就是冲劲、闯劲不如浦东开发开放初期，想当老板的劲头弱了点。”2010年上海两会期间，中共中央政治局委员、上海市委书记俞正声直言不讳地表示。

知情人士告诉《中国新闻周刊》记者，俞正声书记此番表态并非空穴来风，而是看到了浦东发展和改革中的诸多弊病。

该人士认为，自成立以来，依靠改革精神、政策优惠等，浦东已经取得了巨大的成就，但进入21世纪，特别是近几年，浦东曾有的比较优势已逐步弱化，浦东甚至有些“故步自封”。

为此，2010 年 3 月国务院审议上海“两个中心”建设意见的时候，上海就成立了一个“冷班子”。

据俞正声讲，“……‘冷班子’调研组，专门对浦东新区新一轮改革进行调研，主要研究税收、监管、信用、服务等方面怎么样才能形成与国际比较相近的环境。”

而据《中国新闻周刊》记者了解，“冷班子”组建的目的就是要破除浦东在探索“先行先试”方面的“故步自封”，破除地区利益和部门利益，集合上海全市的研究力量对“新浦东”的发展进行探索，重新唤回“新浦东”改革初期的闯劲和激情。

“现在各家拳路不一样，浦东的拳路是落后的。”浦东改革与发展研究院院长万曾炜接受《中国新闻周刊》采访时直言不讳地说，浦东开发开放这 20 年来，在经济上走上了“新”区，在行政体制上却走上了“老”区。

回首 1993 年 1 月 1 日，浦东新区管理委员会正式成立时，时任上海市副市长、浦东新区管委会主任的赵启正在上海市人代会上说了三句话：“该管的事一定要管好，可管可不管的由中介机构去管，不该管的坚决不管。”浦东新区行政管理体制的改革创新，一开始就围绕“精简、统一、高效”为原则，旨在转变政府职能。“小政府、大社会”这一起源于海南的组织架构体系，在浦东得到了最新的诠释：政府职能被定位于宏观经济的调控，培育市场、规范市场秩序。

赵启正曾经开玩笑地说：“副省级领导直接对着乡镇，全国只有我一个。”

到 2005 年，浦东开发 15 年以后，浦东政府的干部队伍扩大到了一万多人，当年那个充满着改革激情的“小马达”，已经变成了一台按部就班的“大机器”。为此，2005 年 6 月，国务院批准浦东作为综合配套改革的第一家试点。“国家不给任何优惠政策和条件，唯一给的就是‘先行先试’的权力。”

在采访中，也有浦东新区的官员向《中国新闻周刊》记者表达了这样的担忧：“最近深圳综合配套改革碰到了不对口的困惑，而浦东早就碰到过这种困惑。光是一个地区部门改革了，但是别的地区都没改，这里面有一个游戏规则，你脱离游戏，人家就不和你玩了。”该人士就认为，浦东现在摊子大了，底子厚了，改革的步子要更谨慎。“30 岁的人一无所有，和 50 岁的人想问题总是不一样的。”

浦东新区原政协主席李佳能持不同意见，他在浦东开发开放 20 周年的时刻又重温了《邓小平文选》第三卷，“第 367 页就是 1991 年 1 月 28 日到 2 月 28 日邓小平同上海负责人谈话的要点，其中‘胆子再大一点、思想再解放一点、步子再大一点’

对20年后的浦东仍有重要指导意义。”

上述不具名的官员向《中国新闻周刊》记者表示，理顺多头管理机制是浦东持续改革的重要一步。他举例说，在浦东新区内的外高桥保税区、洋山保税港区和浦东机场综合保税区组成了上海综合保税区，此前这三个区是国家级开发区，成立后的上海综合保税区管理委员会又是上海市的派出机构。

其实，浦东在设置多个功能区时的出发点最初是为了消除城乡二元结构，想通过区镇联动，探索出一条改革的途径。但现在，每个镇都是一级政府，土地都是集体所有制的资产，而功能区是国有资产，开发区公司又是上市企业。“这在体制上面有很多障碍，很难协调”。

（选自2010年第15期《中国新闻周刊》，作者：庞清辉、郁玫）

揭秘“食疗专家”张悟本蹿红背后的利益链

2010年2月1日，湖南卫视《百科全说》播出一期《张悟本谈养生》，让张一夜蹿红。他所著的《把吃出来的病吃回去》一跃成为各大书店、网站销售黑马，书皮上写着“上市四个月突破100万册”。出自张悟本之口的绿豆汤、长茄子理论几乎到了包治百病的程度，还甩出“糖尿病80%都是误诊”“降压药会吃出脑梗、肾衰竭”等雷人语句。现在，张悟本的悟本堂诊所是一号难求，诊所的销售小姐推荐挂不上号的患者购买张悟本的光盘和书籍。

张悟本蹿红的背后，一条利益链若隐若现。

被神化的绿豆

三四个月前，绿豆4.8元一斤，而今批发市场的绿豆已经10元一斤，其迅猛之势将此前风头正劲的大蒜PK下去。而整个冬春之交，绿豆价格火爆的同时，一则“绿豆汤包治百病”的传言不胫而走。

“饮：绿豆汤！在开篇的时候我给大家讲过，过去中国人也长瘤子，为什么都慢慢化没了？用的方法就是绿豆汤。绿豆汤是养肝、凉血的。肝是干吗的？西医叫解毒的，中医认为肝是主疏泄、调理气机的，气机不通不就是堵吗？所以要用绿豆汤养肝，达到调理气机的目的。”这是摘于张悟本所著《把吃出来的病吃回去》中的一段话。他被很多“粉丝”称为“中医食疗第一人”。

在张悟本的《把吃出来的病吃回去》中，不论是治疗近视、高血压，还是癌症……药方中没有灵丹妙药，而不可缺少的是白萝卜、绿豆和长茄子。他声称多次用它们治好了肺癌、糖尿病、心脑血管疾病、肺炎等数十种常见疑难病症。

绿豆在张悟本的神化后价格开始飞升。

“一年前就觉着他不靠谱”

昨天晚上，家住西单附近的马利（化名）奉母之命用自行车驮了20斤绿豆回家，“这还是排了队才买到的，家里的绿豆消耗得太快了。”自从看了电视台播出张悟本的节目后，马利家里天天都飘出煮绿豆的味道，“胡同里好几家都这样，家里天天跟大酱厂似的。”

刚一到家，妈妈接过马利手里的绿豆，抓出几把扔进了锅里，抬眼看了看时间，扣上锅盖。马利摇摇头走出了厨房，“我妈有点高血压，这回可好，看了节目之后，喝绿豆汤跟喝水一样，怎么劝都不听。”马利的妈妈以前是一个很节俭的人，两天前的剩菜都舍不得扔掉，“现在每天都得倒掉两三斤熬完的绿豆，一点都不含糊。”

一直站在厨房的妈妈五分钟后关火，清水变成了深绿色，她对着屋外的马利喊了一声：“晚上你也喝点，人家老师说了，喝这个对身体好。”

“去年年初，我就听说了张悟本这个人。”马利回忆说，他在家门上发现了一张光盘，包装纸上写着中医讲座人的名字就是张悟本。对医学很感兴趣的马利看了十分钟之后，就把光盘扔了，“那张光盘太粗制滥造，拍摄的情况也很差。主要是他说的一些东西都是错的，他连中西医中对脾的区别都不知道，混淆了很多概念。我当时就觉着这人不靠谱。”

“绿豆涨价也有张悟本的功劳”

“绿豆10元钱一斤，超市都12.8元了。”上周六，在管庄附近的一家粮店中，老板边称绿豆边说，“我倒没看电视，听买豆子的人说，很多人都是看了电视之后就跑来买绿豆了。”

“三四个月以前，绿豆才卖4.8元一斤，然后涨到7元钱一斤，上个月涨到8元多，这个月就10元钱了，买的人还是多，好的时候一天能卖个百八十斤的。”粮店老板说。

在杨闸环岛西的菜市场，买绿豆的人也络绎不绝。64岁的老张说:“以前就知道绿豆败火，看了电视才知道，绿豆还能养生治病呢。”老张把20斤绿豆装进拉杆车里，“贵也得喝啊，谁让它能治我的高血压呢。”

“到了夏季，绿豆的销量肯定比以前多。但是这两三个月，买绿豆的人一下子就比以前多好几倍。这绿豆涨价，也有张悟本的功劳。”摊主笑着说，买绿豆的人群主要是集中在中老年人中，有的来了根本不问价格，直接就说“给我称20斤绿豆”。最近三四个月，绿豆价涨了将近一倍。

买绿豆的刘阿姨告诉记者，她从一起跳舞的老姐们那听说了绿豆治病的说法，看了电视之后很快成为张悟本的“粉丝”。“就当花钱买健康了吧。”刘阿姨咬了咬牙，拍出了一张百元大钞。

三万元一月的康复营得排队等

21日下午，位于国家奥林匹克中心西南门处的悟本堂门前冷清，入口的玻璃门上贴着“禁止拍照”的提示。走进悟本堂，也没有出现人头攒动的场面，五六名咨询者围在前台，一张宣传张悟本新书的大海报立在悟本堂的大厅里。

“现在预约的人太多，已经不能挂号了。要不你两个月以后再来看看吧。治高血压可以跟着张老师的方法，回家吃点生茄子，喝绿豆汤，自己先调理着。”前台的工作人员告诉记者，悟本堂只有张悟本一名坐诊专家，300元的号排到2012年，1 800元的号排到明年。

在记者准备离开的时候，工作人员对记者说:“挂号不行，但是可以进入康复营进行康复训练。这个训练可以与张老师面对面进行，由他来制定食疗方法，还可以和张老师合影留念呢。不过想报名康复营也要等半个月左右，费用为十天9 800元。还有一个月的康复训练，每人每期三万元，陪护人员每人每期一万元。”

一对中年夫妇从康复营中走出，对于近万元的康复训练有些难以接受:“我们进去看了，里面有人在训练，双手合十，像是练气功似的。门就开了一条缝，没让我们进去。我还没看清里面有多少人的时候，门就关上了。”

经常去奥体散步的董君奎说：“可能是媒体曝光的多了，这没前几天热闹了，前段时间门口出入的人挺多的，门口停了很多车。”

“每个人药方上都要求补钙”

作为湖南台的忠实观众，杨小姐看到《百科全说》后立刻被吸引进去。“开始只是觉得张悟本这个人挺好玩儿，看节目的时候也当是娱乐节目来看。”后来，听到能治高血压、脂肪肝这些常见病，杨小姐开始认真了。

杨小姐托人挂了张悟本的号，和老公一起来寻医问药，来到悟本堂后看到大门上贴着一行标语，提示来者这里并非医疗机构，不把脉，只提供食疗方法。

杨小姐说，张悟本看病时也像他在电视上开讲，经常询问几句身体情况后，就落在“这不就对了吗，多吃绿豆，吃生茄子”，然后再开点其他方子。在观察同来的挂号者后，杨小姐说，她发现基本上每个人的药方子上都写着要补钙，而出了屋门马上就能看到一个卖钙剂的柜台，不少中老年人都成盒地购买。

“他不是中医科学院的人”

张悟本的众多名头中，有一个是“中国中医科学院中医药科技合作中心首席食疗推广专家”。在中国中医科学院的主页中搜索，找不到与其相关的任何消息。中医科学院的一位工作人员表示：“他不是中医科学院的人，只是中医科学院下属公司外聘的坐堂医生。”

张悟本自报的教育经历是：“1981年，北京医科大学临床医学系；2000年，北京师范大学中医药专业。”《生命时报》报道称，北京医科大学现已归属北京大学医学部，该部负责学籍管理的马老师表示，1981年，该校无毕业生毕业；1981年入学的学生里面，也没有找到叫张悟本的人。北京师范大学继续教育学院一位老师告诉记者，2000年，北京师范大学继续教育学院确实开过中医药专业，也确实有个叫“张悟本”的学生。不过，当时这个专业国家不承认学历，是函授性质，不用脱产，主要是自学，开卷考试。

记者在卫生部网站中未查到张悟本有行医资格。据报道，张悟本系北京针织三厂的退休职工。

“绿豆汤防癌没有科学依据”

“绿豆汤可以治疗肺癌、糖尿病、心脑血管疾病、肺炎等数十种常见疑难病症。”“现在许多高血压都是假性高血压，都是误诊。”“只要按照你每天喝水的量，将三斤绿豆放到锅里，煮开后，就可服用。”“高血压患者只要长期服用这样的绿豆汤，就可以摆脱终身服药的困扰。”……

这些论调让张悟本拥趸无数。科普学家方舟子说:“绿豆含有的类黄酮可能也有一些保健作用，但是这些成分都是在许多食物中，特别是豆类中有的，没有什么特殊、奇妙的。”

安贞医院普内科一位医生表示，绿豆的解毒作用源于绿豆蛋白等成分与有机磷、重金属结合成沉淀物。因为绿豆中的蛋白质含量比鸡肉还多，大分子蛋白质需要在酶的作用下转化为小分子肽、氨基酸才能被人体吸收:“这类人的肠胃消化功能较差，很难在短时间内消化掉绿豆蛋白，容易因消化不良导致腹泻。”

目前畅销的这些养生书，基本上都是属于“另类养生”。方舟子认为，很多作者并不具有科普健康知识的资质，靠标新立异、危言耸听来招徕读者，迎合了许多人害怕生病、试图找到健康捷径的心理，再加上媒体的炒作，所以就流行开了。

湖南卫视为何选择张悟本

《百科全说》是湖南卫视以脱口秀形式打造的一个栏目，将综艺节目和养生节目相嫁接，在去年底推出。制片人李隽宇认为,《百科全说》在定位上不是严格意义上的科普节目，娱乐只是一种手段，也正是《百科全说》和其他专业类养生节目的区别所在。

《百科全说》轻松的节目氛围、烘托气氛的音效以及脱口秀明星一样的嘉宾，对于观众来说不仅有新鲜感，而且还十分有煽动性。李隽宇介绍，《百科全说》选择嘉宾的时候会进行综合考量："像张悟本，我们从出版界的朋友那里了解到他的图书销量不错，而且有些观众也建议能邀请他来讲。我们对嘉宾都会进行了解和沟通，确定他是否符合节目的要求。"

虽然成为《百科全说》最火的嘉宾，但李隽宇说，张悟本节目收视率并不是最高的。

制片人承认节目确实存在过失误

虽然《百科全说》主打生活健康常识而不涉及疾病治疗，但嘉宾在节目中还是不可避免地会提到一些相关话题。张悟本的一句"糖尿病 80% 都是误诊"更是引起了很多专家的质疑。对此，李隽宇颇为无奈："其实张悟本在节目上涉及疾病的部分很少，大部分还是在讲饮食和生活习惯，但是都被忽略了"。此外，李隽宇也认为，现在很多报道其实都是对张悟本的一些说法的断章取义，"他的确说过绿豆汤好，但是他也说了你没有毛病干吗每天去喝绿豆汤。"

李隽宇承认，节目中确实存在过失误，尤其是一些专业名词容易混淆和误解，"有一次张悟本在节目上说让大家少吃发酵食品，因为酵母可能含有铝和铅，后来我们查证应该是人工合成的酵母粉含有这些成分，所以在后来的节目中又让他重新进行了解释。"李隽宇强调，中医专家毕竟也不在专业领域有多精深的研究，因此存在失误也是难免的。"我们觉得在大方向上是符合科学性和客观事实就可以，毕竟世界上任何一个专家、中医都不能代表绝对的标准。"

北京电视台曾婉拒张悟本

2009 年初开播的《养生堂》，是 BTV 科教频道一档品牌栏目，也捧红了一批

“养生名家”，不少嘉宾在主讲过几期节目后一号难求、慕名前来寻医问诊者大增，出版的养生书籍也常常成为畅销书。而张悟本的火爆，连《养生堂》栏目制片人伍立也感受到了。

伍立颇有些无奈地向记者表示，不少人向他询问张悟本，甚至想托他挂个张悟本的号，他只能向别人解释，自己的栏目从没有邀请过张悟本，他也和张悟本从未有过私交：“好多人一说张悟本都以为是上过我们节目呢，我们也正想找个地方澄清一下。”

伍立说，早在去年下半年，张悟本的经纪人就曾联系过他，希望上《养生堂》。在详细了解了相关情况后，伍立婉拒了对方的请求。伍立说，不少出版社都主动上门，希望推荐自己的养生畅销书作者成为嘉宾；也有一些生产保健产品的厂家拿着钱找上门来，希望帮助他们进行宣传。一方面这让《养生堂》一直以来的品牌积累从侧面得到展现；另一方面，也让栏目组从制片人到编导坚定了抵抗这种利益驱动的决心。

伍立说，观众心里都有一杆秤，谁说的是真的，谁说的是假的，也许短期内无法鉴别，但时间长了观众心里都有数。但他表示，也有很大一部分观众有盲从心理，认为电视上说的什么都是对的，缺乏一定的判断和辨析能力。

很多养生名家并无医师资质

对于嘉宾人选，伍立说节目组设置了多道关卡。“首先，我们会在专业网站上搜索他的论文，假如没有发表过正经的专业学术论文肯定不行。另外，还会要求他出示医师执业证书。”伍立称，社会上一些“养生名家”并不具备医师资格，“虽然邀请这样的嘉宾能在短期内提高收视率，但是为了节目的长久生命力，我们都不会请他。”

“其实还有一套很容易的辨别方法，在做《养生堂》的过程中，我们认识了很多业内的中医名家，形成了一个圈子，在这圈子里一打听就行。”

伍立认为，养生节目需要对观众的健康负责，因此不适合打造成纯娱乐节目，应该保持一定的严肃性和权威性。“毕竟电视媒体还是要有一定的公信力和责任感。”

“他背后有文化公司在运作”

“按着目前的表现，张悟本后面应该有一个文化公司帮助他运作。”北京一位不愿透露姓名的文化公司负责人说，有很多电视节目除了制作团队外，背后还有一个招商团队负责商业运作，“很多文化公司和对象谈合作都希望有个人‘身份’，也就是说，文化公司要挂靠在一个栏目，才更有说服力。”

这位负责人认为，文化公司会把他们的资源推荐给电视台，甚至会垄断这个栏目。嘉宾由电视走红后，通过其社会影响力再去发行图书，获取更大的利润。而对于一个新节目，它本身也需要能够“剑走偏锋”的嘉宾。

“一些新播出的节目也需要炒作，它和那些慷慨激昂的嘉宾形成了互相提升的目的。节目收视率高了，广告收入自然增加，电视台就会从中牟利。”

“在一些大的电视台做保健养生的节目，嘉宾一般都要给电视台付费，这就好像是一个真人秀一样。一期节目的价格，一般都在十几万到二十几万。”该负责人介绍，嘉宾通过电视走红，他的付出很快就会成倍地收回，文化公司会帮他策划后面出书等活动，从中收取不菲的策划费用，“老百姓很有热情地买单，电视台、嘉宾、文化公司三方获利。”

这本坑人的《把吃出来的病吃回去》创造了六个月卖出 300 万册的奇迹。

张悟本出书获利可观

王府井书店，张悟本的《把吃出来的病吃回去》摆在畅销书展柜中醒目的位置。该书首次印刷于 2009 年 10 月，在 2010 年 4

月进行了第二版第二次印刷。王府井书店专门辟出一块展台摆这本书。一位老年人摘掉眼镜，捧着书仔细地看着介绍："老街坊都说他讲得好，我也买本书回去琢磨琢磨，养养生。"

一位出版社的工作人员介绍，出版社和作者签的合同有两种：一种是版税合同，另一种是一次性付款的合同。

"一般的作者版税合同只能拿到8%，非常知名的人甚至能拿到15%的版税。"这位工作人员给记者算了一笔账，如果按着其书上标明的销售百万册计算，每本书售价35元，加上版税，他出书获利实在可观。现在据说销量已经不止100万册，他可以获得的利益就更加巨大。

养生栏目进入"捧角"时代

多年前，当赵本山在春晚卖拐的时候，很多人心里大概都嘲笑着"范伟"：这笨蛋，不仅被忽悠瘸了，还被人忽悠走了自行车和钱。对于"范伟"来说，赵本山的话就是金玉良言，而那副拐绝对是雪中送炭。如今，当各类养生节目开始攻占荧屏的时候，电视机旁的观众却也不知不觉地成了"范伟"，养生书脱销了，绿豆涨价了，大师的号挂不上了。这股越吹越猛的养生风帮助多少人强身健体不得而知，但的的确确捧出了一茬又一茬的大师专家。

养生节目从去年以来的红火并不是偶然。随着生活节奏的加快和工作压力的加大，现代人越来越关注健康问题。而就医难、看病贵仍是一个短期内无法解决的问题，养生节目正是迎合了人们的需要。但随着大批养生节目雨后春笋般地涌现，如何避免节目同质化成了一个难题。《百科全说》就选择了综艺节目的形式，养生大师不再一脸严肃，而是像表演脱口秀一样尽情挥洒个人魅力，滔滔不绝、口若悬河的表演再搭配上夸张的音效，效果确实惊人。此外，节目中还请了一些随时可以打断大师发言的年轻嘉宾作为陪衬。这些年轻嘉宾的作用其实和赵本山身旁的高秀敏类似，看着像是在添乱，实际上却把范伟眼中的赵本山烘托得愈发高大。

养生节目毕竟不是综艺娱乐，对养生大师的追捧也不能像追捧超女快男一样缺乏理性。电视台追求收视率，大师们追求名气，而观众们要的却是健康。虽然不能一棍子把所有养生大师都打成“大忽悠”，但必要的把关却是不能缺少的。事实上，站在大师张悟本背后的是一条环环相扣的产业链，这个产业链中的每一环都需要张大师以惊人之语和高收视率为基础。而给养生节目捧场的观众很多都缺少相关知识，尤其对于一些长者来说，电视里说的东西往往就代表着权威。但电视毕竟不是造星机器，更不能在禁止了明星药品代言后，又捧出变相的电视购物广告，哪怕这广告的对象仅仅是一捧绿豆或者一根茄子。

（选自2010年6月2日《北京晚报》，作者：王雯淼、赵喜斌）

催命营救

2010年8月23日，一辆装载25名乘客（包括21名香港乘客）的旅游车在菲律宾马尼拉市中心基里诺大看台附近被菲律宾前警察劫持，经过谈判，6名香港游客于中午前获释。23日晚7时40分左右，菲警方实施突击解救行动，香港游客中8人死亡，7人受伤，劫持者被警方击毙。

在这场9人丧生的悲剧中，绑架者门多萨一开始贴出的纸条仿佛就预示了过程和结局：没有任何"错误"被纠正，有的只是错误、错误和错误。

"对不起，你们现在是我的人质了。"

8月23日，当地时间9时，在菲律宾马尼拉市帕西格河畔西班牙殖民时代古迹"市中市"外的一辆旅游大巴上，一名中年男子向全车人宣布。

他刚刚尾随参观完毕的游客们登上大巴。此人身材中等，面目和善，在宣布车上的21名游客与一名司机和一名当地翻译成为他的人质时，甚至用了"对不起"一词。但车上所有的人都同时注意到，他身着迷彩服，腰里别着一把匕首，最重要的是，手持一柄M16军用突击步枪。这个谦逊有礼的绑架者并没有一开始就展露杀气，但他的右手食指一直紧紧地扣在步枪扳机上。

这是香港康泰旅行社组织的一个旅行团马尼拉四天旅程的最后一天。团员包括来自六个香港家庭的8男12女（其中有3名14岁以下儿童），旅行社还派出一名香港领队，他们原定当晚返港。

这是绑架者菲律宾人罗兰多·门多萨（Rolando Mendoza）失去警察工作后的第七个月。在因"严重行为不当"被菲律宾廉政法庭革去马尼拉警署高级督察之职后，他一直声称自己遭到了不公正的待遇，并持续寻求复职的可能。

而绑架香港游客成为了门多萨"寻求公正"的最后一步。在顺利地控制了大巴车之后，他很快在车窗上贴出了一张纸条，上面用英文写着：Big mistake to correct a big wrong decision.（用一个重大的错误来更正一个重大的错误决定。）

此后14个小时，全世界的观众通过电视直播目睹了这场由劫匪与人质、警察与混乱、枪战和流血交织而成的悲剧。在这场以九人丧生为代价的悲剧中，门多萨一开始贴出的纸条仿佛就预示了过程和结局：没有任何“错误”被纠正，有的只是错误、错误和错误。

“我要那笔退休金”——犯错的“杰出警察”

克里斯蒂安·卡劳（Christian Kalaw）现在宁愿自己失踪。2008年4月9日，这名国际烹饪学校的新生在Ospital ng Maynila停车，五名警察走来将他逮捕。卡劳被指控无证驾驶、非法停车，同时在租住公寓非法藏毒。报道称，卡劳被迫吞下沙雾（晶状甲基安非他明，一种毒品），五名警察敲诈了他3 000比索（约合人民币450元），并让他支付2万比索（约合人民币3 014元）的赎金。

卡劳因此砸了饭碗，他被认为给酒店管理带来安全风险。

门多萨也因此丢了饭碗。这名机动巡逻高级督察被停职90天，后因卡劳未配合调查，检控被驳回。但在2010年1月，门多萨却被廉政法庭以严重行为不当为由革职。此时门多萨55岁，距离退休仅有一年，随之丧失的是一笔丰厚的退休金。

门多萨1955年1月10日出生于甲美地省那伊，育有两子一女，其中一子米斯马克是亚布拉警局副局长，级别是督察。门多萨的弟弟格雷戈利奥（Gregorio Mendoza）也是警察。门多萨1981年从菲律宾大学获得犯罪学学士学位，投身警界，最初十年一直担任街头持枪巡警。1991年1月，他被吸收进菲律宾国家警察局，在西部警署担任高级警官，随后这个警区改名马尼拉警署，2002年5月他被升为督察，2005年8月又升为高级督察。

在整个从警生涯中，门多萨共获17项荣誉，包括国家警察局“效率奖”“功勋奖章”“服务奖章”等。据菲律宾《马尼拉公报》消息，马尼拉总警司马格蒂拜（Rodolfo Magtibay）透露，门多萨为人正直诚实，经常做好事，比如拾金不昧。

门多萨获得的最重要的荣誉，是1986年由菲律宾国际青年商会颁发的“十大杰出警员”称号。根据记录，门多萨率领一队警员截获了一辆装有13个满是钞票的箱子的汽车，随后将查获的巨额款项上交政府。据信整个过程中门多萨分文未取。

有意思的是，根据《南华早报》的报道，门多萨截获的是菲律宾前总统马科斯试图带出境的款项。而菲律宾现任总统阿基诺三世的父亲正是被马科斯所暗杀。

人们无从得知，这个面对一整车钞票分文不取的曾经的优秀警察，为什么会为了价值3 000元人民币的勒索而陷害一位无辜的厨师。仅有的信息表明：门多萨反复声称自己遭受到了不公正的待遇，而他的弟弟格雷戈利奥则对媒体暗示门多萨“是一个受害者”。

在持枪劫持大巴车之后，门多萨提出的诉求也相当奇特，他要求菲律宾警方重新审查他的案子，恢复其警察身份，最重要的是恢复其被剥夺的退休福利。

他把自己以及一整车无辜游客置于生命危险之中，甚至把他的祖国拖入不可预见的名誉危机，只是为了要那笔退休金。

“我没有伤害你们的打算”——被误判的局势

司机卢邦（Alberto Lubang）将大巴车开向了黎刹公园的基里诺大看台，这是绑架者门多萨的要求。门多萨选定的地点颇有深意，基里诺大看台是菲律宾举行国庆日集会的地方，不到两个月前，菲律宾现任总统贝尼尼奥·阿基诺三世正是在那里宣誓就职，有50万人聚集观看。“作为一名前警方机动队负责人，他知道将大巴停在基里诺大看台前面是最有利的。”马尼拉地区警察局副局长菲德尔事后评价说。

旅游车横在基里诺大看台附近的道路中央，门多萨将司机铐在方向盘上，将游客驱赶至车厢后半部，并打电话给马尼拉地区警察局的前同事，宣布自己的行动。

几乎在同时，在港的康泰旅行社顾客服务部助理经理陈小冰接到了游客领队谢廷骏报告被劫持的电话。陈事后回忆，谢声线平静，不像太恐慌，背后亦无特别声音，但由于害怕刺激劫匪，谢匆匆交代几句便挂了线。

20分钟后，陈小冰再度致电谢廷骏，已联络不上。此前的一次电话，已是谢廷骏与同事的最后一次通话。

大巴车内，门多萨命令游客们坐到了车厢的后半部，并不断地调整团员的座次。

2010年8月24日，在香港金紫荆广场，香港特区区旗下半旗向菲律宾人质事件中的遇难者志哀。（李秋婵/摄，图片来源：新华社）

安排座次时，他略显紧张，但多次向游客表明："我没有伤害你们的打算。"

这样的表态甚至让随后获释的老年游客李奕彪觉得"他十分和善"。李奕彪现年72岁，年龄为全团最大，且身患糖尿病。门多萨同意了他下车的请求，并亲自护送李奕彪到车门口。

此前，门多萨已应旅游团要求，陆续释放了5名游客，其中包括3名儿童。最先被释放的分别是66岁的女性团员李凤群和32岁的菲律宾地接导游戴安娜·陈，前者因肚痛急须上洗手间，而陈则用当地语言诉说自己有高血压，早年丧夫，又有子女需照顾，儿子明年大学毕业，希望门多萨可怜她、释放她。听过陈的求情，劫匪门多萨释放了她，这让陈觉得，门多萨"并不是很坏"。

时间接近中午，门多萨又释放了40岁的女性团员曾绮丽及其10岁的儿子傅泽贤、4岁的女儿傅颂贤。事后，曾绮丽在电话中向康泰旅行社总经理刘美诗透露，当时，劫持者突然走到她和孩子身边，要求他们下车，但未解释原因。曾急中生智，谎称 12 岁男孩汪政溢也是自己的亲属，最终成功带离三名儿童。

在曾绮丽的记忆中，当时车上气氛平静，她相信劫匪不想伤及老弱妇幼，才释放他们。

此时从电视画面可见，大巴的所有窗帘被拉上，但不时有人质拉开窗帘张望。事态的发展异常平静和缓，警方曾信誓旦旦地向媒体表示："我对于劫持者在下午 3 点释放全部人质感到有信心。"午饭时间，警方派人取数份盒饭上车，并与门多萨交谈。

对于这个在警队服务了半辈子，弟弟和儿子也同在警队的前高级警官，执行任务的警察显得没有把门多萨"当外人"。两名谈判者在大巴车门前与门多萨语气祥和地交谈，车门大开，门多萨就倚在门框上。这一画面被电视转播不断定格重复，但少有人注意到，门多萨的右手放在身后的黑暗之中，M16 步枪长长的枪柄隐现一半。

在现场外围，甚至有马尼拉市民驱车赶来围观，不少人以大巴车为背景合影。同在这一时段，当地特种部队带着警犬赶赴现场，而救护车和消防车停靠在附近。中国驻菲大使也赶赴现场，要求菲方在保护人质安全的前提下积极营救。菲律宾总统阿基诺三世呼吁劫持者尊重人质生命。"我当时的确以为他会释放人质。"菲律宾总统阿基诺三世事后总结时说。

但他的"以为"和所有人一样错了，当大家以为这将只是一部惊险娱乐片的时候，流血枪战片的元素正在隐隐登场。

"总统府不会与劫匪谈判"——为什么不能答应他的简单要求？

中午时分，劫匪与警方的谈判展开。前警察门多萨提出了自己的两个要求：一是复职；二是政府补偿他在去职期间的物质损失。为了说明情况，他在车窗上贴出了自己向督察专员申诉时的案件号码，还将一个文件夹的材料交给了警方谈判代表。

尽管对人质表现和善，但门多萨对自己的谈判要求相当坚定。司机卢邦事后说，门多萨不断跟外界通话，但唯独没有和家人联系，因为他不想因此"削弱自己的决心"。

14时15分，门多萨在大巴玻璃上陆续贴出字条：

“Big deal wil start after 3PM today.”（今天下午3时后将有大事发生。）“Big mistake to correct a big wrong decision.”（用一个重大的错误来更正一个重大的错误决定。）“3PM dead lock.”（下午3时，最后期限。）

下午3时，弟弟格雷戈利奥开始与门多萨喊话，并让门多萨把给警方的最后期限从15时延长30分钟。

15时30分，门多萨张贴了另一张告示：“Media Now.”（现在是媒体时间。）同时他要求当局为大巴加油，让车辆可以继续开冷气。要求随后得到满足。

14时35分和16时30分，被交换上车的两名菲律宾摄影人员分别获准离开车辆。他们也是最后两名被劫匪释放的人质。门多萨共主动释放了9人，包括6名香港游客和3名菲律宾人。此时，大巴上的菲律宾人仅有司机卢邦一人。

谈判仍在继续，但政府方面迟迟不愿同意门多萨的要求。马尼拉副市长莫里诺（Isko Moreno）与菲律宾的督察专员取得联系，要求对门多萨的申诉尽快举行听证会，以争取时间。17时左右，莫里诺向媒体宣布：他接到一个信封，装有一份有关门多萨案件进展情况的说明，莫里诺表示，门多萨看到这封信之后将会“大受启发”。

而门多萨并不知道的是，就在马尼拉市副市长宣布考虑重新审查他的案子之后不到五分钟，菲律宾总统府发言人里基对媒体表示：“总统府不会与劫匪谈判，这样会助长劫匪的嚣张气焰。”

这可能符合总统阿基诺三世的性格。阿基诺三世出身于政治世家，几乎伴随菲律宾国内的流血政治斗争长大。他的父亲被前总统马科斯暗杀，母亲阿基诺夫人执政期间遭遇军人政变，阿基诺三世本人身中五弹，至今一颗子弹还留在颈部。在国内宣传中，阿基诺三世也常常被形容为一个“性格坚毅，擅长击剑与射击的硬汉”。

但总统府的大人物们可能低估了一个身处绝境的小人物的斗志。根据《菲律宾商报》报道，当包括格雷戈利奥在内的三名谈判代表将莫里诺交付的信封递送给门多萨时，后者拒绝接收。

据菲律宾电视台ABS-CBN报道，信件的内容是：关于门多萨的申诉将于十天内被重新审查。

司机卢邦则有不同的说法，根据他事后的笔录，门多萨阅读了信件后表示：“这不是我想要的，里面没有我想要的决定。”他因情绪刹那间激动而大叫，“这是些垃圾，拿走！”

“为什么不能满足劫匪的要求？他的要求非常简单，为什么不能先付钱？”在劫案中失去了丈夫和两个女儿的团员吴幼媛事后追问。

还没有人知道这个追问的答案。我们仅仅知道的是：“劫匪的气焰”真正“嚣张”了起来。

“里面的人全死了！”——混乱中的“解救”

夜幕降临，局势突然紧张起来，门多萨的情绪变得激动。据多名在场的记者分

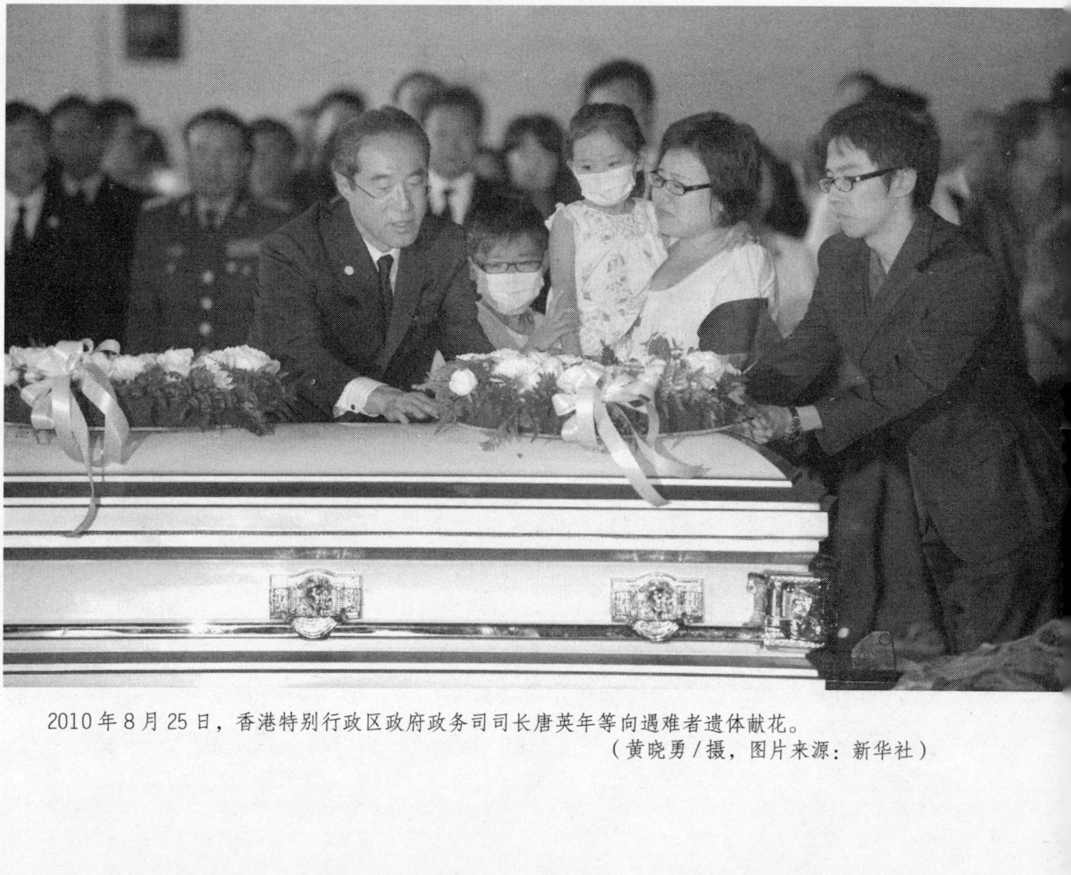

2010 年 8 月 25 日，香港特别行政区政府政务司司长唐英年等向遇难者遗体献花。
（黄晓勇 / 摄，图片来源：新华社）

析，引发事态转折的除副市长交付的信封外，还有警方对门多萨弟弟格雷戈利奥的态度突变。

格雷戈利奥本是警方的谈判代表之一，但当警方发现他携带了枪支后，将之收缴。据司机卢邦的笔录，格雷戈利奥在离开大巴时向门多萨喊话：“他们还没有把枪还给我！”

当谈判代表们回到离大巴大约300米远的一个警察站内时，警方以格雷戈利奥可能是哥哥的同伙为理由，试图逮捕格雷戈利奥，但他的家人和他在现场抱成一团，以阻止警方带走格雷戈利奥，场面混乱。就在这个时候，大巴内传出连串枪声。

多家香港媒体报道称，门多萨可能是在看到弟弟被警方强行带走后才情绪失常，因此大开杀戒。《纽约时报》的报道说，有迹象显示，门多萨通过车内一个监视器一直观看着现场直播。事后，菲律宾一位匿名的警官指责媒体在香港人质事件中起到了消极的作用：“如果不是电视台播放绑匪弟弟被带走的画面，我们和绑匪的谈判可能已经达成结果。”

枪响后，大巴向前移动几步，警察迅速开枪射击轮胎。

19时30分，体型稍胖的38岁菲律宾司机卢邦逃出车辆，当他以曲线跑至安全地带后，朝着人群大喊：“里边的人全死了！”

得知“人质全部死亡”的消息，在拖延了十个小时，抛弃了多次和平解决的办法，错过了无数次解救机会之后，警察的强攻因为一个逃跑的司机的一声喊叫而正式开始。无论门多萨的要求多么简单，无论菲律宾总统府的态度如何强硬，无论被劫持的游客怎样与绑架者友善合作，随着警方的强攻开始，这一切都再无作用。

马尼拉警方负责人利奥卡迪欧·圣地亚哥事后解释：警方曾相信劫持者“保持着理智”，“但是当大巴司机逃脱并称劫持者开始杀害人质，警方觉得到了强攻大巴的时候了”。警官雅布特（Nelson Yabut）也表示：“我们尽全力希望能和平谈判并结束此事，但他让我们没有选择。”

19时40分，车内再传枪声。警方包围大巴，决定强攻。现场媒体纷纷以各自车辆为掩体，30名特警匍匐在车身旁，用榔头打击车窗车门。电视镜头显示，车窗上有脸盆大小的碎痕，车内死一般沉静。

法新社报道说，一名特警在用榔头砸车门时，榔头却不慎飞入车内。现场，门多萨通过手机对电台喊话说：“我看到很多特警来到现场，我知道他们将会射杀我。

他们所有人必须离开，因为我将随时打死他们。”

为了自保，门多萨将人质排成一排，让他们站在车窗前充当“人盾”。特警只能留在车外，毫无办法地与劫匪僵持。但车内的门多萨已经丧失理智，不停开枪。

19时50分，现场再传枪声；19时52分，特警强行打开车门；20时04分，现场再传出枪声，警员跌倒；20时09分，警察试图拉开车门的绳索断裂。

20时13分，警察成功用手拉开后部逃生门；20时19分，警察强行由后部逃生门持盾进入大巴。车里顿时响起爆豆般的枪响，车窗随即显示一排密集的白色弹孔。这是直播中最为清楚地表明门多萨开枪射击的画面。两名特警随即跳下躲回车后。

20时21分，现场再传出枪声；20时23分，现场再传出连串枪声，窗上呈23处弹孔；20时39分，警察向大巴投掷催泪弹。

从19时至此时，香港无线记者冼诚峰都在现场。他回忆说:“当时天降大雨，听到很多枪声，警察和劫匪都有开枪。警察使用了催泪弹，希望从车后部的逃生门解救，但不成功。现场看见很多火光，然后看见劫匪挂在门口。”

而逃生的吴幼媛女士则怀疑劫匪是自杀的:“大约8点多，一名菲律宾警察敲开大巴门的一扇玻璃，想挤进去，结果被歹徒发现，歹徒开枪，他逃了出来。此后警察就蹲在大巴周围。这时，劫匪突然身子歪倒在大巴门的缺口处。”

这是门多萨留给世人的最后一个镜头，他半身悬吊在破烂的车门上，头部滴血。警察在他身旁试探了很久，似乎确认劫匪死了，终于站起身打开大巴安全门救人。

警方解救的结果是：八名人质事后被证明死亡。“他们有1 001种选择。”香港警队前高级警司林占士谈起菲律宾警方的行动时语气激动，“他们却选择了最愚蠢的一种。”

“nobody can stop u”——但这是一个悲怆的发现

夜幕中，人群围拢上来，八名死亡的香港游客被抬出。

他们是：58岁的梁锦荣及其两个女儿梁颂诗、梁颂仪，39岁的傅卓仁（获救人员曾绮丽丈夫），51岁的汪子林及44岁的杨绮华夫妇，46岁的杨绮琴，31岁的谢廷骏。

21 时 45 分，香港对菲律宾发出黑色旅游警示。22 时 50 分，香港特首曾荫权在政府总部召开记者招待会，宣布翌日下半旗志哀。

不久，菲律宾方面也宣布，8 月 25 日为全国哀悼日。24 日恰逢中元节，在事发大巴附近，遇难者家属举行了路祭，当地政府亦安排了佛教仪式，许多市民前来参加。

25 日下午，部分伤者及死伤者家属回到香港，但各界对救援中警方表现的质疑未曾停歇，甚至有人怀疑部分人质死于警察的子弹和榔头下。在强大的压力下，菲律宾方面表示将彻查救援行动，并将在查清后，派菲律宾副总统比奈和外长罗慕洛赴北京报告。

菲律宾总统阿基诺三世在事件结束后的电视讲话中承认警方举措失当，需要改善。但他同时援引俄罗斯歌剧院人质劫持事件表示：即使俄罗斯那样经验丰富，装备先进，也不能避免大量伤亡。

据外电报道，菲律宾警方发言人 25 日称，4 名参与处置香港旅游团劫持事件的菲律宾警察被拘捕。警方怀疑有 4 名游客死于警方的射击。目前，菲律宾警方已经要求现场特种部队将全部枪支上交，以作弹道检测。

到目前为止，没有任何消息表明，菲律宾方面对这起悲剧的直接制造者门多萨所要求重审的案子进行新的调查，这个终于犯下大错的警察，曾经遭遇什么“错误的决定”，我们无从得知。

而在中国，媒体和网友仍在质疑菲方的救援行动，及时通报信息的旅行社兼职领队谢廷骏和成功带离一名非亲属孩童的曾绮丽则成为传唱的英雄，特别是最后被劫匪铐在前车门充当人盾并最终殉职的谢廷骏，更被誉为“香港骄傲”。在这个天性开朗，亲和力强，喜欢和旅客合影的尽职导游的 facebook 上，人们搜索到他写下的一句话：“If u want to be happy，nobody can stop u！！”（如果你想得到快乐，没有谁可以阻挡你！）

但现在，这已是一个悲怆的发现。

（选自 2010 年 8 月 26 日《南方周末》，作者：方可成、胡贲、阿乙）

远航记

在发射“嫦娥二号”期间，作者有幸跟随“远望号”测量船出征大海，横跨太平洋、印度洋，历时140余天，总行程三万海里。作者将国家壮美的航天事业和个人独异的生命体验融为一体，以对辽阔海天的另类观察和别样感受，以对祖国远洋测控事业的现场体味，讲述了一段段“远望人”的感人故事和人生传奇。

以船为家

7月23日上午9时30分，震耳欲聋的汽笛声响彻江阴码头。

通体纯白的“远望五号”船是刚刚服役两年多的新船，外形大气漂亮，200多米长，近30米宽，排水量达2.5万吨，2007年9月29日在江南造船厂正式交付中国卫星海上测控部使用，是我国第三代航天远洋测量船，具有国际先进水平，此前曾执行过“神舟七号”载人飞船等重大航天远洋任务，七战七捷。这是“远望五号”第八次出海。

我第一次真正意义上的乘船出海开始了。站在高高的宽敞的上桥楼甲板上，望着有些嘈杂的码头，还有那些送行的人们，忽然怀疑起这场景的真实与否来。此前我只是坐过轮渡，百十号人的客船，三个小时的航程，实在无法和这次远航相提并论。

告别仪式比我想象的要简单，前来送别的家属似乎并不多，在中国卫星海上测控部机关人员整齐列队的映衬下，尤显稀稀落落，与我想象中的船员与家属临别前热烈拥抱、依依不舍、催人泪下的感人情景有很大差距。

经过反复的请示，比我到达的时间还迟，几乎是在最后一刻，两名来自北京的心理专家才乘机赶到了江阴，这也是“远望号”上第一次出现了专职心理医生的身影，测控部宣传处周建华副处长连声感叹：“不容易，不容易，好事多磨呀！”足见这次任务的艰巨和特殊。船长陈进朝告诉我：“出海就意味着风险，家属都不愿意来送行，人们从心理上都认为送行仪式搞得过于盛大似乎不太吉利。等胜利返航时你再看，情形就大不相同啦！”

在中国卫星海上测控部领导和部分船员家属的敬礼和挥手告别中，“远望五号”缓缓驶离码头，正式开启了长达140天的远航。这是“远望号”有史以来单次出海时间最长的一次，也是连续执行任务数量最多的一次。

最近这两年，地处江阴的中国卫星海上测控部担负的任务日益繁重，随着一、二、四号船的淡出，三、五、六号船的出海时间和频率都逐年提高，每年在海上执行任务平均都会超过200天。

200天，这个数字背后的含义远比听上去更加令人震撼，它意味着刨去任务转换以及备航的时间，船员们每年与家人团聚的日子加起来绝不会超过三个月。我问陈船长：“咱们测控部的住房条件一定非常好吧？”陈船长显然明白我的问话是有所指的，他说：“按规定，即使回港后，船员们依然是要吃住在船上的。也就是说，对于船员来说，无论出海还是靠岸，船就是他们的家。‘远望人’是真正意义上的以船为家。”

以往，我觉得“以……为家”都是一种夸张的修辞，用来形容某人爱岗敬业的程度很高；然而，对每一个“远望人”来说，“以船为家”却是一种实实在在的生活。我从没有船上生活的体验，但是可以想见，大洋深处绝不会风平浪静，船上的生活也绝非影视作品所描绘的那样浪漫旖旎。然而，陈船长的语气却是极其平静且淡定，淡定得让我无法从中觉察出任何感情色彩。但我想，这种生活已经不是诸如艰苦一类的词可以形容得了的了，我想到了残酷，这个词有可能更接近事实本相。

行驶在长江上的“远望五号”真的是气派至极，置身船上，心底里油然而生豪迈壮阔之气。此时手机还有信号，但船员们说，明天船到长江口时，手机便近似于电话号码簿了。于是，对手机上的信息便有了一种珍贵感。今天手机报的头条新闻是：北京四环内的房价已经达到四万元了。近期随着国家调控力度的增强，尽管房价增速放缓，但是环比依然保持较快增长。

北京的房价问题总能成为新闻媒体关注的焦点，可见普通百姓的关注度之高。房子的问题，即使到了海上，依然追着你跑，使你无处逃遁。但细细想来，对于我这样刚工作不久的年轻人来说，房价问题已经日渐成为一个伪命题了。且不说房价在短期内能否停止飙升的势头，就算能够稳定，当前的价格也绝对令人咋舌，至少对我而言，房价的问题早已不在关注视野里了，但陈船长一句轻描淡写的“以船为家”依然久久地停留在我的脑海里。

在中国人的传统意识中，家的概念必须是有实体的房子作为支撑，因为在那一方无论大小，但却封闭独立的空间里，有着家人的爱与温馨。无论你多晚回家，高楼上某一个窗口的灯光总会为你点亮；无论你行走多远，那个角落总有你牵肠挂肚的面庞。

那么对于四海漂泊的“远望人”来说，以船为家和浪迹天涯又有什么差别呢？或许，人在船上，船在海上，周遭一片无边无际的海水可以隔离并熄灭世俗生活中的欲望和焦灼，而将诸如牺牲、奉献、英雄、崇高等精神性质素渲染到极致；又或许，对着寂寥宽广的海面，日子久了，人的目光会变得清澈而淡定，心灵也会从容而坦然。对于常年生活在船上的人来说，“以船为家”或许真的没有我想象中那么可怕？陈船长是老“远望人”了，他的那份平静与淡然对我而言似乎很有说服力。

这一天，“远望五号”船大约行驶了70多公里。由于长江航路复杂狭窄，船多水浅，“远望五号”在下午就锚泊了。我单独住在宛如星级宾馆般的426舱室里，房间里有真空抽水马桶和24小时热水，倒也舒适而温馨。尽管还不敢说自己就是“远望人”了，但不妨安顿好行李，挂好衣服，整理好床铺，调整好心态，从今天起，直到那个一眼望不到头的日子，和所有“远望人”一起，以船为家！

抢救“鑫诺六号”

9月4日下午，在太平洋深处某任务海区，响起了庄严高亢的中华人民共和国国歌，“远望五号”船全体船员在上桥楼甲板列队整齐，高唱国歌。阳光朗照下，在金色的海面、洁白的主桅的映衬下，五星红旗分外鲜艳夺目。每个船员的目光中都凝聚着对胜利的渴望，每个人的胸中都鼓荡着使命的庄严。4时30分，某任务誓师大会正式开始。

测控部装备部叶建平副部长宣读了上级机关《关于某任务发射的通知》，陈进朝船长传达了测控部费加兵主任、丁兴农书记的《指示电》，各支部代表宣读了军令状，史庆新书记作了实战誓师动员。最后，测控部王兵副主任作了四点指示：一要坚定信念夺胜利；二要严谨细致报成功；三要创先争优当先锋；四要通力合作续辉煌。机关工作组合试验工程队全体、外协专家、新闻记者、厂所师傅代表及全船官兵参加了大会。

测控长邹惠之代表部门全体在国旗下庄严宣誓。从他坚定从容的步履中，从他带有明显山东口音的豪迈口号声中，我丝毫察觉不出他身上有严重腰伤。上次任务后，船上的测控设备和特装机房相继出现故障和管线漏水问题，为了更好地备战“鑫诺任务”，近半个月来，邹惠之几乎没日没夜地泡在机房。从他的誓言中，我看到了“远五人”的豪气和底气。

又是一个不眠之夜。23时10分，嘹亮的战斗歌曲从遍布全船每个角落、每个舱室的广播喇叭中响起，“远五”将士们有的从睡梦中醒来，有的则在自己的岗位上静待这一时刻的到来。简单的夜餐后，24时，全员就位。船指挥所里，我依然坐在上次任务时的老位置上，静静地聆听调度员黄亮每一句字正腔圆、沉着有力的口令声。

此时此刻，漆黑的太平洋上浪高2米、云量4成、云高800米、能见度15千米，温度27.5℃，湿度73%，风向80度，海面大气压1 010.70hpa，海况4级，自然条件能够满足测控要求。

船时04:14:04:227，“零时”到来，鑫诺卫星在从祖国腹地发射升空后的第1 283秒，准时飞临“远望五号”船测控范围上空。“520、530发现目标，530、520自跟踪，遥外测数据已发出。”“长江五号跟踪正常，遥外测信号正常，华山飞行正常，末速修正关机。”“560向华山发送脉冲雷达定轨结果，卫星进入预定轨道。”第1 880秒，520、530跟踪结束。

整整五个小时的任务过程，在我的采访本上居然被浓缩为上面这175个字。文字的概括力量确实惊人，但是它的苍白也是显而易见的，我觉得无论如何，我都无力用文字来准确而完整地还原实战的现场。就在任务圆满成功的那一刻，船指挥所里爆发出热烈的掌声，王兵副主任带头举起了红酒杯，连干了两杯，或许是为了纾解连日来心中巨大的压力，或许是为了多喝一点红酒能睡得好点。

此次出海，首战即遭遇预定海域恶劣的天气和海况，主用船位无法使用的严峻形势，经过多轮研究协商，最终王副主任果断决策向上级申请提前发射。次战，又因为卫星质量问题推迟发射，“远五”船的预定节奏被打乱，船上设备又接连暴露出问题，作为带队首长，王兵肩上所承担的压力可想而知。这位面相敦厚、态度和蔼的领导，招呼大家，晚上的庆功宴上一定要多喝几杯。我能感觉出来，此时此刻，首长自己也想喝酒了。

任务成功了，很多船员都去补觉了。可测控长邹惠之却没有睡，一上午他都在写总结。一脸疲惫的他告诉我:“这次任务准备得很艰难，部门全体人员的压力都很大。完成任务不一定是功臣，但完不成任务肯定是罪人。通过这次任务，部门人员的责任意识进一步增强。前天有个同事联调时操作出现了一点差错，他一夜未眠，第二天找到我，差点哭了，愧疚地说:‘感觉像犯罪，很对不起部门。’我在部门的一次点名中也说过，‘不给集体蒙羞，多为集体添彩’，就是要‘不出问题，多出成绩’。这次任务前的党委扩大会上，首长也强调全体人员要有‘问题不出在我这里’的责任意识。只有不出问题，多出成绩我们才会有尊严。”

测控部门是船上唯一不担负保障任务的主战单位，所承受的压力和责任也是最大的。我提醒邹惠之要注意休息，小心腰伤发作。他说:“感谢你的关心！这次任务，部门收获很大，在低谷中前进！我想我们这个团队会逐渐成熟起来的，真正成为一个让领导放心的部门。”

果真是“天有不测风云”。昨晚庆功宴上的喜庆气氛还未散尽，辛苦了半个多月的“远五人”还没有来得及洗去疲惫，今天早上 6 点钟刚过，傅敏辉总师助理就被一阵急促的敲门声惊醒。“远五”船宋海军副船长、周琳琦总师几乎是一头撞了进去:“卫星突发故障，‘远望六号’船与卫星相对位置过顶，仰角过大，可能需要我们船对‘鑫诺六号’进行紧急抢救……”

原来，昨天刚刚升空的“鑫诺六号”卫星在运行了一圈后突发故障，氦气压力瓶发生不明原因的泄露，导致氦气压力在很短的时间里所剩无几。而卫星在未来的几天中还需要经过数次变轨才能被定点于东经 126.4 度赤道上空，并建立正常工作姿态。“远望五号”船需要抢在压力耗尽前对卫星进行变轨。

船上的惯性导航雷达被紧急开启，因为惯导需要提前进行预热才能进入工作状态。在这段时间里，机关工作组和船领导利用早餐时间紧急磋商。中途，陈进朝船长去值班室接电话，回来告诉大家，西安中心已经明确向我们下达命令，对卫星进行远地点点火变轨。

“鑫诺六号”通信广播卫星由中国航天科技集团公司所属中国空间技术研究院为主研制，用户为中国卫星通信集团公司。卫星设计寿命15年，具有大容量、高可靠、长寿命等技术特点，主要用于开展广播电视直播传输业务。用于这次发射的“长征三号乙”运载火箭，由中国航天科技集团公司所属中国运载火箭技术研究院研究生产。此次发射是长征系列运载火箭的第129次飞行。“鑫诺六号”的成功发射，将进一步改善我国广播电视的直播条件，丰富广大人民群众，特别是边远山区群众的文化生活。

由于卫星所属的平台先进，工艺要求高，技术跨度大，因此自从诞生以来就波折不断，命运多舛。平台首星——“鑫诺二号”，就曾经在发射升空后，因为太阳能帆板无法正常打开而逐渐耗尽了燃料，目前已经离轨，几乎报废。“鑫诺六号”是该

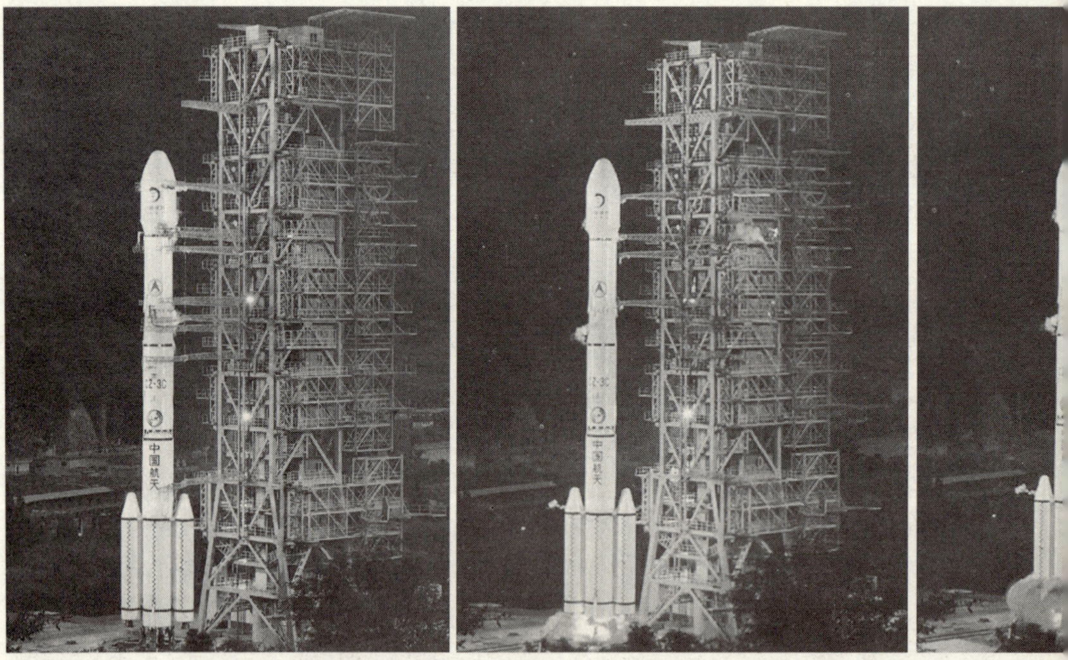

平台的第四颗卫星，对于我国的广播电视事业发展意义重大，尤其是对于未来几年我国面临的数字电视转型推广工作有着紧迫的现实意义。

早饭后，领导和测控、通信、航海等部门的相关人员提前进入机房，进行紧张的任务准备。船时上午 10 时许，当卫星运行到地球远地点位置时，“远望五号”上的 UCB 天线准确、有效地向“鑫诺六号”发出了一连串指令，卫星发动机点火成功。

时间一分一秒地流逝，遥控屏显上，卫星上的氦气瓶压力迅速下降，发动机温度一点点上升，人们紧张地关注着卫星的数据动态。船指挥所里，气氛凝重，鸦雀无声，“点火 30 分钟，卫星运行正常。”西安中心的调度口令在指挥所里响起。傅敏辉总师助理长长地出了口气。他告诉我，提前进行的第三次变轨已经成功，“远望五号”船所承担的应急测控任务成功完成。但是这只是整个抢救“鑫诺六号”卫星过程中的关键一步，接下来，卫星还要继续沿着椭圆形轨道运行，国内的测控站还要

10月1日18时59分57秒，搭载着嫦娥二号卫星的长征三号丙运载火箭在西昌卫星发射中心点火发射。这是嫦娥二号发射瞬间的情景。（李刚/摄，图片来源：新华社）

对卫星实施多次变轨，直至卫星轨道变成圆形，并在指定位置定点成功。

周琳琦总师告诉我，抢救动作实施顺利，尽管卫星氦气瓶压力已经丧失，但是还有其他方法进行发动机点火，“鑫诺六号”前途依然光明！“远望五号”船将改变航向，驶向西北，随时待命。之后再折返东南，停靠斐济苏瓦港的时间也将顺延至9月10日。

搭梯太平洋

9月29日下午，中国卫星海上测控部所属的“远望”三号、五号、六号航天远洋测量船先后顺利抵达太平洋预定海域，执行“嫦娥二号”卫星海上测控任务。

“三艘航天远洋测量船将以连续接力的测控方式，将‘嫦娥二号’卫星护送至地月转移轨道第一次中途修正，计划累计跟踪测控12个小时，共四个关键弧段。”中国卫星海上测控部计划部部长吴锦高告诉记者，“这次任务的一大特点就是有三个不同发射窗口，每个发射窗口对测控任务的分配和技术要求都不尽相同，都有不同的方案预案。以‘远望三号’船为例，针对不同的发射窗口，其任务海域分跨六个经度，三个纬度，三天之内机动距离近400海里，这对整个‘远望号’船队的任务准备来说都是个不小的考验。”

中国卫星海上测控部原总工程师张忠华向记者介绍，与“嫦娥一号”测控任务相比，“嫦娥二号”技术更新，难度更大，系统更复杂，将实现六个方面的技术创新与突破：一是突破运载火箭直接将卫星发射到地月转移轨道的发射技术。“嫦娥一号”用了近14天时间进入工作轨道，“嫦娥二号”七天以内就可做到。二是试验X频段深空测控体制，测控效果将更好。三是验证一百公里月球轨道捕获技术。相比“嫦娥一号”在距月面200公里处被月球捕获，“嫦娥二号”将在距月面100公里处进行制动，轨道更低。四是验证100公里×15公里轨道机动与快速测定轨技术。测试将飞行轨道由100公里圆轨道调整为远月点100公里、近月点15公里的椭圆轨道的能力。五是试验全新的着陆相机，数据传输能力大幅提高，速率也将翻倍。六是对“嫦娥三号”预选着陆区进行高分辨率成像试验。这些创新与突破都对海上测控的连贯性和精准度提出了新的更高要求，三船接力测控，力求实现运载火箭三级二次工作段和卫星入轨段的无缝链接。本航次，“远望号”船队面临着有史以来单次出海时间最长，连续执行任务次数最多的双重考验；尤其是任务之间转换快，准备周期短，技术差异大，对参试设备和人员的状态都提出了更高的要求。

为顺利抵达预定海域，三艘“远望号”船均经历了大风、大浪、大涌的考验。9月18日刚刚驶离斐济苏瓦港的“远望三号”船就接连遭遇了两次冷空气过程。在三米多高的涌浪里，船员们克服船摇的困难，加班加点检查调试设备，开展万无一失大检查及故障问题归零。“远望三号”船还先后抵达两个任务窗口海域，进行陌生海域气象水文调查和电磁环境监测。

9月30日，三艘“远望号”船上先后举行了“用成功祝福祖国”誓师大会。中国卫星海上测控部主任费加兵说:“在任务前的全区合练中，三艘‘远望号’船软硬件工作正常，各类数据收发正确，计算准确，航行工况良好，达到了预期目的。全区合练的顺利进行，标志着‘嫦娥二号’卫星发射前的各项准备工作已经就绪。我们‘远望号’船队近千名参试人员完全有信心、有能力圆满完成‘嫦娥二号’的海上测控任务，誓用任务圆满成功向共和国61岁华诞献礼!”

32年来，“远望号”船队68次远涉太平洋、大西洋、印度洋，圆满完成了79次海上测控任务，总航程166万余海里，相当于绕地球77圈，累计海上作业9 100余天，测控成功率百分之百。

“远望”凝眸送“嫦娥”

10月1日国庆节，北京时间晚18时59分57秒，当火箭托举着“嫦娥二号”卫星从西南山谷间拔地而起时，太平洋上皓月当空，在静谧的大海上朗照出一条明亮的月光大道。我国三艘“远望号”航天测量船正分别在不同海域的波峰浪谷间，缓缓前行，列阵以待，准备展开连续跟踪测控“嫦娥二号”卫星的任务。

“远望五号”船是陆海测控接力的第一棒，直接关系着火箭卫星三级二次点火前的正常运行。点点明星愈发映衬出太空的深邃，徐徐海风送来阵阵涛声。一阵急促的铃声响过，“一级测量部署，请人员就位!”机房内早已进入临战状态的船员们各自坚守着岗位，一排排彩色控制屏幕上倏忽变更着各种信息画面，甲板上，雷达天

由四条远望号远洋测量船在海上构建起航天测控网，负责跟踪和获取神舟六号载人飞船的信息，对航天器进行有效控制和管理。（秦宪安 / 摄，图片来源：新华社）

线也对准了卫星飞来的方位。

“滴答，滴答……”时钟的跳动仿佛在撕扯扰动着紧张的空气。突然，“‘长江五号’发现目标！”调度广播中传来清晰的口令声。“远望五号”船雷达主操作手蒋宗元动作娴熟，短短几秒间就实现了对卫星的精确跟踪。“‘长江五号’跟踪正常！”“遥外测数据正常！”测控的接力棒交给了“远望三号”船。

同时，“远望三号”船也进入了任务状态。船指挥室里，中国卫星海上测控部计划部部长吴锦高面色凝重、屏气凝神，紧盯着指挥监视屏，时不时向身边的技术人员询问各系统参数动态。负责测控任务实施的副船长刘峻镇定地坐在监控台前，井然有序地调度指挥。

驾驶室因夜间航行而关闭了照明灯，副船长倪留国正在值班，他密切关注着海况，指挥舵信手操作方向盘，稳字当头，他要保证“远望三号”船以 208 度的航向匀速缓慢前行。卫通机房内，通信机柜的设备上数百个红、黄、绿色的显示灯，闪烁着形成一道美丽的“霓虹”。参试人员不时操纵着设备，监视屏上显示着卫通天线稳稳地指向西北，正与北京指控中心建立信道链接。后甲板上，气象队正在释放任务前最后一个探空气球。准确预报海区实时气象数据对于任务的顺利实施至关重要。

“五分钟准备！”调度广播中一声令下，灯火通明的USB机房内气氛骤然紧张。为了缓和气氛，不使人员因过分紧张而疲劳，USB组组长曾山平偶尔说两句不着边际的笑话，引起了同志们微微“尴尬”的笑声。

年轻的USB雷达操作手戴兵稳坐在雷达主控台前，身后“党员先锋岗”的标识格外引人注目，这是此次任务前船党委授予他们的荣誉。戴兵右手紧握操纵杆，左手习惯性地轻轻敲打着桌面，双眼盯着显示屏，两腿随意地摆动几下。虽然他已不记得这是第几次参加任务了，但那种惊喜而谨慎的感觉依然如第一次一样。

甲板上，直径十多米的USB雷达稳固挺立，紧紧“咬”着星箭从地平线出现的方位点。五分钟后，戴兵将操纵着它将目标捕获和锁定，并接收目标传过来的数据。

时间一分一秒地流逝。

“一分钟准备！”

“10、9、8、……”突然，一个绿点闯入屏幕，欢快、杂乱地跳跃着，好像要挣脱什么。戴兵迅速扫了一眼数据，眉头一紧，右手熟练地转动着操纵杆，稳稳地把绿点套牢在监视器中心——所有动作一气呵成。

“‘长江三号’发现目标！”

“‘长江三号’跟踪正常，遥测信号正常！”

“三级二次启动”指令顺利发出。调度员每一次清晰的报告，都会给人带来期待，抚慰着人们紧张的神经。

“‘长江三号’跟踪结束！”坐镇指挥的吴锦高部长左手下意识地紧紧握成拳头，轻声但却有力地说了一声“好”，随后带头鼓起掌来。

“感觉很好，虽然有点紧张，但很快能控制住，任务完成得很圆满，我很开心。”戴兵激动地对记者说。USB雷达天线采用等待点加手动扫描的方式捕获目标，要求目标出现后在俯仰角5度以内实现捕获。戴兵可以做到在1度俯仰角进行目标捕获，有时借助雷达波的折射原理，甚至可以在地平线以下发现目标，这些“绝技”是经过千百次的锤炼成就的。

北京时间19时21分49秒，南太平洋上，“远望六号”船雷达主控台前面的小荧光屏也突然出现了亮点，主操作手张炯铭第一时间锁定了它："'长江六号'发现目标！"

"远望六号"船接过了海上接力测控的最后一棒。"遥测信号正常！""三级二次关机！""'长江六号'跟踪结束！"

"远望号"船队圆满地完成了"嫦娥二号"的海上测控任务。这一刻，"远望人"举起了欢庆胜利的酒杯，用成功遥祝新中国 61 岁生日快乐！

（选自解放军出版社《远航记》，2011 年 8 月出版，作者：傅逸尘）

后记

上世纪末，文汇出版社曾出版了18卷本的《20世纪中国纪实文学文库》，在读者中产生了广泛而深远的影响。现在推出的《21世纪中国纪实文学大系》正是上世纪“文库”的延续，是对21世纪中国客观、真实的记录。由于某些原因，我们在这套丛书的编辑思路及框架设计上作了如下调整：

一、为了使记录更加及时、更为精准，决定以“一年一部”的节奏，每年出版一部记录上一年重要事件及相关人物的“年编”，力求内容齐全，文字准确真实。

二、考虑到《20世纪中国纪实文学文库》收尾在1999年，本套丛书特将2000年一并收入，以弥补上世纪“文库”之不足，体现内容的完整性。

三、为了凸显文学价值，每一部年编都对当年中国纪实文学的新特征作了梳理和评析，并力图作出前瞻性的研究。这样，每一部年编在“一书一述”的基础上，又增加了“一书一评”的内容，其兼具“史料”和“文学”双重价值便成为可能。

在本套丛书的选编过程中，著名文学理论家钱谷融教授不顾九十多岁的高龄，欣然应允担当本丛书的顾问；著名文学评论家杨扬教授，则为本套丛书的编辑、出版提出了诸多建设性意见，并花费了大量时间阅读文本，带领他的团队撰写了一篇又一篇有关纪实文学的评论文章；上海市新闻出版局的阚宁辉副局长和许乃青处长对本套丛书的编辑、出版作了许多重要指导，并给予了很大的鼓励；新华社上海分社副社长叶国标、图片中心副主任金丽莉为本套丛书的图片提供给予了巨大的支持；文汇新民联合报业集团信息中心的姚高东主任和图片中心的高峰主任，则为本套丛书图片的选择提供了有益的建议……在此，对于每一位对本套丛书的编辑、出版予以帮助的前辈、领导和朋友，我们谨表示深深的谢意！

今后，我们每年都会编辑、出版一部《21世纪中国纪实文学大系》的年编，我们将加倍努力，及时推出能够让读者朋友喜爱的读本，为中国的出版事业贡献出我们的绵薄之力。

（编　者）

致作者

编选者在编选本书时，已经获得部分作者授权，谨在此表示衷心的感谢。

同时，因时间仓促，作品来源辗转，故仍有部分作者未能取得联系。在此，我们深表歉意。请未取得联系的作者及时与我社联系，我们将按照国家有关规定支付稿酬，并奉上样书。

文汇出版社

2012 年 8 月 18 日

联系地址：上海市威海路 755 号 18 楼

邮　　编：200041

联系电话：021-52921234 转总编办

图书在版编目（CIP）数据

21世纪中国纪实文学大系. 2010卷：世界盛会/
桂国强主编. —上海：文汇出版社，2012.9
ISBN 978-7-5496-0612-2

Ⅰ. ①2… Ⅱ. ①桂… Ⅲ. ①纪实文学—作品集—中国—当代 Ⅳ. ①I25

中国版本图书馆CIP数据核字（2012）第178978号

21世纪中国纪实文学大系（2010卷：世界盛会）

丛书主编 / 桂国强
责任编辑 / 张　涛
特约编辑 / 周春梅
装帧设计 / 周夏萍　王坚民

出版发行 / 文匯出版社
上海市威海路755号（邮政编码200041）
经　　销 / 全国新华书店
照　　排 / 南京展望文化发展有限公司
印刷装订 / 上海宝山译文印刷厂
版　　次 / 2012年9月第1版
印　　次 / 2012年9月第1次印刷
开　　本 / 720×960　1/16
字　　数 / 250千
印　　张 / 19.5

ISBN 978-7-5496-0612-2
定　　价 / 32.00元